За чужими ***окнами***

Читайте повести и рассказы

***Марии Метлицкой***

в серии «За чужими окнами»

Наша маленькая ***жизнь***

То, что ***сильнее***

Машкино ***счастье***

Беспокойная жизнь ***одинокой женщины***

Второе ***дыхание***

Испытание ***медными трубами***

Всем ***сестрам...***

И шарик ***вернется...***

Дневник ***свекрови***

После ***измены***

Ошибка ***молодости***

Дорога ***на две улицы***

Верный ***муж***

А жизнь была ***совсем хорошая...***

Её последний ***герой***

Вечный запах ***флоксов***

Женский ***день***

Мария
Метлицкая

# Женский день

Москва
2015

УДК 821.161.1-31
ББК 84(2Рос=Рус)6-44
М54

Художественное оформление серии *П. Петрова*

**Метлицкая, Мария.**
М54 Женский день / Мария Метлицкая. – Москва : Издательство «Э», 2015. – 352 с. – (За чужими окнами. Проза М. Метлицкой и А. Борисовой).

ISBN 978-5-699-82755-8

Когда тебе плохо, знай – так будет не всегда. Но и когда ты уверен, что счастлив, помни – так тоже будет не всегда. Увы, мы часто забываем и о том и о другом. Но судьба не упускает момента вовремя найти утешение или, наоборот, щелкнуть по носу. И именно об этом новый роман Марии Метлицкой.

В канун Женского дня три успешные женщины – актриса, врач и писательница – пришли в студию популярного ток-шоу. Все три не сомневались, что от них ждут рассказа об истории успеха, о том, «как они сами себя сделали». Каждая из них не раз давала такое интервью, и со временем правда и вымысел перепутались настолько, что героини и сами порой не могли отличить одно от другого. Но все пошло совсем по другому сценарию. Женский день стал очередным испытанием – на прочность, порядочность, на умение любить и прощать. И очередным напоминанием – ни очень плохо, ни очень хорошо не бывает всегда.

**УДК 821.161.1-31**
**ББК 84(2Рос=Рус)6-44**

**ISBN 978-5-699-82755-8**

– Не выспались? – услужливо спросила гримерша и мазнула Женю кисточкой по подбородку.

Женя вздрогнула и открыла глаза.

– Да, как-то не очень, – грустно согласилась она.

– Со сном или – вообще? – усмехнулась любопытная гримерша.

Женя тоже усмехнулась.

– Зачем же «вообще»? «Вообще» все отлично!

«Не дождетесь, – подумала она, – фигу с маслом! Знаем мы таких. Сочувствующих. Мы вам душу, а вы нам – сплетню. Понесете потом по коридорам Останкино – у Ипполитовой все плохо. Бледная, грустная, короче – никакая. Не иначе в семье проблемы. Ага, счаз!»

Гримерша была немолода, видимо, опытна в делах сердечных и явно приучена к задушевным беседам.

– Глазки? – полушепотом, интимно спросила она. – Глазки будем УКРУПНЯТЬ?

Жене стало смешно – укрупнять глазки! Незаметно вздохнула – раньше ничего *укрупнять* было не нужно. Глазки были ничего себе. Губки тоже вполне, вполне. Носик тоже не подводил. Волосики средние, но не из последних... да. А ведь права настырная – глазки теперь в укрупнении явно нуждались. И ротик можно было бы освежить. Да и все остальное... освежить, оттюнинговать, укрупнить. Все, кроме задницы и некоторых частей спины.

Гримерша старалась – высунув кончик языка, припудривала, подрисовывала, уменьшала и укрупняла.

Наконец она выпрямила спину, отступила на полшага назад, посмотрела на Женю и сказала:

– Ну, вот. И слава богу! Свежа, молода, хороша. Короче, к эфиру готова. Ну, а в перерывах поправим, промокнем и подсушим – ну, все как обычно!

Женя встала из гримерного кресла, улыбнулась, довольная результатом.

– Спасибо! Спасибо огромное. Вы и вправду большой профи.

Гримерша махнула рукой

– Столько лет, о чем вы! Десять лет в Малом, семь в Таганке. И здесь уже, – она задумалась, вспоминая, – да, здесь уже скоро двенадцать. Мартышка бы научилась.

В дверь заглянула молодая кудрявая девица.

– Тамар Иванн! Ольшанская прибыла.

Тамара Ивановна всплеснула руками.

– Хосподи! Ну, счас начнется!

Женя присела на двухместный диванчик и взяла в руки старый и потрепанный журнал, предназначенный, видимо, для развлечения ожидающих гостей.

Гримерша начала – излишне поспешно – прибираться на гримерном столике.

Поиски сходства с реальными персонажами
абсолютно абсурдны.
Все герои придуманы автором.
Прототипов нет!
А остальное – фантазии читателя.

*Автор*

Дверь распахнулась, и ворвался вихрь. Вихрь, сметающий все на своем пути. Позади Вихря бежали две девицы, одна из которых была та, кудрявая. Они что-то бессвязно лепетали и были очень взволнованны.

Вихрь скинул с себя ярко-красный кожаный плащ и тяжело плюхнулся в кресло.

Ольшанская была хороша. Женя видела ее только по телевизору и сейчас, позабыв о приличиях, жадно разглядывала ее.

Рыжие, коротко остриженные, под мальчика, волосы. Очень белая кожа, свойственная только рыжим людям, светлые конопушки на прелестном, красиво вздернутом носике. Очень крупный и очень яркий, совсем без помады, живой и подвижный рот. И глаза – огромные, темно-синие, такого редкого цвета, который почти не встречается в усталой природе.

«Классная!» – с восторгом подумала Женя, всегда с удовольствием подмечающая женскую красоту.

Ольшанская обвела взглядом гримерку и уставилась на пожилую гримершу.

– Ну, слава богу, ты, Том! – с облегчением выдохнула она. – Теперь я спокойна. А то... Эти, – она скривила рот и кивнула головой на девчонок, жавшихся у стены, – эти! Эти, блин, напортачат.

Девицы вздрогнули и еще глубже впечатались в стену.

Гримерша Тамара Ивановна раздвинула губы в сладчайшую улыбку, развела для объятий руки и пошла на Ольшанскую.

Но подошла к креслу и застыла – Ольшанская кидаться в объятия не собиралась.

– Может, кофе? – просипела кудрявая.

– Ага, как же! – скривилась Ольшанская. – Нальешь мне сейчас вонючей растворимой бурды из кулера и назовешь это кофе!

– Я сварю! – всполошилась Тамара Ивановна. – Сварю в турочке, с утра смолотый! С пенкой и с солью, да, Алечка?

Ольшанская с минуту, словно раздумывая, смотрела на гримершу, а потом вяло кивнула.

– А, валяй! – разрешила она. И жалобно добавила: – Башка с утра рвется. Прямо сил никаких!

Женя снова уткнулась в журнал – разглядывать звезду ей совсем расхотелось.

«Вот так, – подумала она, – звезда, красавица, успешнее некуда. И такая... Хотя какая? Ну, повыпендривалась малость, с кем не бывает! Звезда ведь, не фунт изюма». Но все равно. Стало както неуютно что ли... Не то чтобы она этой Ольшанской испугалась – да нет, глупости, конечно. Просто подумала: всех «забьет» эта цаца. Будет «звездить» и упиваться – собой, любимой. А мы... Мы останемся на задворках, понятно. Под лавкой. Актриса – всех переиграет, ясное дело.

Ну и ладно. Подумаешь!

Но тут же слегка пожалела... Что подписалась на все ЭТО. Зря. Не надо было.

Как чувствовала – не надо.

Она незаметно вышла за дверь – наблюдать за капризной звездой удовольствия мало.

Стала прохаживаться по коридору. В Останкино она бывала и раньше – на записях ток-шоу. Приглашали ее часто, а вот соглашалась она крайне редко. Жалко было и времени, и сил. Да

и интереса особого не было – если только в самом начале.

По коридору навстречу ей стремительно, мелкими шагами шла невысокая и очень ладненькая женщина. Она разглядывала указатели на дверях – чуть близоруко прищурившись. За ней бежал тот, кого называли гостевой редактор.

Стрекалова – узнала ее Женя. Вероника Юрьевна Стрекалова. Врач-гинеколог. Очень известный врач. Директор института – не только директор, но и практически создатель. Профессор, член всяческих международных ассоциаций. Умница, в общем. Женщина, подарившая десяткам отчаявшихся женщин счастье материнства. Жене попадались интервью Стрекаловой, и она всегда подмечала, что эта хрупкая и скромная женщина ей очень нравится.

Молодой парень, тот самый встречающий редактор, с кем-то остановился и начал болтать. Стрекалова растерянно оглянулась, ища его глазами, подумала с минуту, вздохнула, остановилась у нужной двери и робко постучалась.

Из-за двери вынырнула кудрявая и, увидев профессоршу, обрадовалась ей, словно родной матери.

– Простите, – залепетала Стрекалова, – за опоздание. Такие пробки! Какой-то кошмар. Я ведь из самого центра, – продолжала оправдываться она.

Кудрявая втянула ее в комнату – практически за рукав.

Женя усмехнулась: ну, эта – овца почище меня! Ликуй, Ольшанская! На сегодня конкурентов у тебя точно нет. И передачу можно смело переименовывать – не «Три соплеменницы, которыми мы восхищаемся», а бенефис Александры Ольшанской.

Женя вздохнула и глянула на часы – в запасе было еще минут двадцать. Можно смело спуститься на первый этаж в кафешку и выпить кофе. За свои, за кровные. Не давясь бесплатной, растворимой бурдой и не выклянчивая «заваренный в турочке».

Впрочем, она не выклянчивала. А предлагать ей никто и не думал – невелика птица. Уж точно – не Ольшанская. Не тот калибр!

Писательница. Автор женских романов. Подумаешь! Сколько их развелось! Перебьется без кофе.

Кофе в кафе был отличный – настоящий капучино, правильно сваренный, с высокой пенкой и коричным сердечком. Женя откинулась на спинку стула и обвела взглядом зал. Знакомые, сплошь медийные лица – ведущие новостей, ток-шоу, актеры, режиссеры.

Из-за столика наискосок ей помахала рукой женщина в красном платье. Женя узнала Марину Тобольчину, ведущую программы, на которую ей, Жене, следовало идти через пятнадцать минут.

Тобольчина была личностью тоже известной. Все смотрели ее программы уже лет пять или шесть. И никогда не было скучно. Тобольчина делала программы про женщин. Раз в два года она лишь слегка меняла формат – вероятно, чтобы не наскучить зрителю. И следовало признать, это ей прекрасно удавалось.

Кто-то считал программы Тобольчиной конъюнктурными, кто-то – похожими друг на друга. Кто-то упрекал ее в жесткости, кто-то в отсутствии искренности.

Но! Смотрели многие. Передачи были нескучные, динамичные. И вопросы Тобольчина задавала не заезженные, не примитивные. И еще – ей отлично удавалось выбить из собеседницы слезу, вытянуть что-то глубоко спрятанное, почти секретное. Профессионал, что говорить. Голос ее журчал мягко, ненавязчиво, словно ручей. Убаюкивал, успокаивал, расслаблял. И тут – оп! Острый вопросец. И собеседница терялась, вздрагивала, чуть не подскакивала в кресле. А деваться-то некуда! Тобольчина готовилась к программам тщательно. Выискивая скелеты в шкафу – ничего вроде особенного... А в глаз, а не в бровь!

Женя читала в Сети, что была пара случаев, когда оппоненты Тобольчиной требовали стереть запись и в эфир не пускать. Фигушки! Тобольчина за каждую запись билась как тигрица. Было даже одно судебное дело, но Тобольчина его выиграла.

И сутяжницу наказали рублем и общественным порицанием. И даже высмеивали в СМИ.

Вообще-то, получить приглашение от Тобольчиной считалось круто, очень круто. Конечно, она была признанной акулой пера – если так можно сказать о телевизионщице.

Тобольчина посмотрела на часы, бодро встала и направилась к Жене. Подошла к ее столику, обворожительно улыбнулась и наклонилась.

– Готовы, Евгения Владимировна? – мягко спросила она.

Женя выдавила улыбку и тоже кивнула.

– Да, Марина. Конечно, готова.

– На гриме были? – осведомилась та.

Женя кивнула.

– Разумеется.

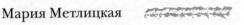

– Тогда – за работу! – Тобольчина еще раз улыбнулась и кивнула: – Пойдемте?

Женя встала, вздохнула и нехотя поплелась следом.

На душе было тревожно.

«Трус! – укорила она себя. – Как была трусихой, так и осталась. Не дрейфь, Ипполитова! Ты ж... давно уже не Женя из шестой школы. Ты Евгения Ипполитова! Звезда российской прозы и любимица тысяч женщин. И даже мужчин. И тиражи у тебя, матушка!..

Так что вперед, дорогая. Забыли про детские страхи, подростковые фобии и климактерические взбрыки. Вперед и с песнями! Про тяжелую, но почти счастливую женскую долю. Ты ж профессионал в этом, Женечка. Куда там Тобольчиной!»

В студии за белым овальным столом уже сидели Ольшанская и Стрекалова. Сидели молча – Стрекалова уткнулась глазами в блестящую от лака столешницу, а Ольшанская разглядывала свой безупречный французский маникюр.

Марина Тобольчина одарила сидящих голливудской улыбкой и опустилась на свое место. Женя села на свободный стул.

Тобольчина просматривала подводки, хмурилась, что-то почеркала карандашом, тяжело вздохнула и подняла глаза.

– Ну, милые дамы, начнем, помолясь?

Ольшанская хмыкнула и посмотрела на часы, Вероника побледнела и осторожно кивнула, а Женя, вздохнув, слабо улыбнулась и беспомощно развела руками.

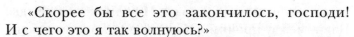

«Скорее бы все это закончилось, господи! И с чего это я так волнуюсь?»

Тобольчина, словно услышав ее мысли, чеканным голосом промолвила:

– Не волнуемся, не психуем! Не дергаемся. Дышим свободно и полной грудью. Вы все люди с опытом, с камерой знакомы. Я – ваш друг, а не враг. А вы – дамы, достойные восхищения! Народ вас любит. Так что вперед!

И Тобольчина широко и дружелюбно заулыбалась.

– Мотор! – сказал по радио режиссер, у Тобольчиной хищно загорелись глаза, и она чуть поддалась вперед.

– Дорогие мои! – начала она. – Мы снова вместе. Я тоже очень ждала нашей встречи. Я тоже скучала по вас! И вот сегодня, накануне главного женского праздника, мы решили сделать вам прекрасный подарок. – Она выдержала минутную паузу и снова широко улыбнулась: – Итак, представляю вам моих сегодняшних гостей. Хотя в представлении они не нуждаются. Но – правила есть правила. Прошу любить и жаловать – Александра Ольшанская! Звезда отечественного кинематографа. Кстати, не только отечественного. Красавица, умница и очень успешная женщина. Каждый раз, видя Александру на экране, мы восхищаемся ей, стремимся походить на нее и просто ее обожаем.

Ольшанская, чуть приподняв бровь, с королевским достоинством кивнула.

– Моя следующая гостья, – Тобольчина снова обворожительно улыбнулась, – Вероника Стрекалова. Профессор, завкафедрой, автор множества трудов и монографий, наконец, директор института, который я бы назвала Институтом надежды. Член, между прочим, Общественной палаты, жена и мать. И к тому же тоже – красавица!

Вероника Стрекалова побледнела как мел, и на ее лбу выступили капельки пота. Она обвела глазами собеседниц и наконец кивнула.

– И – моя третья гостья! – Тобольчина загадочно улыбнулась и выдержала паузу. – Моя третья гостья, – повторила она, – Евгения Ипполитова! Наш любимый писатель. Женщина, которая знает про женскую душу все и даже больше, чем все. Над чьими книжками мы плачем, смеемся и восхищаемся ими. Она дарит нам счастливые минуты переживаний и надежды. Евгения Ипполитова!

Женя попробовала улыбнуться и кивнула головой.

Улыбка получилась натянутой, а кивок слишком явный, подумалось ей. Ну да ладно. Никто не заметит.

– Итак, – продолжила Тобольчина, – почему я пригласила именно этих прекрасных женщин? Думаю, ответ ясен – все они дарят нам радость, много приятных минут и надежду. Надежду на то, что все поправимо. В любви, в браке и, конечно, в здоровье. Они обещают нам, что все наладится. И еще. – Все они – одного поколения. У них разные судьбы и разный путь к успеху. Но все они жены и матери. Все они прекрасны и успешны. И вполне достойны того, чтобы быть героинями нашей праздничной и, надеюсь, душевной и честной программы.

– Я задаю честные вопросы и жду на них честных ответов! – это был рефрен программы, «фишка» Тобольчиной, которую она повторяла по нескольку раз.

– Александра! – обратилась она к Ольшанской. – Вы, как всегда, молоды и прекрасны. Точнее – с каждым годом все прекраснее и моложе. Скажите, пожалуйста, как вам это удается? Ну, поделитесь секретом. С нами, женщинами, которые вас обожают!

– А я никому не завидую! – резко, почти с вызовом, бросила актриса. – Ни более успешным, ни более молодым. У завистливых теток на лице отпечатывается жабья гримаса – приглядитесь. И убедитесь сами.

– Ой ли? – лукаво улыбнулась Тобольчина – Только ли отсутствие зависти? И совсем без вмешательства пластических хирургов? Ох, как надоели все эти наивные глупости, в которые давно никто не верит, – не завидовать, хорошо высыпаться, огурец и кефир на лицо и прочая ерунда...

Женя видела, как напряглась Ольшанская – на долю секунды по ее белоснежному лбу пробежала легкая морщинка и чуть потемнели глаза. На долю секунды. И тут же она расцвела как маков цвет – улыбнулась так, что мурашки по коже. «Мастерство не пропьешь», – с восхищением подумала Женя.

– Марина, милая, – протяжно пропела Ольшанская, – а к чему мне секреты? Все знают, сколько мне лет. Все знают, в который раз я замужем. А уж про тюнинг – так сейчас этим просто гордятся.

Тобольчина чуть откинулась на спинку стула.

– Все верно, дорогая Александра! Лично я ни минуты не сомневаюсь. Вы же родились в Сибири. А это – уже диагноз. Такая стойкость и такая сохранность! И к тому же – чему вам завидовать?

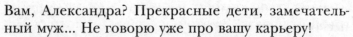

Вам, Александра? Прекрасные дети, замечательный муж... Не говорю уже про вашу карьеру!

Ольшанская милостиво кивнула – дескать, все правда.

Но добавила:

– Родилась, да, в Сибири. Там служил мой отец. Но – родители родом из Петербурга. И там я, собственно, выросла.

Тобольчина перевела взгляд на Веронику.

– Дорогая Вероника, – мягко сказала она, – ну, а теперь к вам.

Профессорша вздрогнула и покорно кивнула.

– Вы удивительная, неординарная, да просто гениальная женщина. Ваши технологии – ноу-хау в науке. Вы успеваете все: и преподавать, и руководить институтом, и даже принимать тяжелые роды. К тому же вы любящая жена и мать прекрасного сына. Как можно сочетать все это? Некоторым не удается добиться успеха даже в одном из перечисленных пунктов.

Вероника Стрекалова, почти не разжимая губ, тихо промолвила:

– Ну что вы! При чем тут неординарная? Это все – знание и хорошее образование. Я просто любила учиться, – совсем тихо прощебетала она.

Тобольчина демонически расхохоталась и махнула рукой.

– Да бросьте, Вероника Юрьевна! «Любили учиться» многие. И где они, что из них вышло? Нет, я думаю, дело не в этом. А в чем же? – и Тобольчина сощурила свои прекрасные зеленые глаза.

– Но я правда не знаю, – растерянно пискнула собеседница, – как-то неловко говорить про себя... такое!

– Да какое «такое»? – удивилась ведущая. – Мы говорим правду! За это нас любят и смотрят. Нашим зрителям интересно знать именно правду про своих современниц. Красивых, успешных, достойных! Потому что, если смог кто-то, значит, смогу и я, вы меня понимаете?

Тобольчина почти перегнулась через стол и в упор уставилась на Стрекалову.

– Господи! Да я правда не знаю, – чуть не плакала Вероника, – поверьте, ничего загадочного! Училась, в двадцать шесть лет защитилась. Кандидатскую. В тридцать шесть – докторскую. Тему заметили, появились соратники и единомышленники. Мне просто очень везло на хороших людей, правда! Вышла пара статей в научных журналах. Заинтересовался министр, поддержал нас – спасибо ему большое. Ну, и дальше уж... Покатилось.

Она замолчала и чуть отпила воды из стакана.

– Вот именно, – подхватила Тобольчина, – вот теперь все понятно! Вы – учились. С интересом, с рвением. И при этом – вот где загвоздка! – успели и замуж выйти, и ребенка родить. И, что же – все сами, одни? Только вы и ваш муж? Простите, но как-то не верится.

Наконец Стрекалова чуть порозовела и повеселела.

– А, вы об этом? Да конечно же нет! Конечно же, не сами. И не одни. Знаете, – тут она улыбнулась и заговорила чуть громче, – у меня замечательная свекровь. Просто чудо, а не свекровь! Да если бы не она... Не было бы профессора Стрекаловой, моей карьеры и моего сына, да и вообще всего того, чем можно гордиться.

– Замечательно! – радостно подхватила Тобольчина. – Теперь мы все поняли. Значит, есть еще одна женщина, наша невидимая героиня. Аплодисменты! Как зовут вашу свекровь, Вероника?

– Вера Матвеевна, – опять почему-то сникла Стрекалова.

– Вера Матвеевна, – бравурно начала Тобольчина, – дорогая! Низкий поклон вам от нас, сидящих в студии. И, думаю, не только от нас. Если бы не вы и не ваша помощь, не было бы у нас такого доктора и не было надежды и веры, что все поправимо и будет хорошо. Потому что мы верим вашей невестке. Верим и доверяем!

– Ну а теперь – к вам, – осклабилась Тобольчина, обращая взор на Женю. – К вам, наша дорогая волшебница! Наша фантазерка, наша сказочница. Уносящая нас в мир чудесных грез. В мир прекрасных и сильных мужчин, в мир нежных и слабых женщин. Вы – тоже загадка – для меня, например. Обычная женщина, работающая в (тут она мазнула взглядом бумагу) в обычной школе, и вдруг – почти в сорок лет! Эта обычная, казалось бы, женщина, мать, жена, служащая, начинает писать потрясающие по своей искренности и задушевности книги. Как же все это вышло, дорогая Евгения? Что предшествовало этому, откуда взялось? Как заиграли вдруг грани вашего таланта?

Женя смущенно развела руками.

– Честно, сама не знаю. Просто... просто однажды, вдруг... Захотелось писать. Я тогда заболела. Лежала долго, полтора месяца. И совершенно не знала, чем себя занять. И вот попробовала.

И вдруг – получилось! По правде сказать, я и сама не ожидала.

– Ну... Это как-то... Не убеждает, что ли... – задумчиво протянула Тобольчина. – Вот я, например. Сколько болела, а взять лист бумаги и ручку – даже в голову не приходило. А если б пришлось – вот уж не думаю, что это бы кого-нибудь заинтересовало!

– У каждого своя судьба, – улыбнулась Женя. – Мне вот помог банальный радикулит. Выходит, бывает и так.

– А быт? – продолжала настаивать Тобольчина. – Писатель – профессия творческая. Требующая тишины, уединения. Сосредоточенности. А тут – кастрюли, поварешки, неглаженое белье. И как быть со всем этим? С тем, что заедает нашу женскую жизнь? Ведь вы же работаете дома, все верно?

Женя кивнула. Разумеется, дома. Отдельного кабинета в отдельной квартире, естественно, нет.

Она чуть задумалась, хотя сто раз отвечала на эти вопросы.

– Да приспособилась как-то. Детей отправляла на учебу, мужа провожала на работу. И улетала в свои фантазии – наверное, так.

– Ну, а обед, ужин? Уборка, все то же белье? – почему-то недовольно продолжала гнуть свое Тобольчина.

– Да между делом как-то, – ответила Женя, – сварить суп не проблема. Почистить картошку – тем более. А погладить можно и вечером, у телевизора.

– И вы хотите сказать, что, став известной писательницей, чьи книги выходят огромными тиражами, вы продолжаете стоять у плиты и жарить котлеты?

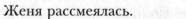

Женя рассмеялась.

– Ну а куда денешься? Став писательницей, я не перестала быть матерью и женой. А потом – я шустрая. Быстрая, в смысле. И быт мне не в тягость, поверьте.

– Уди-ви-тельно! – по складам пропела Тобольчина и развела руками. – И о чем это говорит? Правильно. Это говорит о том, какие у нас удивительные, потрясающие, необыкновенные женщины! А теперь, – тут она погрустнела, – я вас огорчу. Реклама, мои дорогие. И я успею соскучиться!

Это тоже одна из ее «фишек» – «успею соскучиться». Грустный взгляд, притворный вздох. Расстроилась, вроде как.

Заиграла музыка, и все чуть расслабились. Подлетели гримеры и начали промокать салфетками лица и припудривать кисточкой носы и подбородки. Тобольчина ни на кого не смотрела, хмурила брови и снова вчитывалась в подводку. Ольшанская вальяжно откинулась на спинку стула и попросила горячего чаю. Стрекалова пыталась кому-то дозвониться. Женя встала и прошлась по студии – заныла больная спина, и требовалась небольшая разминка.

– Садимся! – раздался голос режиссера. – Через две минуты мотор. Гримеры ушли с площадки! Марина!

Тобольчина недовольно подняла голову.

– Вяло как-то, – недовольно сказал режиссер, – давай поживее, что ли. А то мы уже спим.

– Приятных снов! – зло прошипела Тобольчина. – Сейчас проснешься. Будет тебе «поживее»...

Женя почему-то вздрогнула и посмотрела на Стрекалову. Та была белее полотна и очень сосредоточенна. Ольшанская по-прежнему рассматривала свой маникюр и была, на первый взгляд, совершенно спокойна. Но Женя увидела, как подрагивают пальцы ее прекрасных, тонких и очень ухоженных рук.

– Пишем! – раздался голос режиссера. – Внимание! Мотор!

Тобольчина сладко заулыбалась и обратилась к Ольшанской:

– Александра, ответьте, пожалуйста, на один вопрос. Быть может, не самый приятный для вашей семьи, но... Опровергните желтые СМИ, пишущие всякие небылицы по поводу вашего уважаемого супруга.

Ольшанская подняла на ведущую свои неповторимые, синие, словно горные озера, глаза, и Женя увидела, как взгляд ее застыл от боли, тут же сменившейся негодованием и яростью.

– Какие именно? – жестко спросила она. – Бульварная пресса пишет много всяческих гнусностей – в том числе и про вас, не так ли?

– Да, так, разумеется! – с жаром подхватила Тобольчина.

Но глаза ее чуть сузились от злости.

– И все же... Не потому, что мы ей, этой прессе, доверяем – конечно же, нет. Но – факт остается фактом. И против него, как говорится, не попрешь. Ваш муж как-то рассказывал, что бизнес в начале пути принес ему много проблем. Например, разборки с криминальными структурами, взятки чиновникам, проблемы с органами власти. Было даже такое, что его похищали. Кошмар какой-то! А теперь – так странно, – он сам ищет пути в политику, туда, где, как он говорил, «честных людей не бывает и быть не может». Это цитата.

Тобольчина, словно застывшая кобра, немигающе смотрела на Ольшанскую.

Ольшанская вздохнула, обворожительно улыбнулась и спокойно принялась отвечать:

– А что, собственно, вас так удивляет? Как строился бизнес в те годы – давно всем известно. По-другому было нельзя. Невозможно! И думаю, каждый бизнесмен может вам рассказать такие страшилки, и даже похлеще! А теперь все стремятся к цивильности. Хотят чтить законы. И что-то исправить – посильное – в нашем, не самом справедливом мире. Разве это неправильно? Нелогично разве? Мой муж человек не бедный, город родной не забыл и хочет – хотя бы там – навести порядок. Я ответила на ваш вопрос? – И она уперлась глазами в ведущую.

– Да, – вяло отозвалась Тобольчина, – теперь все понятно.

– Стоп! – послышался рык режиссера. – В чем дело, Марина? Чего ты скукожилась?

Тобольчина дернула бровью и чуть расправила спину.

– И еще, дорогая! А вы не боитесь так надолго отпускать своего мужа? Ведь он – как мне известно, – почти все время проводит в другом городе! Богатый мужчина, успешный мужчина, красивый мужчина. Может быть, у вас есть секрет? Как оставаться для мужа желанной? Как сделать так, чтобы он думал только о тебе и скучал по тебе? Соблазнов ведь море. И молодых красоток –

тем более. А вы, как мне кажется, человек наверняка ревнивый. Ну, это же видно!

И тут раздался дикий крик Ольшанской:

– Это что такое? Вашу мать! Что за провокации? Вы же обещали, что ничего такого не будет! Программа предпраздничная, только комплименты и елей! И что получилось?

В студию вбежали какие-то люди – редакторы, режиссер. Тобольчина резко встала и направилась к выходу.

– Началось! – зашипела она.

– Какого хрена? – продолжала кричать Ольшанская. – Какого хрена, я тебя спрашиваю? – кричала она в лицо худому парню в очках и ярко-розовых кедах.

– А что вас так задело? – допытывался режиссер. – По-моему, вопросы вполне безобидные и заурядные.

– Я ухожу! – заявила Ольшанская. – Мне это надоело! – и встала со стула.

Режиссер и прочие окружили ее и стали успокаивать. Какая-то девушка зашептала ей что-то на ухо. Ольшанская качала головой и продолжала возмущаться.

– Иду курить! – громко объявила она и быстрым шагом вышла из студии.

Началась нервная суета, перешептывания.

Стрекалова не поднимала глаз. Женя растерянно посмотрела на нее и пожала плечами – дескать, что она так завелась? Потом нерешительно сказала:

– Может быть... мы тоже пойдем?

Вероника вздрогнула и беспомощно посмотрела на Женю.

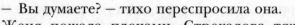

— Вы думаете? — тихо переспросила она.

Женя пожала плечами. Стрекалова тяжело вздохнула и сказала:

— Думаю... что вы правы. Надо смываться.

В эту минуту в студию влетела Тобольчина — с обновленными свежей помадой губами, с широченной улыбкой и сияющими глазами.

— Что, девочки? Пишем? — радостно осведомилась она.

«Девочки» испуганно вздрогнули и переглянулись.

— Актриса, — развела руками Тобольчина, — человек эмоциональный, вспыльчивый, горячий... Бывает! — вздохнула она.

— Ну, а мы с вами... Продолжим!

— Евгения Владимировна, ваша судьба и вовсе загадка. До сорока вы были совсем обычной женщиной, ходили на службу, варили обед. Растили детей. И — вдруг! Вдруг вы стали писать. И чрез два года стали такой популярной и знаменитой! И люди говорят, что ваши романы им так близки и понятны, что, кажется, будто они написаны именно про нас. В чем же секрет, дорогая Евгения? И как вы решили писать? Озарение? Милость богов, так сказать? Или какие-то серьезные события, какой-то рубеж, Рубикон, после чего случилось вот это чудо? Откройте нам тайну! Тайну любимой писательницы...

— Никаких тайн, уверяю вас! Может быть, я вас сильно разочарую, но, поверьте мне, никаких тайн! Все очень просто — на работе начались неприятности, и я ушла. Было начало лета, и искать новую работу сразу не захотелось. Решила — отгуляю лето и уж по осени начну поиски. И вот дача. В воскресенье все разъезжаются – дети, муж. Я одна. Чем заняться? Садом? Правильно! А тут прихватил радикулит – ну, и какой из меня огородник? Тут и случилось – я открыла ноутбук и что-то попробовала. Долго не решалась отправить рукопись. В августе все же решилась. Отправила по электронке в пару издательств. И не сразу поверила, когда через пять месяцев получила ответ. Никто не поверил – ни дети, ни муж. А больше всех – я сама. Не поверила даже тогда, когда заключила договор. Не поверила, когда получила свои первые деньги. Совсем небольшие, но это понятно. Поверила, только когда впервые взяла книгу в руки. Вот тогда дыхание перехватило. На обложке моя фамилия и сзади моя фотография. Это было такое потрясение и такое чудо, что я положила книжку на подушку и все ночь гладила и листала ее. Вот, собственно, и все, – улыбнулась Женя.

– Вы сказали – все разъезжались в воскресенье? – вдруг уточнила Тобольчина. – В смысле – на работу?

Женя удивилась.

– Ну да, на работу. В понедельник же всем на работу. Детям – на учебу, взрослым на работу. Что вас так удивило?

– Угу, – задумчиво произнесла Тобольчина, – вот только... – она помолчала, – вот только, насколько я в курсе, ваш муж на работу тогда не ходил. В смысле – что он в тот момент находился в местах... не столь отдаленных. Не так ли?

Женя почувствовала, как кровь прилила к лицу. Дышать стало трудно, почти невозможно. Стало невыносимо тихо. Руки похолодели, а ноги стали ватными и тяжелыми.

– Да, – хрипло сказала она, – был такой... эпизод. Но – все позади! Ошибка следствия. Мужа оправдали и через год выпустили. Освободили. И принесли извинения.

– От сумы и от тюрьмы, как говорится... – приторно-сочувственно вздохнула Тобольчина и снова заулыбалась, – народная пословица. Да и бог со всем этим! Главное – что все хорошо закончилось, верно?

Почему-то Женя кивнула. Послушно кивнула, словно завороженная. Вместо того, чтобы плюнуть в морду этой стерве и громко хлопнуть дверью. Она сидела на стуле, словно приклеенная. Не было сил встать. Не было сил ответить. Просто не было ни на что сил...

– Евгения, дорогая, – снова запела Тобольчина, – а ваша дочка... Точнее – старшая дочка. Вы как-то обмолвились, что девочка проблемная. Особенно по сравнению с младшей. Вы говорили, что ваша младшая дочь – ну просто ангел. А вот другая... В смысле – старшая. Они совершенно разные, ваши девочки. Я долго рассматривала их фото – и вправду совсем разные! Младшая похожа на вас. А вот старшая – Мария, кажется, – на вас непохожа. И на вашего мужа тоже. И с сестрой они абсолютно разные! Кстати, а как они между собой? В смысле – девочки, сестры? Тоже воюют? Или сейчас все устаканилось? Наладилось со временем?

– Господи, какая чушь! – пролепетала Женя. – Какая несусветная и кошмарная чушь! Откуда у вас такие бредовые сведения?

– Из вашего интервью, – с удовольствием уточнила Тобольчина.

– Бред, – повторила Женя, – у моих доче-

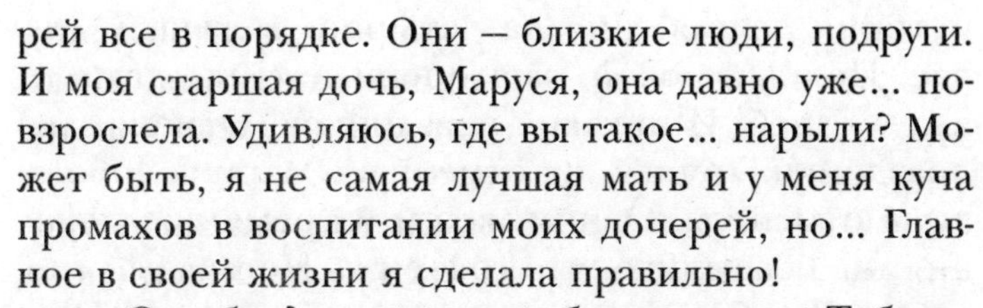

рей все в порядке. Они – близкие люди, подруги. И моя старшая дочь, Маруся, она давно уже... повзрослела. Удивляюсь, где вы такое... нарыли? Может быть, я не самая лучшая мать и у меня куча промахов в воспитании моих дочерей, но... Главное в своей жизни я сделала правильно!

– Ошибка? – словно обрадовалась Тобольчина. – Ну слава богу! – с облегчением выдохнула она. Кашлянула, глотнула воды и попыталась растянуть губы в улыбку.

– Ну вы уж не занижайте так свою самооценку! – попросила Тобольчина. – Быть женой, матерью и вдобавок писателем – уже о-го-го! Не скромничайте, дорогая Евгения!

– Я... – кашлянула в волнении Женя, – я и не скромничаю. Я говорю правду.

– Ну и славно, – выдохнула Тобольчина. – Дети есть дети. У каждого свой характер. И переходный возраст. Пубертат – как принято говорить ныне. У всех по-своему сложный. Но проходит и он.

Женя увидела, как тревожно смотрит на нее Вероника – и удивленно, с интересом, неожиданно вернувшаяся Ольшанская.

Тобольчина покрутила головой, разминая шею, и несколько раз сжала и разжала пальцы рук. Потом на минуту прикрыла глаза и замерла, словно зверь перед прыжком.

Женя сидела такая опустошенная, словно из нее вытряхнули все внутренности. Ей казалось, что если бы сейчас сказали – все, стоп, снято, – у нее бы совсем не было сил подняться и выйти из студии. К тому же начала болеть голова. Сковало затылок, и загудели виски. Верный признак того, что скоро, вот-вот начнется мигрень. А эта история долгая. Дня на четыре – в лучшем случае. Полный покой, зашторенные окна, два одеяла – озноб. И никаких праздников! Отменяются праздники. Точнее, их отменили. Марина Тобольчина отменила. Одним махом и тремя предложениями. Талантливо, что говорить. Не каждый способен. Что б ей... Всю жизнь она боялась ЭТОГО вопроса. Всю жизнь! Всю жизнь, каждую минуту она понимала, что ВСЕ ЭТО может однажды... выскочить. Как убийца из-за угла. И все, что она так долго, тщательно и, скорее всего, неумело строила, рухнет в секунду. Как домик Наф-Нафа. Вспомнила – было такое! В самом начале, когда она была совсем неопытной дурочкой. Лепила, что попало. Тогда в сердцах обмолвилась про Маруську – та и вправду тогда хорошо доставала!

Тобольчина глянула в подводку, пробежала глазами, одернула пиджак и крикнула:

– Я готова. Поехали!

– Вероника Юрьевна, – мягко улыбнулась Тобольчина, – ну, а теперь о вас. Какая интересная и, простите, непростая судьба! Девочка из глухого уральского городка. Точнее, поселка. С ранних лет в интернате. В пятом классе победительница трех областных олимпиад. Серебряная медаль. Поступление в медицинский институт. И дальше – сплошная сказка, просто история для сериала – общежитие, полуголодное существование, обноски. Шесть коек в ряд и отсутствие элементарных удобств. И вдруг... Брак с москвичом, прекрасная, профессорская семья, огромная квартира в сталинском доме. Сказка? Так не бывает? Золушка, честная, умная, трудолюбивая, получает все. Но! Останавливаться она не собирается – хотя, можно было бы, наконец, расслабиться. Она защищает диссертацию, делает карьеру, непостижимую, невероятную, блистательную. И к тому же рожает прекрасного сына. Воистину чудесная сказка! Никто не поверит. А ведь это все – чистая правда. Да, Вероника? Что это – награда за тяжелое детство? Плата за трудолюбие? Просто удача? Или высшая справедливость? В которую мы совсем перестали верить?

Вероника Стрекалова пожала плечами и тихо сказала:

– Не знаю. Просто... так получилось. Я... ничего для этого не делала. То есть... Делала, конечно. В смысле – старалась. В смысле – трудилась, – совсем растерялась и запуталась она. – А про мужа... Просто... мы встретились и полюбили. Наверное, так.

– Да не наверное, а наверняка! – продолжала напирать Тобольчина. – И слава богу, что все сложилось именно так и звезды совпали. Как говорится, судьба! Но – ваша скромность, Вероника, все же излишня. Своими заслугами и достижениями нужно гордиться. А вы их стесняетесь!

Стрекалова чуть порозовела и даже слегка улыбнулась. Словно расслабилась после сдачи самого трудного в жизни экзамена. Казалось, что экзекуция подошла к концу, но тут Тобольчина чуть подалась вперед и, уставившись на Веронику своим немигающим взглядом, вдруг спросила:

– А почему вы попали в детдом, Вероника Юрьевна? Как так случилось?

Стрекалова сжалась, съежилась, опять побледнела как простыня, губы у нее задрожали.

– Так получилось, – еле слышно пробормотала она.

– Получилось? – неподдельно удивилась Тобольчина. – А как получилось? Вас *сдали* туда ваши родители, Вероника Юрьевна?

В студии повисла тишина – такая, что было слышно, как муха трепещет крыльями.

Стрекалова не поднимала глаз. Женя почувствовала, как по спине льется холодный и липкий пот. Ей захотелось встать, сорвать микрофон и броситься бегом из студии. Но... она почему-то не могла встать, словно приклеилась к стулу. Стало так душно, что пот уже выступил на лбу и подбородке. Она вытерла его ладонью и почувствовала, как горит лицо.

– Мама, – вдруг сказала Стрекалова, – мама... очень болела.

– А отец, бабушка, другая родня? – тут же подхватила Тобольчина. – Неужели не нашлось никого, чтобы забрать к себе талантливого и красивого ребенка? Наконец, соседи? А что, кстати, случилось с вашим отцом? Он погиб, кажется? Совсем в молодом возрасте? Что с ним случилось?

– Он, – еле слышно, одними губами проговорила Вероника, словно в забытьи, – он замерз. На охоте. Просто заблудился и просто замерз. Такое бывает.

– Господибожемой! – покачала головой Тобольчина. – Какой это ужас! А мама? Тогда она и заболела? Ну, после этого ужасного события? И, кстати, вы уж меня извините – ЧЕМ она заболела? Чем таким она заболела, что отдала свою дочь в детский приют?

Стрекалова молчала. Молчала, уставившись на свои руки. Совсем, кстати, детские – без маникюра, с коротко остриженными ногтями. «Медицинские» руки.

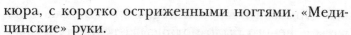

— Я понимаю! – воскликнула Тобольчина. – Простите меня, Вероника Юрьевна! Есть вещи, о которых невозможно говорить даже по прошествии времени. Есть боль, которая не утихает никогда, – продолжала разливаться соловьем Тобольчина.

— А ваша мама? Она жива? — вдруг спросила она и снова уставилась на Веронику немигающим взглядом.

— Она... умерла, – почти беззвучно ответила та.

— Послушайте, – не выдержала Женя, – не кажется ли вам, что достаточно? Что надо остановиться?

— Стоп! – резкий крик заставил присутствующих вздрогнуть.

Тобольчина дернулась и посмотрела на Женю. Вдруг она обворожительно, как ни в чем не бывало, широко улыбнулась и сказала:

— Евгения Владимировна! Что ж вы так? Близко к сердцу?

— Травматично, – бросила Женя, – вам не кажется, что чересчур травматично? Зачем задавать ТАКИЕ вопросы? Или для вас это, простите, норма? К тому же праздничная программа! Не так ли? Вы обещали сплошной позитив!

— Норма для нас – это правда! – жестко ответила Тобольчина и резко встала. – Все! Перекур. На полчаса. И – не меньше!

И чеканным шагом вышла из студии.

Женя встала и подошла к застывшей Стрекаловой.

— Вероника, – сказала она и погладила ту по плечу, – ну, вы же знаете! Телевидение! Все они...

без тормозов и морали. А мы с вами сами виноваты – нечего было подписываться! – она улыбнулась. – Или надо было смотаться тогда, перед этим... А не успели!

Вероника кивнула, не поднимая глаз.

– А пойдемте пить кофе? – предложила Женя, – в кафешке на первом этаже отличный капучино! И съедим что-нибудь. Калорийное и запретное. Какой-нибудь ужасный, жирный торт со сливками – как вариант? Прямые углеводы для восстановления сил!

Вероника кивнула и медленно встала со стула.

– А может быть, все же домой? Очень хочется отсюда удрать!

– Домой, разумеется! После торта – сразу домой. Ну не возвращаться же нам в этот вертеп?

Вероника кивнула, обрадовалась и даже слабо улыбнулась.

Когда они выходили из студии, им вслед раздался визгливый, полный ужаса, крик:

– Вы куда, героини?

Кричала кудрявая.

Женя обернулась и показала язык.

Вероника покраснела и, словно школьница, прыснула.

Они быстрым шагом спустились по лестнице и вошли в кафе. За столиком, развалясь, уже сидела Ольшанская, громко разговаривала по телефону, курила длинную сигарету и, увидев вошедших, приветливо помахала рукой, приглашая их к своему столику.

За столиком напротив сидела Марина Тобольчина и внимательно отслеживала своих новых знакомых.

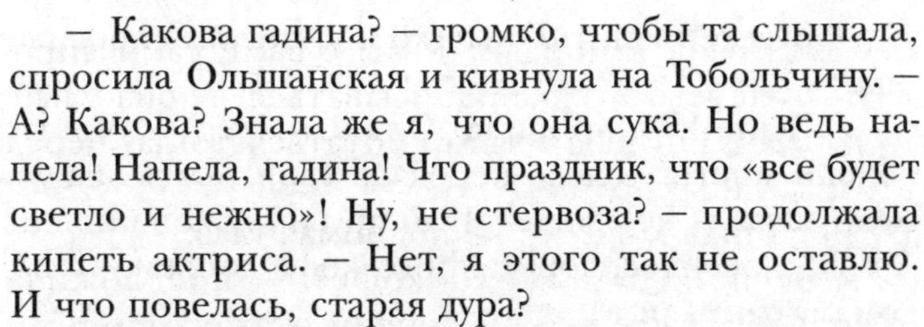

– Какова гадина? – громко, чтобы та слышала, спросила Ольшанская и кивнула на Тобольчину. – А? Какова? Знала же я, что она сука. Но ведь напела! Напела, гадина! Что праздник, что «все будет светло и нежно»! Ну, не стервоза? – продолжала кипеть актриса. – Нет, я этого так не оставлю. И что повелась, старая дура?

Стрекалова тяжело вздохнула и осторожно, боясь обжечься, совсем по-детски отпила кофе.

– Стерва, конечно, – кивнула Женя, – и, вообще... Все их вранье, подставы. Рейтинг дороже людей. Но виноваты мы сами. Умные, опытные – и повелись. Славы захотели! Мало у нас этой славы... ну, и черт с ней. Лично мы – уходим.

– Сбегаете? – уточнила Ольшанская, чуть прищурив глаза. – Ну, молодцы. Тогда и я с вами. Хотя... – Она задумалась и закурила новую сигарету. – А если... Наступить этой крысе на хвост? Ну, прижучить ее? У меня получится, я умею.

– Пустое, – усомнилась Стрекалова, – там такой опыт! Любого в угол загонят. И потом – опускаться до ее уровня... По-моему, глупо.

– Согласна, – кивнула Женя, – просто уйдем, вот и все. И пошли они к черту с их рейтингами и прайм-таймами.

Ольшанская пожала плечами.

– Ну... раз мнение большинства, то я согласна. Хотя...

Тут они увидели, что Тобольчина направляется к их столику. Женя отвернулась, Вероника старательно крошила пирожное, а Александра, не мигая, смотрела на Тобольчину.

– Можно присесть? – жалобно спросила та. Никто не ответил.

— Будете казнить? — мягко и виновато спросила она.

— Живи! — бросила Ольшанская. — Чести больно много. Только передача твоя, — тут она усмехнулась, — не выйдет. Или других лохов поищи. А мы — досвидос, дорогая! Вот кофе допьем — и по домам, баиньки.

Тобольчина сморщила жалобную гримасу — вот-вот слезы брызнут из глаз.

— Девочки! — взмолилась она. — Ну я вас просто умоляю. Это редакторы, не я! Честное слово! Да разве ж я? Сама же женщина. Но! Я вас уверяю — все вырежем. Все, что вам не понравилось. Честное слово! Все вырежем и подчистим. Я вам обещаю!

— И будет все «светло и нежно»? — уточнила Женя. — То есть еще нежнее и светлее?

Тобольчина тут же кивнула.

— Ну, у всех же бывают косяки. Не права, признаю. А дальше — все про хозяйство, карьеру. Только про то, какие вы у нас молодцы!

— У себя, — тихо, но твердо поправила Вероника. — Мы у себя молодцы.

Тобольчина кивнула.

— Ну разумеется! Это так, фигура речи.

— Пойдемте, умоляю вас. А то мне такое устроят! При нынешнем кризисе... Просто удавка!

Она так запечалилась, что, казалось, того и гляди заплачет.

— Ага, пожалел волк кобылу! Так мы и поверили — в искреннее раскаяние...

— Ну, девочки! Честное слово! — продолжала канючить Тобольчина. — У нас же такие рейтинги! А еще — в выходной, перед праздниками!

– Лично мне, – твердо сказала Женя, – вот это совсем не надо. Мои тиражи позволяют мне избегать подобных историй. Веронике, я думаю, тоже. Уж ей-то тем более. Серьезный ученый! А вам, Александра? Мне кажется, тоже не нужно. Вас и без этого знают и любят!

– Ну, – нараспев возразила Тобольчина, – поверьте, никому это не повредит. Веронике Юрьевне – точно! Скоро выборы в городскую думу, а она, насколько я знаю, собирается баллотироваться. Разве не так, Вероника?

– Так, – кивнула та, – но для меня не все способы хороши. Вы мне поверьте.

Тобольчина ей не ответила и посмотрела на Ольшанскую.

– А про актрис и говорить не стоит. Верно, Сашенька? Вам-то пиар – просто как воздух. Чем больше, тем лучше. Я говорю правильно?

Ольшанская равнодушно пожала плечами.

– Народной любви мне хватает. Во! – и она провела ладонью по горлу. – А уж денег тем более!

Но спорить как-то раздумала.

– А вы, дорогая Евгения? Ведь хлеб писателя это тиражи? Я правильно понимаю?

– Верно, – усмехнулась Женя, – только... Хлеб бывает разный по вкусу. И по запаху тоже. Не слышали?

– Да у всех он несладкий! – закивала Тобольчина. – Думаете, у меня он душистей?

– Счас пожалеем! – кивнула Ольшанская. – Вот счас пожалеем и прямо заплачем!

– Ладно, – вдруг сказала Стрекалова, – раз обещали... Будет наука. Трем... дурам. Простите.

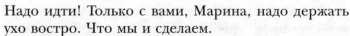

Надо идти! Только с вами, Марина, надо держать ухо востро. Что мы и сделаем.

Все с удивлением уставились на Веронику.

Тобольчина обрадовалась и закивала.

– Спасибо, Вероничка Юрьевна! Вы прямо умница! Вот что значит – ученый. Холодный ум, холодное сердце, – тут она с осуждением глянула на Женю с Ольшанской, – не то что у нас, у людей творческих. Одни эмоции и никакой логики. Все вырежем, девочки. Честное слово!

– Вероника, – жестко сказала Стрекалова, – я – Вероника. А не Вероничка! Вы меня поняли?

Тобольчина нервно сглотнула и кивнула.

Ольшанская и Женя удивленно переглянулись.

Тут на пороге возникла кудрявая и, увидев компашку, бросилась к ним.

– Марина Викторовна, ну вы даете! Полежаев в истерике, а Лукьянов – тот вообще в обмороке. Через сорок минут надо освобождать студию, а вы тут. Кофеек попиваете!

– На место! – гаркнула Тобольчина. – Идем, не кипеши!

Она резко направилась к выходу, и за ней неохотно выбрались из удобных кресел так называемые героини. Потерянные, поникшие, расстроенные и потухшие.

Гримерши подпудривали «героиням» носы и поправляли прически.

Тобольчина подтянулась, выпрямила спину и, очаровательно улыбнувшись, громко сказала в пустоту:

– Мы готовы!

А дальше пошло все так благостно, «светло и нежно», как, собственно, и обещала Тобольчина.

Выражение ее лица было таким, словно ей только что, вот прямо минут десять назад, подарили норковую шубу или новую иномарку. Улыбка, светящиеся от счастья глаза, чуть томная, ласковая речь. Не стерва, которую все наблюдали полчаса назад, а милая, сочувствующая и все понимающая подруга.

– Александра, дорогая! Давайте начнем про самую неприятную часть женской доли – домашнее хозяйство. Итак. Сколько времени вы уделяете кухне? Ваши коронные блюда? Придерживаетесь ли вы диеты? Привередливы ли ваши домочадцы? И не угнетает ли вас монотонный и неблагодарный домашний труд?

Ольшанская невесело вздохнула, но через долю секунды на ее лице появилась печальная гримаска.

– Ох, как же вы правы, Марина! Конечно же, как бы все это ни было банально, мне это хорошо знакомо. Увы! Я точно такая же, как большинство женщин на этой земле. Готовлю обеды, убираю в квартире и глажу сорочки. Люблю ли я обязательную часть домашней программы? Врать не буду – не очень. Но... Куда же деваться? Я мать, я жена. Я хозяйка. Разумеется, есть помощница по хозяйству. Но... Никто, даже самая опытная и умелая повариха не вложит в жаркое столько души, сколько вложит мать и жена. Верно? Разумеется, я очень загружена – съемки, спектакли, гастроли. И все же... Изыски только по праздникам и семейным датам. Вот тут уж я стараюсь. Делаю торт «Рыжик». Запекаю буженину и варю холодец. А в будни – в будни все просто. Легкий суп, котлеты, курица. Разумеется, слежу за фигурой. Я же актриса! Не ем после спектакля, не ем поздно вечером. У меня прекрасная генетика. Но... Пирожное я позволяю себе не чаще, чем раз в три месяца.

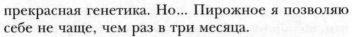

Тобольчина удивленно вскинула брови и одобрительно покачала головой.

– С уборкой все проще – и сын, и дочь приучены с детства: пылесос, мытье полов и пыль – это все на них.

– Дочь, – задумчиво повторила Тобольчина и тут же оживилась: – А ваша дочь живет с вами?

Ольшанская побледнела, но твердо сказала:

– И со мной в том числе. У нее два дома – наш и дом ее отца. Где хочет, там и живет. У нас демократия. А два дома, согласитесь, всегда лучше, чем один. Не так ли?

Тобольчина закивала.

– Конечно! Как это здорово – две семьи, где тебя любят и понимают.

– А ваш супруг, – уточнила Тобольчина, – он вам помогает? Хоть в чем-то?

– Мой супруг, – медленно проговорила Ольшанская, глядя в глаза ведущей, – мой супруг, дорогая, очень и очень занятой человек. К большому моему сожалению! Он очень рано уходит из дома и очень поздно приходит. Бизнес – а бизнес у него очень серьезный – требует постоянного и пристального внимания. Так что, – тут она улыбнулась, чуть откинулась на спинку кресла и развела руками, – помощник из него никакой. Но ничего! Мы справляемся. Главное – что он поддержка во всех остальных, жизненно важных вопросах. И материальных – в том числе. И даже в первую очередь! Не говоря уже о вопросах другого толка.

– За-ме-ча-тельно! – по складам отчеканила вполне удовлетворенная Тобольчина. – Действительно, моральная поддержка – это то, без чего нам, женщинам, было бы вообще невыносимо.

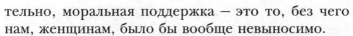

И она перевела взгляд на Стрекалову.

– Вероника, дорогая! А с вами, наверное, еще сложнее. Заседания, преподавание, поездки по миру, симпозиумы, научная работа. Ваши близкие, вероятно, и вовсе не часто вас видят. Как все это происходит у вас? Как вы, при такой колоссальной нагрузке, физической и моральной, при вашей ответственности, можете совмещать все эти вещи?

– А я, собственно, – тут Вероника растерялась и беспомощно посмотрела на Тобольчину, – а я, собственно, – повторила она, – почти этого... И не касаюсь! – быстро выпалила она и покраснела.

– Совсем? – уточнила Тобольчина.

– Почти... совсем, – виновато кивнула Стрекалова. – Хозяйство ведет моя свекровь, Вера Матвеевна. Готовит, контролирует учебу сына, платит за квартиру, ходит в магазин. Мне совершенно некогда! – почти выкрикнула она и тут же снова смутилась.

– Да я все понимаю, – махнула рукой Тобольчина, как бы оправдывая смущенную гостью. – Ну, разумеется, вам уж никак до кастрюль. И все же, – она мягко улыбнулась, – на праздники, например? Или на дни рождения? Наверное, все же, – надавила она, – в эти особые дни вы что-то готовите своим близким? Ну, так, чтоб им было приятно?

На лице Вероники была такая неподдельная мука, что Жене стало смешно.

– По праздникам? – повторила она. – Ну, да... бывает. Например, – тут она оживилась, припомнив, – например, я пеку кекс. Иногда, – тут же поправилась она.

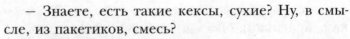

– Знаете, есть такие кексы, сухие? Ну, в смысле, из пакетиков, смесь?

Тобольчина скривила губу.

– Из пакетиков? – недоверчиво переспросила она. – Нет, не знаю.

– А я знаю! – вклинилась Женя. – Чудесная штука. Гость на пороге – вот как это называется. Разводишь все это в воде, перемешиваешь и сразу в духовку. Выручает, что и говорить!

Ольшанская хихикнула и покачала головой.

– Туда еще можно яблоко, изюм и тертый шоколад, – тихо прошелестела Стрекалова.

Тобольчина тяжко вздохнула.

– Ну да, разумеется. А когда вам готовить, моя дорогая? Вы же решаете проблемы совсем другого масштаба. Наука и практика одновременно – серьезные, совсем неженские штучки. Так что про уборку я и не спрашиваю, – захихикала она, – потому что смешно! И потом... Ваше нелегкое детство! Да и кто бы учил вас готовить?

Вероника обреченно кивнула.

– А вот интересно, – снова оживилась Тобольчина, – про вашу свекровь. Тоже тема. Как вы сосуществуете? Она, как мы уже поняли, полноценная хозяйка у вас дома. Это, конечно, огромное дело! Но... наверное, она женщина властная?

– Вера Матвеевна? – искренне удивилась Стрекалова. – Да что вы, совсем нет. Она милейший и справедливейший человек. И я ее люблю, как... – тут она замолчала и побледнела.

– Как родную мать, вы это хотели сказать? – тут же подхватила Тобольчина.

Вероника кивнула.

— Какое же это счастье! — раскудахталась Тобольчина. — Счастье вообще, а для вас особенно. Для девочки, выросшей в интернате, найти такую семью и такую любовь и поддержку... Есть справедливость на свете! И мы счастливы это слышать.

Женя видела, как по лицу Вероники пробежала тень. Бедная! Снова эта вспомнила про ее детство. Стерва, никак не может себя сдержать! Просто удовольствие получает от своего садизма.

— Кстати, Александра, — она снова повернулась к Ольшанской, — а как у вас сложились отношения с вашей свекровью? Так же благостно, как и у вашей визави?

— С какой из? — рассмеялась Ольшанская. — У меня их было, знаете ли, три.

— Ох! — словно смущаясь, хихикнула Тобольчина. — Ну хотя бы с последней.

— А никак, — бросила Ольшанская. — Потому, что... Потому, что она умерла.

— Царствие ей небесное! — сочувственно вздохнула Тобольчина

Ольшанская равнодушно кивнула.

— А вы, Евгения? Вы утверждаете, что эти проблемы для вас решены? Верно?

— Вполне, как ни странно. Знаете ли, я ведь все время замужем. Ну просто практически с малолетства. Точнее, с восемнадцати лет. Так что эту науку я давно освоила — время было.

Тобольчина довольно кивнула.

— Ну, а теперь подробности!

— Да какие подробности, — отмахнулась Женя, — все просто и без фанатизма. Обед и ужин есть всегда — привычка, выработанная годами. Все как у всех: первое, второе. Компот. А уж на праздники – тут можно и расстараться. Но тоже все как у всех. Обычное, праздничное меню советского человека. Оливье, «Мимоза», мясо в духовке.

– А кто помогает с уборкой? Вам удалось выдрессировать своих близких, как нашей дорогой Александре? Тем более у вас же две дочери? Или, может быть, помощница по хозяйству? А как иначе совмещать интеллектуальный труд и нашу женскую рутину?

– Да тоже все как-то просто. Для нормальной женщины, находящейся дома, убрать квартиру совсем не сложно. Главное – не запускать. А поддерживать – дело нехитрое.

– А ваши дочери? – продолжала настаивать Тобольчина. – Вы вырастили помощниц?

– Дочери мои – студентки, – отозвалась Женя резковато. – Утром в институт, вечером на свидания. Если что-то надо – мне не откажут. Безусловно. Но я стараюсь их не грузить. Молодость пролетает, как подхваченный ветром лист, – быстро и безвозвратно. Пусть поживут в свое удовольствие. А семья и быт их еще пожуют.

– Вот и другая точка зрения, – развела руками Тобольчина, – все понимающая, нетребовательная мать. Наверное, ваши дочери ценят подобное отношение? Вероятно, вы – большие подруги?

Женя пристально посмотрела на нее.

– Да. Разумеется. Мои дочери – мои ближайшие подруги. И, предваряя дальнейшие вопросы: они делятся со мной секретами, доверяют свои тайны и обсуждают своих кавалеров.

– Как прекрасно! Какие замечательные у вас отношения! – закудахтала Тобольчина. – Мама-подруга – что может быть лучше! А характеры? Они похожи друг на друга?

«Вот к чему ты клонишь! – разозлилась Женя. – А не получится».

– Конечно, разные, – спокойно ответила она, – а разве бывают совсем одинаковые дети? Даже в одной семье?

– А ваш супруг? Он вам помощник? Поддерживает вас в непростые минуты?

– Мой супруг – замечательный человек. Нашему браку уже столько лет... Как говорится – столько не живут. А мы, представьте, живем! И все у нас очень неплохо. И, разумеется, он поддержка. Столько, знаете ли, прожито вместе. И столько пройдено!

– А как у вас со свекровью? С вашей, как говорится, второй мамой? Все ли сложилось, как бы хотелось?

– Да, все неплохо. Моя свекровь – хороший человек. Преподаватель музыки, человек образованный и культурный. У нас, разумеется, бывали разногласия, но ссор и громких скандалов – ни-ни! Мы всегда уважали друг друга и старались не очень друг другу мешать. А это не так сложно, когда живешь не на одной жилплощади. По-моему, со мною все согласятся.

– Итак, – собралась Тобольчина, – про мужей, свекровей, детей и плиту мы с вами поговорили. И что же мы поняли? Что наши прекрасные гостьи, женщины успешные, достойные и самодостаточные, почти такие же, как мы, самые обычные женщины! Так же балуют своих детей, так же готовят оливье и знают, как включать пылесос. Поговорим теперь о вещах куда более приятных –

шопинг, увлечения, хобби! Теперь мы попробуем узнать и все остальные секреты – что любят наши кумиры? Чем увлекаются небожители? Каковы их пристрастия, вкусы? Начнем, мои дорогие?

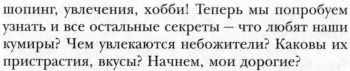

Тобольчина возбудилась, словно после хорошего секса.

– Александра, дорогая! Давайте по привычке начнем именно с вас. Расскажите своим поклонникам, любите ли вы магазины, часто ли в них бываете, какой стиль в одежде вам близок и чем вы в последний раз побаловали себя?

Ольшанская подняла глаза к потолку, словно вспоминая свои капризы и прихоти.

– Магазины обожаю! – сладострастно пропела она. – Особенно меха и обувь. Могу перемерить двадцать пар туфель и штук десять шуб. Не всегда куплю, но хотя бы слегка развлекусь. Вообще, я – типичный шопоголик. Стыдно признаться, но это правда. Шопинг меня отвлекает и расслабляет. И очень поднимает настроение. Еще люблю ювелирные лавочки – особенно в Италии или где-нибудь на Ближнем Востоке. Могу там зависнуть на пару часов. – Она притворно вздохнула и очаровательно улыбнулась. – Ну, могут же быть у женщины слабости?

Тобольчина жарко заверила, что пренепременно.

– А стиль, – задумалась Ольшанская, – ну, это зависит от настроения. Иногда хочется обуви на безумной шпильке, иногда просто балеток или кроссовок.

– А вы, Вероника? Думаю, что и у такой сильной женщины тоже непременно должны быть какие-нибудь женские слабости. Я права?

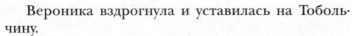

Вероника вздрогнула и уставилась на Тобольчину.

– Слабости? – протянула она. – Ну, я не знаю... Правда, не знаю. – Она замолчала, и на ее лице отразилась работа мысли. Вдруг она встрепенулась, очнулась – вспомнила! – Я собираю чайнички! – радостно выкрикнула она. – Да-да, чайнички. Заварные. Разные – старые, современные. Главное, чтобы они были... Ну, необычные, что ли. Привожу их отовсюду – когда бываю в командировках, в поездках. Правда, – тут она вздохнула, – правда, из последних поездок я ничего не привезла. Просто забыла. Совсем не было времени.

– Чайнички – это прекрасно! – обрадовалась Тобольчина. – Вообще, любое хобби прекрасно. Любая коллекция радует глаз и навевает воспоминания. А что же еще, моя дорогая? Что вы любите? Как говорится, что у вас в приоритете?

– Я.. я люблю краеведческие музеи. В маленьких городках. – Она вновь замолчала и посмотрела на ведущую, словно ожидая от нее похвалы. – Даже самый маленький музей в самом медвежьем углу расскажет вам о родном крае не меньше, чем обзорная экскурсия. И потом – там работают такие трогательные люди, просто энтузиасты своего дела. За сущие копейки – а сколько там вложено сил и любви!

Тобольчина смотрела на Веронику, как смотрят на тяжелобольного, почти безнадежного пациента.

– Вот как... – задумчиво проговорила она, словно задумавшись, а стоит ли этой... странной даме еще задавать вопросы. – Да... Интересно. Какое у вас милое хобби... А магазины? Ну, должны же вы бывать в магазинах! Вы – элегантная женщина, со своим стилем – не поверю, что даже при всей вашей занятости вы не бываете в магазинах и не балуете себя!

— Бываю, конечно, — тяжело вздохнула Стрекалова, словно вспоминая о чем-то не очень приятном, но обязательном.

— Бываю, — повторила она, — правда, редко. Почему? Да потому, что неинтересно. Мои туалеты весьма однообразны — строгие костюмы, однотонные блузки, лодочки на каблуках. Положение, как говорится, обязывает. К тому же мы, доктора, всегда «под халатом». Словно в броне. Но, — тут она улыбнулась, — если бы я могла... Если бы я могла, я бы постоянно носила голубые, сильно потертые джинсы и разноцветные майки. С какими-нибудь картинками на груди.

— Вот как? — приподняла брови Тобольчина. — Как интересно! Значит, вас привлекают спортивные вещи и яркие тона? Ну, с этим все ясно — всегда привлекает то, что мало доступно.

Вероника грустно кивнула.

– И еще, — Тобольчина хитро прищурилась, — получается, что в вас все еще живет ребенок. Тинейджер, которому нравятся светлые джинсы, и девочка, играющая в игрушечную посуду, — ваши чайнички! Как это мило! — закончила она, и ей никто не поверил.

Вероника густо покраснела и с испугом оглядела своих визави.

Ольшанская, покачав головой, вздохнула, а Женя, подбадривая растерявшуюся Веронику, широко улыбнулась.

— А вы, дорогой наш писатель? Что радует вас? Что вас умиляет и улучшает вам настроение?

– Таких вещей – море! Например, само море. Я так его люблю, любое – Средиземное, Черное, Ионическое, Эгейское, даже Мертвое, – что только там, на море, отступают все мои проблемы, горести, печали. Именно там мне искренне кажется, что все будет прекрасно и я со всем справлюсь. Только на море я забываю про болячки и про проблемы. И только там – всего-то за две недели – я полностью восстанавливаюсь и набираюсь сил на дальнейшую жизненную борьбу.

– Как здорово! И как я вас понимаю. Я тоже обожаю море и «тюлений» образ жизни. А что же еще? Что еще доставляет вам радость и приносит душевный покой?

– Хобби у меня нет, – улыбнулась Женя, – думаю, что чтение и любовь к живописи никак нельзя назвать этим словом. Это увлечения, длящиеся всю мою жизнь. Чтение – с самого раннего детства. Живопись – позже, осмысленно. В молодости. Не вся, конечно. Далеко не вся. Мне нравится русский авангард двадцатых-тридцатых годов. Ларионова, Гончаров, Фальк, Коровин, Родченко, Альтман, Сарьян. Это мне близко, хорошо знакомо, это радует и каждый раз обогащает меня. Ну, разумеется, французский импрессионизм – тут выборочно. Матисс, Клод Моне, Писсаро, Ван Гог.

Тобольчина заскучала – она смотрела на Женю с таким же сожалением, как недавно смотрела на Веронику.

– Великолепно! – выдохнула она. – Ну, а что-нибудь из житейского? Близкого любой женщине? В смысле – одежда, обувь, ювелирные украшения?

Женя развела руками.

– Вот тут я вас точно разочарую – в одежде я совсем непритязательна. У меня тоже своя униформа – только отличная от Вероникиной, – я люблю брюки и свитера. Так удобно, что я совсем разучилась носить платья и юбки. И я считаю, что брюки – это лучшее, что придумали в двадцатом веке для женщины. Даже лучше, чем мобильные телефоны. Кажется, спасибо за брюки мы должны сказать Грете Гарбо? И еще Марлен Дитрих, не так ли?

– Да... – задумчиво ответила Тобольчина, – брюки, конечно... Удобно. А может быть, аксессуары? Сумочки, часы, платочки? У вас есть предпочтения в этом плане?

– Есть, – кивнула Женя, – главное предпочтение – удобство и минимум аксессуаров.

Тобольчина снова вздохнула и улыбнулась.

– Мои дорогие зрители! Вы можете убедиться, как скромны две наши героини. Как скромны, непритязательны, неизбалованны. Совершенно как мы – обычные женщины. А Александра – она актриса. Кому как ни ей положено любить все эти женские штучки!

– Стоп! Перерыв пятнадцать минут, – раздался громкий мужской голос. – Ровно пятнадцать! – требовательно повторил он.

Тобольчина ловко выбралась из кресла и стремительно вышла из студии. Следом поднялись и все остальные.

– В курилку? – спросила Ольшанская. – Ну, за компанию!

В курилке между лестничными проемами было людно, шумно и очень дымно.

Ольшанская глубоко затянулась и усмехнулась.

– Ага, как же, холодец я варю! Муж мой, наверное, рухнет у ящика. Стираю и глажу, ага. Делать мне больше нечего! Приду после спектакля или со съемок, падаю с ног. Сил нет крем на морду капнуть. Холодец, блин! Вот рассмешила знакомых!

И детки мои... бриллиантовые! Пылесосят и моют полы! Где вы видели сейчас таких деток? Такие сволочи, блин! Трусы грязные с пола не поднимут. Наглые свиньи, а не дети. И на ночь я жру. Жру от вольного. Мясо, картошку, пирожные. Особенно после спектакля.

– А зачем... тогда? – спросила Вероника.

– Чтобы быть ближе к народу, милая! А что, мне всем рассказать, что все это делает прислуга? Чтобы все меня еще больше возненавидели?

– За что? – удивилась Женя. – Вас, по моему, все обожают.

– Ага, разумеется! В третьем браке с состоятельным бизнесменом. Дом на Рублевке, квартира в центре, автомобиль... Шикарный, что говорить, – вздохнула она. – И еще – прислуга! Всем рассказать, что я забыла, как застилают постель? Вызвать так называемую классовую ненависть? Нет уж, мне это не надо. Хватит с меня завистников среди коллег. Сыта по горло, – и она провела ребром ладони по своей длинной, совсем молодой и прекрасной белоснежной шее.

– А ты, дурочка, – прости за фамильярность, – она рассмеялась и посмотрела на Веронику, – наивная, как житель Чукотки. Лепишь как на духу! Думаешь, им это надо? Ни хрена не делаю, ручки не мараю, все золотая свекровь! Ты что, не врубаешься? Все только скажут – вот цаца! Ни черта ей не знакомо – ни магазины, ни рынки, ни борщи с котлетами. Нам еще восхищаться ею? Если она далека от нашей постылой жизни, как Луна от Урюпинска?

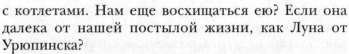

Растерянная Вероника пожала плечами.

– Да я же... ну, правду. Все, как и есть на самом деле.

– Правду! – возмутилась Ольшанская. – А кому нужна твоя правда? Что ты – принцесса на горошине? И что тебе так повезло? Подкидыш, а вылезла! Столица, муж-москвич, профессорская семья... Квартира на Фрунзенской, дача в Кратово. Сын отличник, свекровь золотая... Ты что, не врубаешься? Ты ж такая везучая, такая благополучная, что от тебя... просто тошнит! Такая же гладкая, без швов и зацепок, как твой костюм от Армани. Нет, Вероника! Ты просто блаженная! Дурочка, ей-богу, не обижайся. Чайнички, маечки... И как можно, существуя в нашем гадюшнике, оставаться блаженной? Не понимаю. Может, прикидываешься? Грамотно так? Ты уж прости – я человек правдивый, как говорится.

– Я заметила, – буркнула Вероника, – страшно правдивый!

– Страшно, – затянулась сигаретой Ольшанская, – только умная: правдивая, когда надо. Даже Андерсен, – она кивнула на Женю, – и то молодец. Про природу, прибой, про искусство!

– Андерсен? – рассмеялась Женя. – А меня – за что? Так?

– Да потому что брехня! – разбушевалась Ольшанская. – Все твои книги – брехня! И где это ты видела сплошь счастливые концы? Где углядела такое количество бравых героев? Мужики у тебя верные, работящие, жалостливые. Отцы золотые, сыновья сказочные. Ты ж – как Стас Михайлов для них. Для баб наших, в смысле. Он про любовь, и ты про любовь. Он ноет, и ты поднываешь. И баб наших дуришь. Сказочками про красивую любовь. А все оттого, что ни черта не смыслишь. В этом деле. А еще – инженер человеческих душ! А опыт у тебя? Ну, какой? Выскочила замуж после школы и с одним мужиком так по жизни и тащишься! Что ты можешь знать про бабью долю? Вот и кормишь нас своими сладкими сказочками. Со счастливым концом. А где ты эти концы видела? Процентов пять ведь, не больше. И все это тонет в океане бабьих слез и страданий.

Женя рассмеялась в голос.

– Ну вы... ты даешь, заслуженная! Так меня еще ни разу. Чтоб мордой об стол! Я не в обиде – ты тоже народ. Просто... не очень счастливый, что ли...

Ольшанская серьезно посмотрела на Женю.

– А ты... ты у нас... Очень счастливая? Что-то не верится. Ты уж прости.

– Временами, – кивнула Женя, – не сомневайся. И еще... может быть, и хорошо, что они поверят? Ну, в то, что всем будет счастье? Ты об этом не думала?

Вероника глянула на часы.

– Пойдемте скорее! Нас, наверное, ждут.

– Подождут! – буркнула Ольшанская и бросила бычок в урну. – Скорее бы это закончить, – пробурчала она. – Всю эту галиматью паскудную!

Они вошли в студию гуськом и увидели недовольную Тобольчину, нервно поглядывающую на часы.

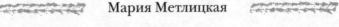

– Последний блок! – коротко бросила она. – Можно было поторопиться!

Все расселись, и снова появились гримеры с кисточками и спонжиками.

– Запись! – раздался голос режиссера. – Поехали! С божьей помощью!

Тобольчина скривила лицо и недовольно качнула головой.

– А сейчас, мои дорогие, мы поговорим о нашем любимом празднике. О нашем женском дне. Пусть он всего лишь один раз в году, но именно в этот весенний день мы чувствуем себя королевами, не так ли? Нам дарят цветы, подарки, готовят за нас обед и моют полы.

Ольшанская скептически усмехнулась.

– Ну, да, раз в году. Именно так! Выходит, большего мы не заслужили? Ни цветов, ни подарков?

– Ну, зачем же так мрачно? – Тобольчина выдавила из себя улыбку.

– Зато справедливо! – махнула рукой Ольшанская.

– Ну, здесь уж все зависит от нас, – попыталась выкрутиться Тобольчина. – Как воспитаем своих домочадцев, так все и сложится. Вот вы, Александра. Вы же только недавно рассказывали, как ваши детки помогают вам по хозяйству.

– Да? – удивилась Ольшанская. – А, да, помогают, – вздохнула она, – еще как помогают.

– И все же, – продолжала настаивать ведущая, – а цветы, подарки? Разве нет? Разве ваши любимые забывают об этом?

– О себе, любимой, хорошо помню я. Я сама.

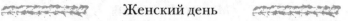

Ну, и мои зрители, разумеется. К цветам я привыкла – живу среди букетов всю свою сознательную жизнь. Так что цветов домашние мне не дарят. А подарки – да, разумеется.

– Ну, вот, – обрадовалась Тобольчина, – вот, например... Какой подарок вам подарили в прошлом году? И о чем вы мечтаете в этом?

Тобольчина чуть нахмурила брови, снова ожидая от Ольшанской подвоха.

– В прошлом? – задумчиво повторила Ольшанская. – А, вспомнила! В прошлом году мы с моим мужем ездили на Капри.

– Вот. А вы говорите! – поддержала ее Тобольчина. – Ну, а в этом?

– В этом – не знаю. Заранее мне не докладывают.

– То есть будет сюрприз! – снова возбудилась Тобольчина. – Ведь неожиданность – лучший подарок.

– Да? – почему-то усомнилась Ольшанская. – Хотя вам, наверное, виднее...

Тобольчина тяжело вздохнула и слегка качнула головой, демонстрируя свое недовольство, потом перевела взгляд на Стрекалову.

– А вы, Вероника? Помните наш день в прошлом году?

– В прошлом году, – тихо ответила Вероника, – мой муж, к сожалению, лежал в больнице. С воспалением легких, – грустно добавила она.

– Да, не повезло, – посочувствовала Тобольчина. – Зато уж в этом он, наверняка, все наверстает. Вы о чем-то мечтаете, моя дорогая?

– Выспаться! – быстро ответила Вероника и тут же смутилась. – Ну, а все остальное – на его, так сказать, вкус.

– Господи! – Тобольчина сделала вид, что страшно расстроилась. – Вот ведь о чем мечтают современные женщины! Да, бешеный жизненный ритм дает о себе знать. – Она сложила губы в «печальку», но глаза оставались злобными.

– Ну, а как у вас, дорогая Евгения? – вяло спросила она, не надеясь, кажется, уже ни на что.

– А у меня все замечательно, – бодро отрапортовала Женя, – в прошлом году была корзина ландышей и замечательное платье. А вечером мы пошли в ресторан. И там горели свечи и тихо играла музыка. А в этом... Надеюсь, что мой муж это вспомнит – я намекнула ему кое о чем! – лукаво улыбнулась она. – Хочется думать, что он это запомнил.

Тобольчина улыбнулась.

– Прекрасно! Ландыши в марте месяце, красивое платье... Как романтично, не правда ли? А ужин в ресторане при свечах? Что может быть лучше?.. А теперь, мои дорогие, когда наша передача подошла, как ни прискорбно, к концу, я вот что решила сказать, – Тобольчина смотрела в камеру, и в ее взгляде сквозила печаль. – Как ни жаль прощаться с моими героинями, но эфирное время заканчивается. Увы! – Тут она эффектно помолчала. – Мои героини. Прекрасные женщины. Совершенно разные и такие похожие. Талантливые, успешные, красивые, мудрые... Все это – про них! Для нас, простых смертных, они – небожительницы! Так нам всем казалось, не правда ли? Но сегодня мы с вами увидели и другое. Увидели то, что нас удивило – наверняка. Эти красавицы, умницы и небожительницы – самые обычные женщины. Такие же, как мы с вами. Ну, или почти такие же. Матери, жены, хозяйки. Им тоже не чуждо приготовить обед, испечь праздничный торт и с волнением ждать букета от любимого. Они так же растят детей, переживая их неудачи. Беспокоятся о родителях. Переживают за успех мужей. Они – живые. Они – наши любимые. И мы желаем им – от всего сердца – душевного комфорта, любви и удачи. И еще – благодарим их за искренность. Думаю, что вы со мной согласитесь, мои дорогие! Спасибо нашим героиням и спасибо вам, мои любимые зрители! С праздником любви и весны, мои дорогие!

Она сдернула петличку микрофона и откинулась на спинку кресла.

– Все, аллес, – устало сказала она и прикрыла глаза.

Все медленно поднялись со стульев. Первой из студии вышла Ольшанская, не удостоив ведущую даже прощальным кивком. Женя и Вероника переглянулись и посмотрели на Тобольчину.

Та по-прежнему сидела с закрытыми глазами, словно пребывая в прострации.

– Всего доброго! – сказала Вероника.

Тобольчина открыла глаза, посмотрела на «героинь» мутноватым взглядом, вздохнула и нехотя проговорила:

– И вам... не хворать.

Вышли из студии и двинулись по нескончаемому останкинскому коридору. На лестнице курила Ольшанская. Увидев их, она будто бы обрадовалась и махнула рукой.

– Ну что, девочки? По коньячку для расслабона?

Вероника смущенно принялась отказываться, ссылаясь на срочные дела и ожидавшего ее водителя.

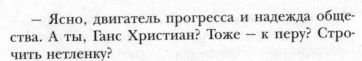

— Ясно, двигатель прогресса и надежда общества. А ты, Ганс Христиан? Тоже — к перу? Строчить нетленку?

Женя улыбнулась.

— Да нет, нетленка подождет. Никуда не денется. Просто хочу пройтись! Сто лет не бродила по улицам. Сплошные колеса.

Ольшанская посмотрела на них с разочарованием.

— Давайте, хотя бы телефончиками обменяемся, а? Так, на всякий пожарный?

Обменялись. У Жени мелькнуло — зачем? Случайная встреча, чужие люди. Да ладно!

Вышли на улицу. Стрекалова простилась и поспешила к темно-синему «Мерседесу». Из машины выскочил водитель и услужливо открыл перед ней дверцу.

— О как! — прокомментировала Ольшанская. — Важный босс, блин! А мы с ней — запросто, на «ты»... — усмехнулась она.

— Вы, — поправила Женя, — не мы, а вы с ней на «ты».

Ольшанская махнула рукой.

— Какая разница! Все мы бабы и все мы дуры. Разве нет?

Женя пожала плечами.

— В каком-то смысле наверняка.

— Во всех! — отрезала Ольшанская. — То, что мы поперлись к этой пиранье — дружно, гуськом, — что, не дуры, скажешь?

Женя кивнула.

— Зря, да. Жалею. Но вроде бы обошлось?

Ольшанская посмотрела на нее, как смотрят на дурковатых — с сочувствием.

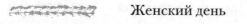

– Ну да... Будем надеяться. А вот осадочек все равно остался. А у тебя нет?

– Остался, – кивнула Женя, – надеюсь, завтра пройдет.

Ольшанская ничего не ответила и быстро пошла к машине. Через пару минут ее оранжевая «Ауди» резко рванула с места стоянки.

Проезжая мимо Жени, она небрежно махнула рукой.

Женя пошла по Королева. С неба посыпал мелкий колючий снежок. «Господи, через пару недель Восьмое марта, а зима все не желает сдавать позиции. А ведь надоела, хуже горькой редьки! Как хочется солнца, тепла и... черешни!» – вдруг подумала Женя.

– И еще природы, запаха леса, молодой и свежей листвы, скошенной травы, дымка от мангала и прошлогодних листьев, сжигаемых в старой проржавевшей бочке у калитки.

Она решила, что дойдет до «Алексеевской», а там посмотрит. Останутся силы – поплетется дальше. А нет – нырнет в метро. Благо, ветка прямая, полчаса – и она дома.

Она почти дошла до метро, как вдруг выглянуло яркое солнце, раздвинуло мрачное и серое низкое небо, и в воздухе – вот чудеса – и вправду запахло весной.

«Нет, все же в метро. Дальше не поплетусь. А жаль», – подумала она, вспоминая, как в юности и даже в зрелой молодости они любили бродить по Москве. Любили... с мужем... вдвоем.

Она вздохнула, стряхнула с капюшона подтаявший снег и спустилась в подземку.

Женя вошла в квартиру и увидела, что тапки – серые с заячьими ушами, Дашкины, – стоят в прихожей. Это означало, что дочки дома еще нет. Из комнаты мужа, продолжающей гордо именоваться «кабинетом», в дверную щель пробивался неяркий свет.

Она разделась и тихо прошла в свою комнату. Переодевшись в домашнее – бархатный костюм с желтыми мышами – подарок девчонок, тихо приоткрыла дверь в кабинет.

Никита дремал на диване, укрывшись халатом. Услышав скрип двери, он открыл глаза, и они встретились взглядами.

– Пришла? – равнодушно спросил он.

Она кивнула.

– Обедать будешь?

Муж поднялся с дивана, пошарил ногами в поисках тапок, что-то недовольно заворчал и буркнул, посмотрев на часы:

– Пора.

Женя отправилась на кухню, поставила на плиту суп и в печку второе.

Подошла к окну. Там, словно и не было короткого, обманчивого солнца, снова низко нависло тяжелое серое небо.

Она вздохнула и принялась накрывать на стол. Обедали молча. Женя чувствовала, как начинает заводиться.

– Не интересно, как у меня прошло? – наконец спросила она.

Муж мотнул головой.

– Не-а. А что? Что-нибудь необычное?

Она покачала головой.

— Все обычное. Просто мне непонятно, почему тебя не интересует ничего из моей жизни?

— Это — точно не интересует, — подтвердил муж, — ты же знаешь... как я ко всему этому... отношусь.

— Знаю! — вдруг закипела она. — Вот именно — знаю! Как ты относишься ко всему этому. И к тому, что я делаю, — в том числе.

Он аккуратно положил ложку на стол, встал из-за стола и сказал: «Спасибо».

— А второе? — жалобно спросила Женя.

У двери он обернулся.

— Сыт. Спасибо.

Она отодвинула тарелку с недоеденным супом и заплакала. Понятно: сказалось недовольство, усталость, раздражение — все, чем обрушился на нее сегодняшний день. И все же... Не стоило начинать. Не стоило! Когда и так... Когда и так все так плохо, что хочется... застрелиться.

И все-таки вечный вопрос. А почему им можно, а нам — нельзя? Уставать, раздражаться, проявлять характер и недовольство? Ходить с перекошенной физиономией, демонстрировать отрешенность от семьи и проблем, не желать их, эти проблемы, решать? Все время делать одолжение — одно сплошное одолжение. Пообедал — одолжение. Поужинал — тоже. Спросил о чем-то — тем более. Снизошел, смилостивился, уделил.

А она... Она должна! Всем и всегда. Ему, детям, маме. Все и сразу — попробуй не отреагируй на чью-нибудь просьбу. Попробуй проигнорируй. Да вы что? Мир перевернется! Не среагировать тотчас, сразу, без малейшего промедления. Не бросится решать, разруливать, утешать. Платить,

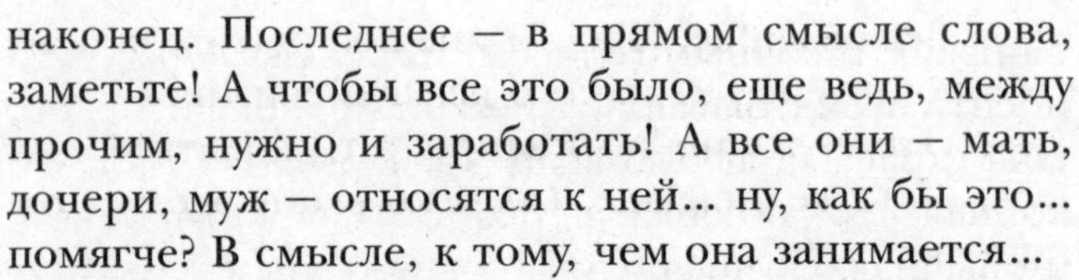

наконец. Последнее – в прямом смысле слова, заметьте! А чтобы все это было, еще ведь, между прочим, нужно и заработать! А все они – мать, дочери, муж – относятся к ней... ну, как бы это... помягче? В смысле, к тому, чем она занимается...

Да вот как относятся, если по чесноку, – как к блажи, к прихоти, к странному хобби. Развлекается тетка в предклимаксном возрасте, занимает себя – ну и славно!

И все-таки зря. Тот хрупкий, ненадежный мир, который едва удается ей удержать, так сложно, как балансировать на канате, без лонжи, держа в руках опахало, сегодня своими руками сознательно и добровольно она порушила. Дура, что и говорить. Выходит, права Ольшанская. Все мы дуры. Даже самые умные.

Тут она некстати вспомнила, как презрительно обозвала ее творчество Ольшанская, и расстроилась совсем.

Андерсен! Вот и жуй свои розовые сопли, сочинитель, далекий от реальности. Хочешь, чтобы все поверили? Так поверь сначала сама.

Если сможешь, родная!

Никому и никогда она не рассказывала, почему в восемнадцать лет так стремительно вышла замуж. Никому и никогда. Потому... Потому, что никто бы ее не понял. Все восхищались – такой дом, такая семья! А главным подарком и украшением семьи была, разумеется, Елена Ивановна. Мать, хозяйка, жена. И еще, между прочим, завлит музыкального театра.

Мать и вправду была красавицей. Никто и не спорил. Высокая, стройная темноглазая блондинка с низким и сочным голосом. Королева! Она умела носить вещи. Бывает у женщин подобный талант. Она украшала любую вещь. Она, а не ее! Даже суконная черная юбка, перешитая из бабушкиной, и обычная, скучная блузка с кружевным жабо смотрелись на ней как парчовое платье, расшитое жемчугом. Королевское платье. И все – натуральное! Цвет волос – спелая пшеница, белая кожа совсем без изъянов. Румянец, блестящие глаза. Ей почти не нужна была косметика и прочие бабские ухищрения – с раннего утра, с постели, она была так свежа и хороша, словно только что распустившаяся роза.

Правда, судьбу ее удачной назвать было сложно – у Елены Ивановны был когда-то прекрасный опереточный голос. А уж при ее внешности – карьера ей была обеспечена. Но... Поворот судьбы, изменивший всю ее жизнь, – в двадцать три года прекрасная Елена переболела тяжелейшим гриппом и получила осложнения на связки. Петь было заказано. Голос Леночки, звонкий, мелодичный, словно хрустальный колокольчик, стал глуховатым и хриплым. Тогда, после болезни, она впала в тяжелейшую депрессию и еле выкарабкалась года через два. Выкарабкалась, но озлобилась. На все и всех. И замуж, как всем показалось, тоже вышла назло. Кому? Да судьбе! После всех ее кавалеров – ярких, фактурных, талантливых – дипломат, подающий надежды физик, молодой, но уже проявивший себя режиссер – Леночка вышла за человека немолодого, скучного и совсем не привлекательного. Мужем красавицы стал рядовой скрипач из театрального оркестра. Красавицу-жену он, разумеется, обожал. Но... Елена относилась к нему с плохо скрываемым раздражением. Понимая, что грипп загубил ее карьеру, а свою женскую участь она выбрала сама. И никто в этом не виноват. Впрочем, отдыхать на заре семейной жизни они ездили вместе, в гости ходили под ручку, семейные праздники отмечали.

А что было у нее на сердце... Да кто ж поймет? Человек она была очень закрытый, подруг не имела – так, пара приятельниц, совсем незначительных – коллеги по театру. Старший бухгалтер Софья Исаковна и балерина кордебалета Инночка. У обеих судьба была невеселая – Соня была старой девой, впрочем, невредной и безобидной, тайно влюбленной в Леночкиного мужа. Она бросалась на помощь Ленусе в любую минуту, как только та ее звала. Сидела с маленькой Женей, выстаивала очереди в магазинах и притаскивала обожаемой Ленусеньке полные сумки. Служила ей безраздельно и преданно. Впрочем, мать это вряд ли ценила. А Инночка была источником сплетен – никто не обладал таким количеством хорошо и плохо проверенных фактов, про театр и коллег, как Инночка. Елене все это было очень кстати – самой опускаться до слухов и интриг ей было неловко, «лицо» она точно держала. А вот знать все и дергать за ниточки было необходимо. А без Инночки вездесущей ей бы не справиться. Только с возрастом Женя поняла, что мать всех использовала. И никто, абсолютно никто не смог заработать даже толику ее искреннего расположения, не говоря уж про любовь.

И еще. Спустя целую кучу лет, только ближе к сорока и то совершенно случайно, Женя узнала, что всю жизнь – всю жизнь! – все тридцать шесть лет «счастливого брака» у матери был другой мужчина. Младший брат Сони – Илья. Женя пару раз, еще в детстве, видела его. Он был высокий, седой и очень красивый. Очень значительный. Жил он одиноко, так и не женившись, служил архитектором в каком-то НИИ, детей у него не было. Почему они не сошлись насовсем? Почему мать так и не ушла к нему, бросив отца? Ведь он был свободен. Загадка. А спросить было не у кого – Соня уже умерла, а подобный разговор с матерью был невозможен. И у самого Ильи спросить было сложно – в начале нулевых он уехал в Америку. Навсегда.

Женя тогда мать только пожалела. Сколько дала ей природа! А результат? А отца... Отца тоже, конечно, жалела. Но... Он, кажется, был вполне доволен судьбой: у него было три страсти, три любви – мать, кактусы и пироги. Кактусы он собирал. Все подоконники были заняты кактусами. Состоял в обществе кактусоведов. Ездил на какие-то встречи, менялся сортами, в общем... Женя всегда удивлялась: кактус казался ей растением странным, неласковым, неживым. Пироги он пек сам, еженедельно. Получалось вкусно. И еще – отец всегда ходил дома в фартуке. Она никогда больше не видела мужиков, которые не снимали фартук!

К дочке он был равнодушен. Так ей казалось. Впрочем, наверное, это была чистая правда – любовь к жене затмевала все остальное. Даже дочь.

Дочкой Елена Ивановна была недовольна. Внешностью, это было ее твердое убеждение, Женя не удалась. Серая мышь. Тощая, голенастая. «Ни изюма, ни огня», – повторяла она.

Хотя в юности Женя считалась хорошенькой.

Мать пыталась с дочкой бороться – Женя не уступала. Из вредности, не иначе, решила она.

Да! Вздорный характер – еще один минус. Неусидчива, поверхностна. Способностей – ноль. Обычная, средняя девочка. И что ее ждет? Ну уж точно не карьера и не прекрасный принц. Так и протащится середняком. Обидно. А она, Елена Ивановна, ох как старалась! Покупала «своей дуре» модные тряпки. У спекулянтов, между прочим. Кто бы ценил! Пыталась приучать к косметике. В шестнадцать лет потребовала, чтобы дочка постриглась и изменила цвет волос. Ни-че-го! Ничего этой дуре не надо. Даже единственное, что было у нее хорошо – красивые ноги, – эта дурища прятала под потертыми джинсами. Вы это видели? Хвост на затылке стянут аптечной резинкой. Джинсы, свитер. На три размера больше, чем нужно. Грудь – и так кот наплакал – а уж под этой хламидой... Нет, не сложится жизнь. И семья, кстати, тоже под большим, так сказать, сомнением.

Школу Женя закончила так себе. Ни в иняз, ни в МГИМО идти не захотела. Пошла в педагогический. И Елена Ивановна торжественно объявила: «Теперь ты точно – старая дева!»

Женя часто думала, что замуж она вышла назло. Назло матери, чтобы доказать ей. А однажды задумалась – а книги? Книги – не для того же? Ее, так сказать, творчество? Ее прорыв – нереальный, невозможный? То, что она стала известной писательницей? Без всякого блата и чьей-то поддержки? Почти в сорок лет? Небывалый ведь случай – вырваться из средней школы и стать читаемым автором. Чтобы Елена Ивановна гордо сказала: «Евгения Ипполитова – моя дочь!» Хоть один проект матери оказался удачным. Неожиданно удачным. Хотя Елена Ивановна, похоже, так не считала.

Все мы из детства. И наши комплексы – в том числе. Никита появился на первом же курсе. Брат одногруппницы. Приехал к сестре на картошку, привез продукты и теплые вещи. Женя тогда удивилась – оказывается, вот что такое забота! И вот что такое семья. К ней не приехали ни разу, хотя в семье была машина. Девицы при виде Никиты засуетились и принялись наводить марафет. А Женя не поспешила – подняла глаза на красавца и тут же уткнулась в книгу. Такие не для нее, это понятно. А он – вот чудеса – попросил у сестры телефон именно Жени.

А через два дня после окончания сельских кошмаров, уже в Москве, он позвонил. Женя совсем растерялась и что-то мычала в трубку как полная дура. Слава богу, согласилась встретиться. Никита уже закончил Финансовый и служил в Министерстве финансов. Должность, конечно, маленькая, но есть перспективы. Жил с родителями и сестрой в маленькой двушке на Соколе. Через пару недель уже вовсю целовались в подъездах, и Никита вздыхал и томился, поражая неискушенную Женю своим напором и натиском.

Женя дергалась и вырывалась, не понимая его нетерпения, а он жарко клялся в любви и продолжал с тем же рвением яростно прижимать Женю к стенке в мрачном и темном подъезде.

Новый год встречали вдвоем в квартире его родителей. Те уехали в гости, прихватив с собой дочь. Там все и случилось, и утром, глядя на сонную Женю, он спросил: «А может быть... нам пожениться?»

Она растерялась, пыталась неловко отшутиться, пошла в ванную и там под включенную воду задавала себе один и тот же вопрос: а любит ли, собственно, она его? Того, с кем провела сегодняшнюю ночь?

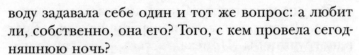

И ответа не находила.

Да нет, скоро нашла. И ответ этот ее очень обрадовал – Никиту она очень любит! За то... что он любит ее. Ведь ее, Женю, полюбить было сложно. Почти невозможно – так говорила Елена Ивановна, мама. За что ее можно любить? Она – серая мышь. Ни ума, ни таланта. Ни красоты. «Боже, как мне повезло!» – думала Женя, давно подготовленная матушкой к роли старой девы.

И правда, любила. Как поняла? Да потому, что ей очень нравилось отвечать на его любовь. Отвечала отчаянно, отзывалась горячо, словно боясь, что все это внезапно кончится, оборвется. Что он заподозрит ее во вранье. Она, не привыкшая к тому, чтобы ее любили, нуждались в ней, торопились к ней, скучали по ней, шептали ей невозможные слова, все ждала, когда молодой муж, наконец, прозреет и увидит то, что, собственно, всегда видела в ней ее мать. Обычную женщину, рядовую, незначительную – такую, которая не стоит пылкой любви и нечеловеческой страсти.

Мать отнеслась к выбору дочери благосклонно. И даже слегка удивилась, приподняв красиво изогнутую бровь, когда Никита пришел просить руки ее дочери.

– Выходи! Что тут думать? – не стесняясь своей откровенности, сказала она. – И считай, что тебе повезло.

Даже не поинтересовавшись, а любит ли дочь своего избранника.

Свадьбу сыграли в дорогом ресторане – на этом настояла Женина мать. Родители Никиты были смущены и растеряны – это никак не вписывалось в их скромный бюджет. Но ослушаться Елену Ивановну не посмели. Денег назанимали и свадьбу сыграли – куда деваться?

Мать заказала в швейном театральном цеху свадебное платье. Оно получилось чудесным. Чуть розоватое, самую малость, длинное, струящееся, шелковистое. По воротнику и по подолу нежное кружево, и маленькая шляпка-таблетка тоже украшена кружевной вуалью. Кажется, впервые в жизни она была довольна дочерью.

На свадьбу были приглашены ведущие артисты театра и прочая театральная знать. Только родители Никиты смущенно жались в углу, с тревогой разглядывая великолепие стола и знатных гостей.

Сняли комнату – волевым решением матери.

– К нам – невозможно, – объяснила она, – ни вам, ни мне это не нужно.

А у родителей Жени была, кстати, трехкомнатная квартира. Приличного метража. К свекрови – вообще полный бред. Ни кубатуры, ни смысла вообще. «Такую дуру, как ты, тут же загонят под лавку», – повторяла мать.

Первую свою комнату они очень любили. И с тоской вспоминали все годы. Она и вправду была чудесной – пусть первый этаж, совсем низкий, зато густой палисадник в сирени, тихая улочка, огромное окно, полукруглые стены, в которых трудно было расположить мебель, но которые почему-то придавали жилищу неповторимость и уют. Да и какая у них была мебель? Тахта, книжный шкаф и шкаф платяной. Торшер с голубым

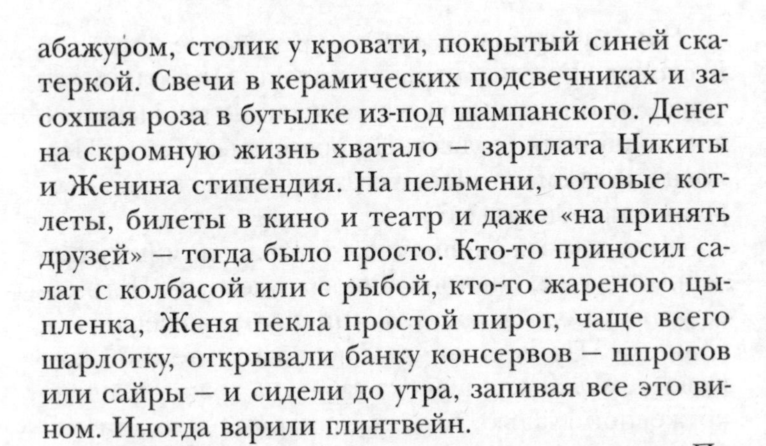

абажуром, столик у кровати, покрытый синей скатеркой. Свечи в керамических подсвечниках и засохшая роза в бутылке из-под шампанского. Денег на скромную жизнь хватало – зарплата Никиты и Женина стипендия. На пельмени, готовые котлеты, билеты в кино и театр и даже «на принять друзей» – тогда было просто. Кто-то приносил салат с колбасой или с рыбой, кто-то жареного цыпленка, Женя пекла простой пирог, чаще всего шарлотку, открывали банку консервов – шпротов или сайры – и сидели до утра, запивая все это вином. Иногда варили глинтвейн.

Сосед Петрович был тих и почти незаметен. По вечерам уходил к зазнобе – так он называл свою любовницу Дусю, жившую тремя этажами выше.

Все эти годы вспоминались как сплошное счастье. Счастье и любовь. Никита был нежен, заботлив и щедр. Каждый день, возвращаясь с работы, он приносил жене розу или тройку гвоздик – с деньгами, да и с цветами было тогда непросто.

А спустя четыре года Елена Ивановна объявила, что пора иметь свой угол. Приличные люди так не живут. Стыдно сказать людям, что единственная дочь снимает какой-то угол. И снова ее волевым усилием вступили в кооператив. Половину денег дали Женины родители, а вот вторую половину... Елена Ивановна требовала, чтобы дали родители мужа. Именно требовала. Да что с них было брать? И Женя с Никитой решили, что деньги найдут. Сами. И «тещеньке» – как с иронией называл ее Никита, об этом не скажут. Деньги нашлись – не сразу, с миру по нитке, но все же собрали. Часть, кстати, дала верная Соня, больше всего переживая, что об этом узнает Ленуся.

Через полтора года въехали в новую квартиру. Конечно, это было огромное счастье. Казалось бы, тещенька была как всегда права. Но... Осадочек, как говорится, остался. И семейных встреч молодые старались избегать. Впрочем, и сама Елена Ивановна общаться с новой родней, со сватами не спешила. Женя закончила институт, пошла работать в обычную школу. И тогда они стали подумывать о ребенке. Но ничего не получалось! Врачи говорили, что они оба совершенно здоровы, просто надо немного подождать, так бывает. Бывает и десятилетиями, а потом раз! – и женщина прекрасно рожает.

Восемь лет. Восемь лет ожиданий, разочарований, слез и семейных ссор. Восемь лет.

Они стали отдаляться друг от друга, про себя обвиняя, разумеется, партнера. И тут...

Судьба. Как говорится, судьба. Только купили машину – старенькую, подержанную. Но все же машину! Первая поездка в Пушкинские Горы. Просто решили «жить полной жизнью». Раз бездетны, пусть жизнь будет наполнена событиями и путешествиями. Надеялись в душе, что это их сблизит и ситуацию исправит.

Выехали в ночь, рассчитывая добраться до места совсем рано утром. А почти перед Святыми Горами – авария. Страшная, дикая. Прямо перед их носом. Еще бы минуты две, и на месте этих несчастных точно бы оказались они. Мужчина и женщина – молодые, почти их ровесники – погибли на месте. А ребенок, девочка, чудом оказалась жива! Спала на заднем сиденье и отделалась легкими царапинами.

Они остановились у обочины, ожидая «Скорую» и милицию, а Женя схватила ревущую от страха девчушку и прижала к себе.

Только под самое утро все закончилось: мужчину и женщину увезли, машину оттащили, протоколы были составлены, и все свидетели опрошены. Девочка дремала у Жени на руках.

– А ребенка... Куда? – тихо спросила Женя.

– В больницу, – равнодушно ответил милицейский, – а дальше будем пристраивать. Бабушки, дедушки. Короче, к родне.

Женя вздрогнула и прижала девчонку сильнее.

В больницу поехали следом. Никита с удивлением смотрел на жену, видя, как она баюкает и утешает ребенка.

В приемном покое девочку забрали.

На улице некурящая Женя попросила у прохожего сигарету и все никак не могла отойти от больничного крыльца и усесться в машину.

Разумеется, они вернулись в Москву. Женя все время молчала. На вопросы мужа отвечала односложно: да, нет, не знаю. Перестала готовить и убирать в квартире. Взяла больничный и целыми днями лежала в кровати, отвернувшись лицом к стене.

Однажды Никита не выдержал и стал кричать, тряся ее за плечи. Он кричал, что нужно немедленно к врачу. Что, если ее сейчас не вытащить, она погибнет. А следом за ней и он.

Она, словно замороженная, тупо смотрела на него. Даже не было слез.

Теперь плакал Никита.

– Что мне сделать, что бы ты пришла в себя?

Одними губами она прошептала – поедем туда. И заберем нашу девочку.

Он отпустил ее и с каким-то ужасом и непониманием уставился на нее.

– Я подумаю, – тихо ответил он.

А Женя снова отвернулась к стене.

Документы оформляли почти четыре месяца, и все это время, раз в неделю, Женя ездила в М. Она приходила в дом малютки и наблюдала за девочкой из-за стеклянной двери. Наконец директриса сжалилась и стала пускать Женю к ребенку. Женя гуляла с девочкой в парке, сидела с ней на речке и покупала ей шарики и игрушки. В Москве она так скучала по ней, что совсем перестала спать по ночам. Никита относился «к этой затее» скептически. Елена Ивановна ничего не знала – Женя умоляла мужа пока не посвящать в это мать.

Про родственников девочки было известно следующее: бабушки и дедушки со стороны матери не было вовсе – мать девочки выросла в детдоме. А родители отца, точнее дед Маруси, жил в деревне, здорово пил и вдовел почти десять лет. Когда Женя с соцработником приехали к нему, от внучки он отказался сразу. Да и кто бы доверил ее ему?

И только тогда, после этого визита, Женя облегченно выдохнула – на ЕЕ Марусю претендентов не было.

Иногда Никита, с удивлением глядя на жену, пытался поговорить с ней на «эту тему». Предлагал еще раз подумать и не делать все сгоряча.

Женя удивлялась, принималась горько плакать и обижаться.

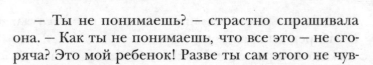

– Ты не понимаешь? – страстно спрашивала она. – Как ты не понимаешь, что все это – не сгоряча? Это мой ребенок! Разве ты сам этого не чувствуешь? Мой!

– А про меня ты не подумала? – осторожно спрашивал муж.

Она снова принималась рыдать и коротко бросала:

– Ну, если тебе... это – так, то давай разведемся!

Он крутил пальцем у виска, качал головой и тоже обижался. Общались они тогда только по делу – коротко и конкретно. А однажды ночью, когда оба не спали и пытались скрыть друг от друга бессонницу, Никита вдруг сказал:

– А ты не видишь, что вся наша жизнь с тобой катится под откос?

Она вздрогнула, впервые осторожно, словно боясь быть отринутой, прижалась к нему, чувствуя, как он по ней соскучился.

Потом, после давно забытых ласк и признаний, она горячо шептала ему, что все наладится, обязательно наладится и даже будет еще лучше, чем прежде. Потому, что с ними будет Маруся...

Когда, наконец, бумажная волокита была почти закончена, Женя бросилась по магазинам в поисках кроватки, одежды и игрушек – Маруська должна приехать в свой дом, считала она.

Никита по-прежнему тяжело вздыхал, словно предчувствуя грядущие неприятности. Впрочем, уж до них было еще ох как далеко! Целая жизнь.

Маруся быстро освоилась на новом месте. Она была спокойным ребенком, но временами на нее находила словно оторопь. Она замирала, и растормошить ее было почти невозможно. И по ночам случались истерики, да такие, что, бывало, Женя таскала ее на руках по нескольку часов, а та все не засыпала, вздрагивала и снова заходилась в плаче.

Никита уходил спать на раскладушку в кухню. Утром он с Женей не разговаривал, а на Маруську и вовсе не смотрел. Женя чувствовала себя виноватой, но одновременно злилась на мужа и обижалась. В доме было напряженно, тревожно и душно, словно перед грозой.

Реакция матери была, разумеется, предсказуемой, но... Чтобы до такой степени! Даже Женя, отлично зная матушкин нрав, такого не ожидала.

Елена Ивановна, едва узнав о случившемся, ворвалась в квартиру и, не взглянув на девочку, подняла дикий крик. Она кричала, что Женя идиотка, слабоумная, невменяемая и опасная для общества. Обещала собрать комиссию, которая докажет Женину несостоятельность. Она угрожала, пугала и требовала, чтобы дочь немедленно «отправила ЭТО» обратно.

Никита курил на кухне и в комнату так и не вышел. Женя посчитала это предательством и долго не прощала этого мужу. Много лет не могла с этим справиться и забыть.

Сначала она пыталась увещевать мать, совала ей в нос Маруську, призывая посмотреть, какая это «чудесная девочка». Объясняла матери, что ребенок был ей необходим, жизненно необходим. И раз так случилось, то это сама судьба, сам Господь бог послал ей Марусю.

Мать на девочку так и не посмотрела, а Маруська, испугавшись скандала и криков, устроила такую истерику, что ее начало рвать прямо на пол.

Елена Ивановна по-мефистофельски рассмеялась, брезгливо скривилась и у порога выкрикнула последнее:

– Вот это – самые мелочи! – А дальше – дальше хлебать будешь полной ложкой. Половником будешь хлебать! И на меня, как ты поняла, рассчитывать нечего. – И шепотом добавила: – И Никита уйдет. Вот увидишь – смоется! И смоется скоро. От своих бегут, а тут... А гены, милая, еще вылезут. Только позже. Не сомневайся. А ты уже будешь одна. И тогда меня вспомнишь!

После ухода матери Женя зашла на кухню и бросила мужу:

– Предатель!

Потом пошла укладывать Маруську и услышала, как Никита, громко хлопнув дверью, ушел.

В ту ночь домой он так и не вернулся. И Женя заставила себя привыкать к мысли, что их семейная жизнь, скорее всего, закончилась.

Но все вышло не так. Никита вернулся через неделю – растерянный, похудевший, задерганный и очень виноватый. Сказал, что очень ее любит и жить без нее не может. А про девочку... про девочку – он называл ее именно так – сказал, что попробует. В смысле – очень постарается. Но как выйдет – не знает. Честно – не знает. И еще добавил, что все мужики – дерьмо. Он убедился в этом на собственном примере. Слабаки да и только.

Женя его простила – она всегда терялась перед признаниями и извинениями. Перед честностью.

Было непросто, но она видела, как Никита старается. Он стал помогать с Маруськой, участвовал в купании, пытался играть с ней и читал на ночь сказки. С матерью Женя тогда не общалась. Иногда звонила отцу, но тот, оставаясь верным себе, жаловался на здоровье, говорил про «Леночку» и «Леночкиными» фразами. Про Маруську – ни слова. Впрочем, Женя и не ждала другого – он и к ней, родной дочери, был равнодушен. Никакого голоса крови. Что говорить про Маруську?

А Маруська к Никите тянулась. И сразу стала называть его папой.

А через два года после удочерения Маруськи Женя поняла, что беременна.

Никита словно заново родился – был так счастлив, что передать невозможно. И однажды обмолвился – невзначай, словно случайно:

– Торопыга ты, Женька! Ведь я говорил – подождали бы! И все бы у нас было нормально.

Женя остолбенела. Потом взяла себя в руки, постаралась не устроить скандал и делано рассмеялась.

– Ну, два ребенка лучше, чем один. К тому же если будет мальчишка!

И еще раз, теперь навсегда, поняла – ничего не изменилось. Сердцем и душой Маруську он так и не принял. А что будет дальше? Когда родится их малыш? Когда всю свою нерасплесканную любовь он вывалит на родного ребенка? Все было неясно и ясно одновременно – ей, Жене, будет еще сложнее. Хотя, куда уж сложнее... и на это-то иногда совсем не хватает силенок...

Но родилась девочка, а не мальчишка. Дашка. Маруськина сестра.

Дашка была абсолютно ангельским дитенышем – не в пример Маруське, что и говорить! Она спала по ночам, прекрасно ела (накормить Маруську всегда было сложно). Просыпаясь, не плакала. Лежала в кроватке и играла в погремушки.

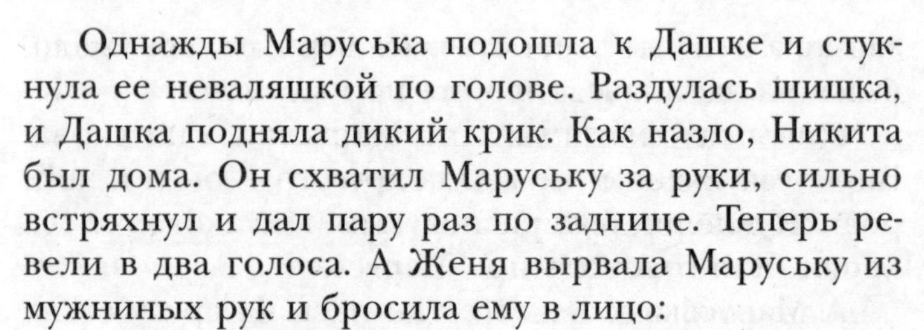

Однажды Маруська подошла к Дашке и стукнула ее неваляшкой по голове. Раздулась шишка, и Дашка подняла дикий крик. Как назло, Никита был дома. Он схватил Маруську за руки, сильно встряхнул и дал пару раз по заднице. Теперь ревели в два голоса. А Женя вырвала Маруську из мужниных рук и бросила ему в лицо:

– Не смей! С такой жестокостью... Ты – гад и эсэсовец!

Таких слов в их семье не произносили. Скандал перерос в двухмесячное молчание и жестокую обиду друг на друга.

Елена Ивановна, разумеется, после рождения Дашки «нарисовалась». Приезжала раз в неделю, привозила дорогущие, невиданные фрукты, одежду и игрушки – в одном экземпляре, рассчитанные только на Дашку. Маруську она по-прежнему не замечала.

А дурочка-Маруська почему-то любила «красивую тетю». Ластилась к ней, пыталась прислониться, гладила по руке. А однажды назвала «бабулей». Елена Ивановна дернулась, поманила Маруську холеным пальчиком и, жестко взяв ее за руку, внятно сказала:

– Я, моя милая, никакая не бабушка. Точнее – я бабушка Даши. А тебе я – Елена Ивановна. Уразумела?

Маруська испуганно кивнула, выдернула ручку и убежала в ванную – реветь.

Она вообще была плаксивой, тревожной, болезненной. От громкого шума вздрагивала, боялась голубей, шуршащих и воркующих на подоконнике. Расстраивалась из-за мультфильмов, где кто-то кого-то обидел, плакала, когда Женя читала грустную сказку. Женя повела ее к невропатологу. Разумеется, была рассказана вся история, без прикрас.

Невропатолог, пожилая умница, повидавшая на своем веку немало горя, тяжело вздохнула и сказала:

– Ну, лечение я, безусловно, вам подберу. Девочка станет спокойнее. Но... Когда все это случилось, ей было чуть больше года. Она, конечно, многого не поняла, но на стресс организм среагировал. И девочка была вырвана из своей среды – попав в дом малютки. Да и кровь – не вода! Вы же не знаете толком, что и как было в родной семье. И к тому же история с детским домом у матери, пьющий дед, ну и так далее... Вы ж понимаете! – грустно заключила она. – С усыновленными детками... часто бывает что-то не так. Наберитесь терпения и верьте, что все обойдется. Или по крайней мере – многое.

А терпения Жене было не занимать – даже Никита называл ее «чемпион по терпению». «Мамина школа, – отвечала она, – с моей матушкой научилась».

Но, став чуть старше, девчонки подружились – вместе играли, вместе ходили в сад. Маруська была заводилой, а тихая и смирная Дашка во всем подчинялась сестре. Впрочем, «давать прикурить» Маруська начала довольно рано – часто шкодничала, устраивала провокации, подбивала сестру на всякие детские непотребства. Иногда врала. И это было печальней всего.

– Перерастет, – успокаивала себя Женя, – все-таки стресс, пережитый в детстве, именно стресс дает о себе знать.

Никита родную дочь обожал. Дашке прощалось все, и Маруська была во всем виновата. Справедливости ради – именно Маруська устраивала скандал, брала без спросу конфеты, хулиганила в саду и отбирала у Дашки игрушки.

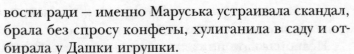

Женя ловила себя на мысли, что Маруську она все равно оправдывает. Или старается оправдать. Жалеет ее больше, чем Дашку. Старается подложить кусок послаще. Первой на ночь она всегда целовала Маруську. Дашка не ревновала – с ее-то огромным сердцем! А вот Маруська была ревнивая. Иногда было заметно, что Дашку она старалась подставить – неловко, по-детски. А Женя снова убеждала себя, что так старшая дочь старается привлечь к себе внимание и заслужить любовь отца. И снова оправдывала, оправдывала...

Дашка, умница, по счастью, была лишена какой-либо ревности вообще. Она искренне любила сестру и всегда ее защищала.

И только когда пропали сережки... Подарок младшей к четырнадцатилетию...

Дашка мечтала о них – смешные, совсем девчачьи стрекозки с зеленоватыми эмалевыми крылышками и стразиками, они были нежные, ненавязчивые и очень милые. Конечно, Никита купил их с превеликим удовольствием.

Дашка была счастлива. Она всегда умела радоваться – даже самой незначительной малости.

А Марусе, кстати, накануне, на два месяца раньше, на ее день рождения, был подарен компьютер – по ее же, собственно, просьбе.

А спустя два месяца стрекозки пропали. Обыскали, естественно, весь дом. Дашка была большой растеряхой. Потерять сережки на улице, одновременно обе – абсурд. И застежки там были хорошие. Никита как-то сразу напрягся и внимательно посмотрел на старшую дочь.

Маруська, поймав его взгляд, вдруг закричала:

— Что? Думаешь на меня?

Никита дернулся и вышел из комнаты. Женя бросилась утешать красную от злобы Маруську.

Дашка пошла к отцу и устроила ему настоящий скандал.

А пару недель спустя Дашка увидела стрекозок в ушах одной старшеклассницы.

Она подошла к ней и осторожно спросила, откуда у той сережки. И девица спокойно ответила, что серьги ей продала Маруська.

Дашка вернулась домой совершенно убитая и только к вечеру рассказала все Жене.

Женя пришла в ужас и обещала подумать, как разобраться с Маруськой. Тут Дашка, покраснев, тихо попросила мать не говорить о случившемся отцу.

Маруська, призванная к ответу, совсем не смутилась, тут же со всем согласилась и ответила незатейливо и просто:

— А были нужны деньги.

На Женин вопрос «зачем?» — Маруська противно хихикнула и «пошутила»: расходы!

И именно в эту минуту Женя окончательно поняла — все еще ПРЕДСТОИТ. И даже то, что она и представить себе, скорее всего, не может. Даже при всей ее бурной фантазии...

* * *

Аля — как называли ее домашние — лихо крутила руль и нагло обгоняла машины. Водители, возмущенные ее некорректным поведением на дороге, обгоняли ее, готовые обложить, как водится, шестиэтажным и всем знакомым шоферским матюжком. Но, узнавая ее, почти моментально, округляли глаза, открывали рты, и на их растерянных лицах тут же вспыхивали смущенные улыбки. Александра в ответ улыбалась и слегка махала рукой.

Она думала про своих сегодняшних визави. Странное дело! Взрослые тетки, умные, вроде... Да нет, разумеется, умные! И такие... лохушки. Ладно эта писательница – та еще ничего, держала лицо. Но эта профессорша! Ну, вообще – смех и грех. Краснеет, бледнеет – словно девственница перед первой брачной ночью. Теряется, трепыхается, отпор дать не может. И как она, вот интересно, со своими студентами? И пациентками? А с сотрудниками? Тоже робеет? А они, сегодняшние... Палец в рот не клади. Хамы такие! Будьте любезны! По собственным деткам знает – не дай бог, попадешь на язык... А на этих симпозиумах? Как она там заседает, и кто ее вообще будет слушать – такую овцу? Да еще бабу? Они же там тоже все... Бультерьеры, каких мало. А эта – маленькая, плюгавенькая, голосок как у девочки. И все туда же! По виду – учительница младших классов. Причем в сельской школе. Нет, наверняка умница. И все же чудно́...

Потом она вспомнила про Тобольчину, и настроение сразу испортилось. Знала, разумеется, что эта Марина – змея еще та. В Останкино Ольшанская человек бывалый. Зря подписалась, конечно. Все тщеславие неуемное. Чего тебе, Аля, мало? Славы, может быть? Денег, успеха? Чего ты поперлась к этой гадюке? Знаешь ведь, она из тех, что нароют самую гадость. И почти не веришь в ее обещания вырезать... Разве тебе нужен скандал, Аля? Сплетни, интриги, расследования? А? Что молчишь? А молчишь потому, что нужен! Чтобы снова заговорили, заверещали, зашушукались. Пожалели и посочувствовали – наша! Своя! У плиты и при швабре. И детки у нее – такие же, как у нас. Те еще детки. У нее, у королевы! Что ж тогда нам? И смотреть по телеку на твою свежую после подтяжки морду будут с утроенной любовью и придыханием – как же страдает наша родная! Милая наша, любимая! Что тебе, Алечка, надо? Всего и побольше? Не наелась еще, дорогая?

Да нет, наелась. В горле стоит. А что же мне надо? Хотите, родные, узнать?

Счастья мне надо! Бабского, нормального. Пресного и обыденного. Хотя бы чуть-чуть. Самую малость. Не заслужила? Наверное...

Родители-ленинградцы всю молодость – лучшую часть жизни – провели в гарнизонах. Хорошая была семья! Настоящая советская: папа-военный, мама-учительница. Подходили друг другу, как ботинки на обе ноги. Мама, не раздумывая ни минуты, бросилась вслед за отцом. Ее, благополучную, профессорскую дочку, не пугали дальние края, убогое жилье, отсутствие комфорта и нормальной жизни. Была она девочкой нежной, избалованной, залюбленной – папа, мама, бабушка с дедом и нянюшка Тоня. Лидочка в детстве много болела, и вся семья порхала над ней, как бабочки над капризным цветком. Профессорская квартира с окнами во всю стену, старинная мебель, светильники на бронзовых ножках. Темные картины – портрет бабули, известной питерской красавицы. Белая супница в розовый цветочек, пирожки с мизинец к бульону с кореньями. На Пасху пекли куличи с цукатами и делали пасху – в старинной деревянной форме. Изюмом бабуля выкладывала буквы – «ХВ».

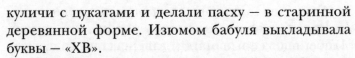

Тихая Лидочка, хорошенькая, как куколка, мечтала учить детишек. Непременно – малышей. Вкладывать доброе и вечное – терпеливо, с любовью и нежностью. Помнила слова бабули – что заложишь с младенчества, то и получится из человека.

А в восемнадцать влюбилась. Да как не влюбиться? Красавец был парень. Курсант! Плечи широкие, улыбка белозубая, глаза синие... И семья замечательная. Папа, Борис Самсонович Ольшанский, – известный артист, красавица-мама, Нина Захаровна, – директор школы. Той самой, куда мечтала попасть наша Лидочка.

Муж Андрей потом говорил:

– Увидел тебя и сразу – как голову потерял. Тоненькая, беленькая, завитки на затылке. Глаза перепуганные – как у ребенка.

– Почему перепуганные? – смеялась Лидочка. – Я ничего не боялась!

После скорой свадьбы – жених заканчивал училище и торопился жениться – поселились у Лидочки на Театральной площади. А через полгода молодые объявили родне, что уезжают. Все тут же засуетились, принялись подключать обширные связи – необходимо оставить детей в Ленинграде! Куда Лидуше с ее слабым здоровьем? Но нет – молодые твердо решили служить. Именно там, в далеком гарнизоне. Пройти весь путь, что положено. От лейтенанта до генерала. Точка. Ни слезы мамы и бабушки, ни увещевания отца и деда, ни уговоры свекрови и свекра – ничего не помогло!

И уехали. Гарнизон был дальний, сибирский. Как все гарнизоны. Темное перемороженное мясо, толстенные серые макароны, маргарин вместо масла. Ни овощей, ни фруктов. Комната в тринадцать метров – скрипучая кровать, шкаф с оторванной дверцей и запахом мышей, щелястый пол и разболтанные окна с подоконником, на котором – внутри комнаты – лежал примерзший снег.

На общей кухне с низким, закопченным потолком царила бабья вольница – сплетни, сплетни, разборки и ссоры. Но и – крепчайшая женская дружба. Не дай бог, у кого беда. О распрях тут же забывали. Женщины в застиранных байковых халатах, с бигуди на голове жарили, парили, варили, передвигаясь в кухонном дыму и чаду, как в преисподней. Пахло вареной капустой и пригорелым молоком. Громко орали дети, цепляясь за края халатов мамаш. Лидочка вылетела из этого ада, бросилась в свою комнату и начала горько рыдать.

Неожиданно дверь отворилась, на пороге стояли недоумевающие соседки и с удивлением глядели на новенькую чудачку.

– Обидел кто? – удивленно спросила одна – крупная, грудастая, в золотых серьгах с ядовито-красными камнями.

Лидочка стыдливо уткнулась в подушку и покачала головой.

– И чего тогда? – никак не могла взять в толк соседка. – Ступай на кухню – мужик скоро придет. А жрать будет нечего.

Лидочка снова замотала головой.

Соседка вздохнула, села на край кровати и погладила Лиду по голове.

– Московская, что ли?

— Питерская, — хлюпнула Лида.

— А, ну понятно! — протянула та, и все засмеялись.

— Ну, питерская, пойдем на ликбез! Будем учить тебя. Родину любить. И родного мужа.

Все рассмеялись. Рая — так звали новую знакомую — была непререкаемым авторитетом и председателем женсовета. Она взяла Лидочку под свою опеку. И уже через полгода та квасила капусту и солила грибы. Иногда Рая выбивала у начальства грузовичок, женщины дружной толпой набивались в брезентовый кузов и ехали на «охоту» — так называлась вылазка в ближайший городок за продуктами. Одни бежали в универмаг и распределялись со списками по отделам — детские колготки на всех, отрезы на платья в отделе тканей, кастрюли, стиральный порошок в хозяйственном, шампунь и детский крем в парфюмерном. Другие атаковали центральный гастроном и тоже рассеивались по отделам — мясной, молочный, бакалея. Местные называли их «голодный десант» и ненавидели — самим бы досталось! Рая обходила товарок и проверяла списки — все ли учтены, все ли «окучены» — как она говорила.

Потом шли в кафе и устраивали себе «отходную». Заказывали шашлык и шампанское.

На обратной дороге громко пели песни, рассказывали анекдоты, от которых бедная Лидочка заливалась пунцовой краской, и снова бурно обсуждали жену начальника части («маму» — как ее называли) и жизнь в городке.

Лидочка удивлялась их женской стойкости, способности к выживанию, терпению и оптимизму.

Она, конечно, с тоской вспоминала любимый город, студенчество, огромную квартиру на Театральной и родных. Скучала по питерским музеям, театрам, любимым улицам. Но ни разу – ни разу! – у нее не возникла мысль уехать, сбежать от всех этих трудностей, от невыносимых условий и тяжелой служивой жизни.

Она так любила мужа, что, приготовив ужин и прибравшись в комнатке, садилась у окна и вглядывалась в темноту улицы – и почти всегда угадывала ту самую минуту, когда он возвращался домой. Тогда она бросалась к двери, распахивала ее в любую погоду и кидалась ему на шею.

Через полтора года она родила дочку – Алечку. А еще через четыре – сына – Петю.

Жизнь в гарнизоне Аля помнила плохо. Из воспоминаний – маленькая квартирка на первом этаже (тогда им уже дали квартиру), сугроб под окном, закрывавший окно почти наполовину. Их с Петькой комнатка – окнами на юг. Светлая кухонька, которую каждую весну белили побелкой. Пирожки с картошкой в эмалированной миске, прикрытой белоснежным вафельным полотенцем. Мама уже работала в школе, и Аля сидела с вечно сопливым Петькой – детский сад Петьке был заказан, как говорила со вздохом мама. Лыжи зимой, в воскресенье. Папа впереди, следом Аля, а сзади плетутся Петька и мама.

Аля оборачивается, машет им рукой в красной рукавичке, связанной тетей Раей, и громко кричит:

– Слабаки! Догоняйте!

И бежит догонять отца...

А летом наступала самая распрекрасная пора – начинались грибы и ягоды. Женщины надевали сапоги и плащ-палатки, завязывали платки по глаза, брали старших детей, корзинки с провизией и уходили далеко в лес до самого вечера.

Ходили по малину, клюкву, чернику и бруснику. Садились на прогретом пригорке, доставали из заплечных рюкзачков картошку, сало и хлеб и отдыхали, прислонившись спиной к деревьям.

Грибы брали на солку и «жаруху», а белые сушили над плитой или на печи.

Бруснику мочили в ведрах, чернику и малину варили, а клюкву старались заморозить – чтоб не терялась «вся польза». Тайком от начальства повариха Любочка укладывала завернутую в газету клюкву в огромный столовский холодильник. А зимой, в морозы, женщины разбирали свои котомки и вывешивали за окно.

Еще собирали ягоды черемухи – это уже в городке. Сушили ее и мололи муку. Получались темные, чуть горьковатые и очень вкусные пироги. Аля помнила их вкус много лет.

По субботам в клубе крутили кино – утром детское, вечером взрослое. На взрослое детей не пускали. Собирались на праздники – большой и шумной компанией. Женщины пекли пироги, жарили медвежатину или лосятину, которую тайком покупали у местных охотников.

Ездили в Питер к родне. Родители всегда спорили, куда ехать в отпуск – отец хотел на море, необходимое для детей, а мама рвалась в Ленинград. Побеждала, как правило, мама.

Аля помнила, как зацеловывала ее родня, как покупались невиданные продукты – пахучий сыр, румяная розовая колбаса, на которую дети жадно набрасывались, за что получали от мамы. Папа смеялся, а дедушки и бабушки горестно качали головами и тайком утирали набежавшую слезу. Еще был шоколадный торт немыслимого размера с зайцем на макушке, из-за которого они поссорились с Петькой. Торт приносил дед Борис. Театры, где замирала Алина детская душа и отчаянно билось сердце. Какими прекрасными были Золушка, Белоснежка и Царевна-Лебедь! И музеи-дворцы с невиданной, сказочной роскошью – папа объяснял, что раньше в них жили цари, а теперь ходят обычные люди и любуются на всю эту красоту. Мама, правда, почему-то вздыхала и слегка качала головой, глядя на отца.

В Питер хотелось даже сильнее, чем на море. Хотя на море было тоже прекрасно. И теплый песок, в который по горло зарывалась с папиной помощью Аля. И горячие чебуреки, из которых брызгал обжигающий и жирный сок. И колесо обозрения, и комната смеха, где они с Петькой сгибались пополам и некрасиво тыкали друг в друга пальцами.

Все кончилось в один день. Точнее, в один месяц. Петька заболел, и врачиха тетя Света почему-то срочно требовала, чтобы родители ехали в Энск. Петька лежал бледный, совсем не хотел есть и сам не мог дойти до туалета. И тетя Света повторяла страшное слово – «лейкоз».

Родители уехали в город, а Аля осталась на попечении тети Раи и тети Светы. Обе все время вздыхали и гладили ее по голове, подсовывая то пирожок, то конфету, то яблоко.

Скоро приехал папа, и на нем, как тихо шептались женщины, «просто не было лица». Лицо-то было, но... Совсем не папино. Точнее, очень печальное, худое и бледное. Папа не ходил на работу, перестал бриться и одетый лежал на кровати, не выпуская изо рта папиросу.

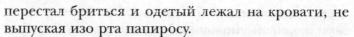

Потом он снова срочно уехал. Аля услышала, что Петька «уже при смерти» и осталось ему немного. Она совсем перестала спать, прислушиваясь к ночным шорохам, и все теребила тетю Раю, когда приедут родители. Разумеется, с Петькой.

Но через полтора месяца родители приехали без брата. Маму она сразу и не узнала – красавица-мама, беленькая, пушистая, нежная – превратилась в сухую и сгорбленную старуху. Она не разговаривала, ничего не ела, а только сидела у окна и теребила в руках Петькину рубашку.

А еще через пару недель... Папа рванул дверь в ванную и громко закричал. Так ужасно и громко, что перепуганная Аля засунула голову под подушку и больше всего на свете захотела тотчас умереть. Чтобы не знать, что случилось в ванной и почему так отчаянно и страшно, словно раненый зверь, так долго кричит ее папа.

Но умерла не Аля, а мама... Точнее – покончила с собой, повесившись в ванной.

Алю забрала тетя Рая, а через пару дней за ней приехал дедушка Боря. Папин отец. И увез внучку в Питер. Навсегда.

Квартира дедушки Бори и бабушки Нины на Петроградской стороне тоже была будь здоров! Не такая, конечно, как у Лидочкиной семьи, и все же. Три большие комнаты, два чулана, где бабуля хранила «всякую дрянь», по ее же словам, и кухня с колоннами – вот чудеса! Бабуля объясняла, что раньше здесь, вероятно, была столовая. У прежних хозяев. «А кто прежние хозяева?» – спрашивала Аля.

Бабуля вздыхала и отвечала: «Наверное, коммерсанты». Кто такие коммерсанты, Аля не понимала. А бабуля отчего-то объяснять не спешила, только махала рукой.

Жизнь у Ольшанских была чудесная. Аля и мечтать не могла о подобной жизни. Бабуля «держала» домработницу – слово «прислуга» она обронила однажды и тут же со страхом взглянула на внучку.

Домработница Валечка готовила, гладила, стирала и убирала квартиру. Была она чистюлей, каких мало. Круглолицая, крутобедрая, с милым рябым лицом, она полюбила Алю и стала ее жалеть, называя сироткой. «И ты сиротка, и я», – грустно вздыхала Валечка. И почему-то после этих слов Аля сразу начинала реветь, а Валечка тут же получала нагоняй от бабушки Нины.

Дед Борис, огромный, красивый, полноватый, говорящий сочным баритоном, всегда пребывал в замечательном настроении. С утра, умываясь в ванной, он заводил русскую народную «Вдоль по Питерской» или знакомый романс. Особенно Аля любила «Были когда-то и мы рысаками».

Днем уходил на репетицию, а вечером на спектакль. Впрочем, если спектакля не было, дед Борис начинал скучать и принимался «зазывать гостей» – так говорила Валечка.

Гостей она ненавидела: «Припрутся, грязи нанесут да и подожрут все запасы».

Ворчала, а к плите покорно вставала. Дед крутился на кухне, что-то советовал, чем, разумеется, выводил и без того расстроенную Валечку из себя, обсуждал с ней меню и беспокоился, что не хватит закусок.

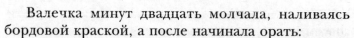

Валечка минут двадцать молчала, наливаясь бордовой краской, а после начинала орать:

– Борис Самсоныч! А подите вы к черту лысому! – и шла на него своей немаленькой грудью, выталкивая из кухни.

Дед, боясь Валечкиного гнева, тут же убегал в комнату и старался больше не высовываться.

Валечка, вынув из духовки пирожки, стучала в его дверь и примирительно и смущенно, пряча глаза, говорила:

– Попробуй, Самсоныч. Хороши ли?

Растревоженный кухонными запахами дед тут же забывал про обиду и торопливо сжевывал горячий пирожок.

– Пойдет! – хитро подмигивал он, чуть помучив Валечку запоздалым ответом, и та, счастливая, уходила на кухню.

Столы накрывались шикарные. Пироги и пирожки, салаты, рыба белая и красная, поросята и жареные гуси, домашние торты и печенья. Пойти к Ольшанским означало объесться до невозможности, наговориться, насплетничать, нахохотаться, послушать романсы хозяина, да еще и унести с собой – бабушка Нина требовала завернуть пирогов «на дорожку», понимая, что своей семьей с этим не справиться. Да и следующий прием не заставит себя долго ждать – дед Борис обожал компании.

Потом, став взрослой, Аля часто думала о своей родне – дед Борис объявлял жену главой семьи и отказывался решать бытовые вопросы. Бабушка Нина, Нина Захаровна, заслуженный педагог, директор одной из лучших питерских школ, умница и красавица, человек волевой, образованный, мощный, по сути, всю жизнь «прогибалась» под мужа.

Уж ей-то точно «веселия» и шумные гости были совсем ни к чему. Нина Захаровна любила покой, тишину и хорошую книжку. Но ни разу – Аля бы это запомнила, – ни разу она мужу не возразила. Ни разу не сослалась на усталость, мигрень или просто плохое настроение. «Боричкины» капризы всегда исполнялись.

Однажды, когда Але было уже лет семнадцать, бабушка Нина рассказала ей, как мужа пришлось «завоевывать».

– Как? – удивилась Аля. – Ты же такая красавица!

Нина Захаровна рассмеялась.

– Знаешь, роднулечка, красавиц много. А женился Борюля на мне.

Дед Борис, конечно, «увлекался» – так говорила сама бабуля. Но увлекался стремительно и ненадолго. Умная бабуля все тут же разнюхивала и приглашала пассию в дом. Ну а потом – все как у классика: бабуля «сдруживалась» с очередной и потихоньку, ненавязчиво, отстраняла ее от деда.

Аля помнила, как бабушка Нина попала в больницу – было что-то совсем несложное, кажется обострение панкреатита. Но что творилось с дедом! Он по три раза на день бегал в больницу, доставал лекарства и терзал врачей, звонил секретарю обкома и требовал «повышенного внимания к Ниночке, между прочим, заслуженному учителю»! Даже отменил два спектакля.

– Как он тебя любит! – восхитилась Аля тогда.

А бабушка рассмеялась.

– Дурочка ты! Здесь – другое. Просто боится... Остаться без меня, понимаешь? Вся его жизнь ведь рухнет...

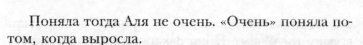

Поняла тогда Аля не очень. «Очень» поняла потом, когда выросла.

Жизнь у Ольшанских была сказкой – театр, концерты, походы в гости, куда звали деда «великие» люди. Уют, созданный Валечкой. Дача в Разливе, куда отправлялись на лето. Нарядные платья, туфельки, куклы с «настоящими» волосами. Заколочки, ленточки, школьная форма, сшитая на заказ у известной портнихи.

И школьная жизнь – разумеется, в бабулиной школе, – где на внучку директрисы не могли надышаться.

На Театральную, в семью бедной Лидочки, ходили примерно два раза в месяц. И это было для Али... почти наказанием.

В квартире было тихо, мрачно, тревожно. Прабабка и прадед уже «успокоились», и бабушка Александра Васильевна и дед Семен Андреевич остались одни. Огромная квартира напоминала склеп – верхний свет не зажигался, не из экономии, нет. Просто... Просто после смерти дочери и внука они запретили себе жить.

В Лидочкиной комнате был устроен иконостас из ее и Петиных фотографий. К Але, единственной внучке, они были совершенно равнодушны – горе забрало у них все чувства.

Они безучастно смотрели на внучку, не расспрашивали ее о школьных успехах, не интересовались ее увлечениями и совсем не замечали Алиной красоты.

Предлагали попить чаю, но Аля и бабушка Нина всегда почему-то отказывались.

Иногда дед уходил в библиотеку и выносил какую-нибудь старую книжку в подарок Але. Он долго и занудливо бубнил, как бережно надо относиться к книгам, ни в коем случае не загибать страницы и не давать читать подругам.

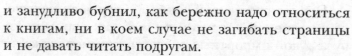

Аля корчила гримасу, приседала в книксене и «сердечно» благодарила за подарок.

Они выходили на улицу и жадно вдыхали свежий влажный питерский воздух.

Бабушка Нина тяжело вздыхала и бормотала всегда одну и ту же фразу:

– Похоронили себя. Устроили себе добровольное кладбище.

Но говорила не с осуждением, а с жалостью.

Они заходили в кондитерскую «Север» или в «Лягушатник» и устраивали себе «пир горой». Потом, объевшись мороженого и пирожных, шли в Гостиный двор или в ДЛТ – Дом ленинградской торговли – поглазеть. А если Але что-то нравилось, бабушка Нина немедленно это покупала.

Аля вбегала в квартиру и бросалась на шею любимому деду. И он так бурно радовался, словно не видел ее несколько дней.

Отец приезжал редко, раз или два в год. И приезжал уже с новой женой. Точнее, женой она была новой, а вот знакомой совсем и не новой – папа женился на тете Свете, маминой бывшей подружке, гарнизонном враче. Тетя Света была доброй, но «бестолковой» – по словам бабули. И еще «очч-чень простой».

Тетя Света начинала «забеги» по магазинам, исчезала рано утром и приходила лишь к вечеру, увешанная авоськами и кульками. И принималась раскладывать на диване свой «импорт».

«Импорт» был главным достижением и радостью тети Светы.

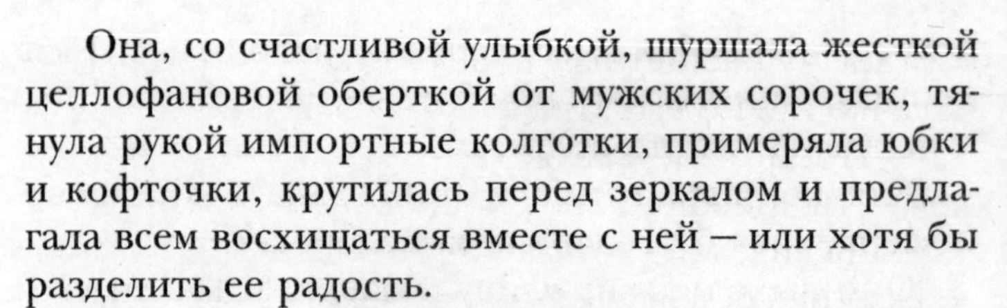

Она, со счастливой улыбкой, шуршала жесткой целлофановой оберткой от мужских сорочек, тянула рукой импортные колготки, примеряла юбки и кофточки, крутилась перед зеркалом и предлагала всем восхищаться вместе с ней – или хотя бы разделить ее радость.

«Это так... провинциально и так навязчиво», – говорила бабуля. Только Валечка поддерживала тетю Свету и вместе с ней восторгалась покупками.

Тетя Света притаскивала с собой необъятные баулы с соленьями, вареньями и грибами. Валечке все это нравилось, и она нахваливала бабуле «новую» невестку. Она была совсем неплохая, эта Света. Но... Не своя – бабушкины слова.

Отец с тетей Светой хотели забрать Алю к себе. Но бабуля и дед встали стеной – что у вас там? Медведи по улицам ходят. А климат? А школа? А общее развитие? Ну уж нет! Девочку вам, не отдадим! Она живет в культурной столице и развивается – а у вас? Будет слушать самодеятельных запевал, а не Чайковского в Консерватории? Будет ходить в кружок макраме, а не в «Мариинку» и «Русский»?

Отец молчал и был, казалось, согласен с родителями. А тетя Света... Та, кажется, облегченно выдохнула. Выдохнула – и через два года родила отцу мальчика. Мальчика назвали Бориской – в честь деда, на что дед, кстати, отреагировал абсолютно спокойно: какой-то незнакомый и далекий мальчик, рожденный от чужой и малознакомой женщины, его совсем не волновал – у него была внучка! Обожаемая внучка. Аля Ольшанская. Все, достаточно.

Когда Але исполнилось шестнадцать, бабуля и дед озаботились ее будущим. Бабуля настаивала на журналистике, а дед упрямо твердил, что «Алечке нужно в театральный», и только.

– Посмотри, какая красавица! – горячился дед. – Ты где-нибудь подобное видела?

– Да видела! – устала махала рукой бабуля, продолжая не соглашаться с мужем.

– Что красота? – настаивала она. – Кому и когда от нее была польза? Пусть получит профессию, а уж там – как бог даст. Где они, твои актрисы? Пара-тройка известных, а остальные? Хорошо, если удачно пристроились замуж. А так...

Дед уже почти сломался, как вдруг подвернулся случай. Его приятель, известный режиссер, начал съемки новой картины. Обмолвился об этом Борюсику, как называли его старые друзья, и тот притащил в павильон Алю. Кстати, ни о чем не подозревающую.

На роль легкомысленной и обольстительной студентки требовалась красивая и уверенная в себе девушка. Дед легонько вытолкнул внучку вперед и задумчиво произнес:

– Виталик, а попробуй. Мою.

В тот же день Виталик Алю утвердил. Аля, растерянная, перепуганная, смущенная, пришла на съемки с дедом. Дед помогал ей, нашептывая на ухо, поправлял, ругался с Виталиком, даже поссорился с ним и объявил, что внучку уводит.

В конце концов все разрешилось, и Аля снялась в своем первом фильме. А после десятого класса спокойно прошла все экзамены и туры в театральный.

Бабуля, вздыхая, с этим смирилась, но еще долго попрекала мужа, что в несложившейся Алечкиной судьбе будет виноват он один.

В тот год сразу, почти одновременно, они похоронили Лидочкиных родителей. И Але досталась квартира на Театральной, в которую своевременно, не без уговоров и труда, Нине Захаровне удалось прописать их общую внучку. Как чувствовала! Она потом и сказала:

– Было понятно, что в подземелье долго не живут!

Аля, молодая, красивая, уже успешная, в одночасье стала обладательницей роскошных, хотя и мрачных хором.

Но это дело, понятно, поправимое. Ремонт – и вся недолга! Впрочем, о ремонте совсем не думали – огромные деньги, время, нервы, да и вообще – зачем Алюне сейчас эта квартира? Ей замечательно и в родном доме.

Ни к чему. А вот в дальнейшем, когда придет время... И Алечка выйдет замуж...

Собственно, так и случилось. Только совсем не скоро, через четыре года.

А лучше бы – не сложилось никак. И еще – никогда!

В театральном Аля училась без проблем. Да поdругому и быть не могло. Дед – известный артист, есть прекрасная роль в кино, да и сама Аля – красавица, каких мало.

Аля и вправду в свои восемнадцать расцвела как прекрасный цветок. Высокая, стройная, длинноногая. С копной рыжих кудрей и глазами цвета июльского неба. Мужчины всех возрастов провожали ее восхищенными и встревоженными взглядами. А ей хоть бы хны! Ни о каких романах она и не думала. Но... до поры...

Она увидела его в вузовском коридоре. Он шел стремительно, не замечая никого вокруг, и взгляд его был устремлен, казалось, в себя. Огромного роста, широкоплечий, но тонкий в кости, с буйными смоляными волосами, обрамляющими узкое, белокожее и прекрасное в своем благородстве лицо.

По коридору, словно внезапный ветер, покатился восторженный девичий шелест. Будто сгустился и запах чем-то тревожным, точно перед грозой, душный воздух.

– Аристархов, – услышала Аля перекаты девичьего шепота.

Она тоже остановилась, сбилась с шага и прижалась к холодной стене.

Аристархов прошел, словно призрак, видение, не взглянув на нее. В ноздрях остался запах его одеколона – терпкий, горьковатый, волнующий.

На лекции она осторожно спросила соседку Маришу – кто, мол, и что.

Мариша тяжело и безнадежно вздохнула и жарко зашептала в Алино ухо.

Студент последнего курса, приезжий, кажется, Астрахань. А может, и нет. Какая разница? Живет в общаге, но деньги имеются. Говорят, что в любовницах у него какая-то знатная дама, жена большого партийного босса. Еще говорят, что актриса П. влюблена в него до смерти и даже травилась снотворным. «И еще, – тут Мариша оглянулась и сильнее прижалась к Алиной щеке, – говорят, – она замолчала, – говорят, что САМА Михайлова! Ну, ты понимаешь, – Мариша сделала «ужасные» глаза, – говорят, сама Михайлова в него по уши. В общем, – грустно вздохнула Мариша, – куда нам,

косорылым. И не думай влюбляться, – строго сказала Мариша, – а то пропадешь!»

Михайлова Маргарита Михайловна была предметом восхищения и подражания. Преподавала она историю костюма, предмет незначительный. Но личностью была известной. Во-первых, писаная красавица, а во-вторых, ей приписывали романы с самыми яркими мужчинами города.

Ее шубы, бриллианты и сумочки обсуждали на лекциях, в аудиториях и на кафедрах.

«Неужели сама Михайлова? – удивилась Аля. – Хотя все может быть...»

Аристархова она не видела пару месяцев и даже почти забыла о нем. Но однажды в курилке они столкнулись лоб в лоб, и Аристархов стрельнул у нее сигарету.

– О! – удивился он. – «Мальборо» покуриваем?

Аля покраснела и что-то забормотала про дедушку, которому преподнесли поклонники.

– А кто у нас дедушка? – поинтересовался он.

Аля, покраснев и сильно смущаясь, назвала фамилию деда.

– Клево! – кивнул Аристархов, бросил в урну бычок и, не попрощавшись, стремительно вышел из курилки.

Покой и сон были потеряны. Теперь она отслеживала расписание его группы и старалась пройти мимо той аудитории. Иногда сталкивались в курилке. И если раньше Аля просто баловалась сигаретами, то теперь закурила всерьез. Лишь бы столкнуться с предметом своей опасной, но, увы, уже не страсти. Своей беды.

На одной вечеринке в почти пустой странной холодной квартире с ободранными обоями и мутной, засаленной лампочкой на сером потолке с остатками богатой лепнины она оказалась случайно. Прицепилась к малознакомой старшекурснице, надеясь, что та прихватит ее с собой.

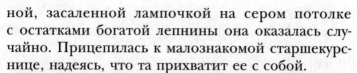

Прихватила. И почти к ночи, когда все изрядно накачались дешевым вином, появился ОН.

Такой же стремительный, хмурый, молчаливый. Загадочный, недосягаемый, прекрасный. Раскрыли окно – дым висел уже не клочьями, а плотными слоями, словно слоеный торт. Свое знаменитое черное до пола пальто он не снял – промозглая осенняя питерская ночь тут же нагло пробралась в комнату.

Он сидел на колченогой табуретке посреди комнаты, курил и чуть пренебрежительно, с кривой усмешкой оглядывал пьяную и почему-то тут же притихшую компанию.

Какая-то девица попыталась усесться к нему на колени, но он стряхнул ее, как стряхивают нахального, приблудного котенка – даже не посмотрев на нее.

Аля почувствовала озноб и ком в горле, бросилась в прихожую и стала лихорадочно искать свою курточку в груде навешенных на гвозди вещей.

Он вышел вслед за ней и с усмешкой спросил:

– Сбегаешь?

Она совсем растерялась и, путаясь в рукавах, не поднимая на него глаз, кивнула.

– Ну и правильно, – сказал он, – напились, черти, как свиньи. Жди – базарить начнут!

И тут она разревелась как маленькая девочка – от страха, смущения, близости и выпитого спиртного.

Вдруг он прижал ее к себе, стал гладить по волосам и приговаривать:

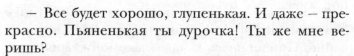

— Все будет хорошо, глупенькая. И даже — прекрасно. Пьяненькая ты дурочка! Ты же мне веришь?

Он взял ее за холодную руку, и они быстро вышли за дверь.

Аля не помнила, как он ловил такси, как усаживал ее на заднее сиденье. Как она положила голову ему на плечо. Как он обнял ее.

Не помнила четко и то, как они подъехали к общежитию и проскользнули мимо дремавшей вахтерши. Как поднялись на второй этаж и зашли в темную и узкую комнату, в которой стояли две металлические кровати и пепельницы, полные окурков, — на столе и расшатанном стуле.

Он медленно раздевал ее и целовал то в плечо, то в шею.

Потом она словно провалилась в забытье или сон и помнила только его запах, тонкие и нежные руки и мгновенную острую боль, и свой громкий крик, распоровший тишину ночной общаги. И запах его ладони, зажавшей ей рот.

Потом он уснул, а она не спала и смотрела на него. Прекраснее лица она не видела. Утром, проснувшись, он чмокнул ее в нос и объявил, что чертовски, просто нечеловечески голоден.

Они быстро оделись и вышли на улицу. Моросил мелкий дождь, и он натягивал на нее капюшон и подтягивал молнию на куртке. Они быстро дошли до шалмана — как назвал его он — и уселись в тепле у запотевшего окна, по которому стекали узкие струйки дождя.

Он ел котлету, странную, серого цвета, с холодной гречневой кашей, приговаривая, что это «божественно». Конечно, шутил. А она морщила нос, смеялась и отворачивалась. Выпили сладкого кофе, разбавленного сгущенкой, и он внимательно посмотрел на нее.

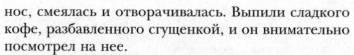

– Ну? – сказал он. – И что будем делать?

В тот день они все прогуляли: она – свой семинар, он – свои лекции.

Вернувшись в общагу, они провалялись до вечера, и совсем поздно Аля вдруг вспомнила, что почти сутки не объявлялась в родном доме.

А через два месяца, через два месяца страсти, постельных экзерсисов и безумий, она объявила домашним, что из дома уходит.

Дед ошарашенно молчал, а бабуля заплакала.

– Замуж, – объяснила она, – я выхожу замуж!

– Так давай по-людски, – вздохнула бабуля, – знакомство, помолвка. Свадьба. Как у людей!

Аля рассмеялась.

– Ничего такого не будет! Нам это не нужно. Просто... дайте мне ключи от квартиры.

– Какой квартиры? – не поняла бабушка.

– Моей, – твердо сказала Аля, – где я прописана. На Театральной. Или она не моя?

– Свихнулась, – шептала мужу Нина Захаровна, – ты что, не видишь? Она же свихнулась. Но тут уж ничего не попишешь, – тяжко вздохнула она.

Борис Самсонович, рассасывая второй валидол, требовал жену «разобраться» и вернуть все «на свои места».

– Господи, Боря! – покачала головой Нина Захаровна. – Какие места? Ты что, так ничего и не понял?

А строптивая внучка уже доставала чемодан с антресолей, весело и счастливо напевая известную песенку.

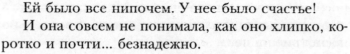

Ей было все нипочем. У нее было счастье!

И она совсем не понимала, как оно хлипко, коротко и почти... безнадежно.

Счастье ее первой любви. Впрочем, почему же только – ее?

Два раза в неделю Нина Захаровна отправляла на Театральную Валечку – прибраться и приготовить еды. И еще узнать – хотя бы что-нибудь – про житье «молодых».

Валечка неизменно отвечала, что его дома нет, а Алька «безумная» – смотрит в окно и от «питания» отказывается.

– Постеля разобранная, – вдруг вспоминала Валечка и всплескивала руками, – не застилают!

И тут Нина Захаровна принималась плакать.

Раз в месяц забегала Аля. Именно забегала!

Нина Захаровна почему-то щупала ей лоб, словно хотела убедиться, что внучка больна. Дед из комнаты не выходил.

Нина Захаровна совала ей конверт с деньгами, а Аля придурковато смеялась, чмокала бабку в нос и скатывалась по лестнице вниз.

Их с Аристарховым жизнь напоминала какую-то странную, почти безумную, взрывоопасную смесь из ее слез, скандалов и бурных постельных перемирий.

Иногда он исчезал – на пару дней, забывая ее предупредить. Тогда она застывала у окна, выкуривала по две пачки за день и смотрела на двор из окна, спокойно про себя рассуждая, что выпрыгнуть сейчас, прямо сейчас, вот отсюда... Да нет, пожалуй, не стоит. Четвертый этаж. Вряд ли получится сразу.

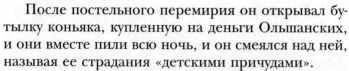

После постельного перемирия он открывал бутылку коньяка, купленную на деньги Ольшанских, и они вместе пили всю ночь, и он смеялся над ней, называя ее страдания «детскими причудами».

Иногда она чувствовала запах женских духов от его рубашки, пару раз находила пятна от губной помады на плече или воротнике.

Она бросалась к нему, трясла его за плечи, а он как всегда усмехался и советовал ей «подлечить нервишки».

Однажды, встав ночью в туалет, она увидела, как он, сидя за кухонным столом, вдыхает через бумажную трубочку белый порошок, аккуратно насыпанный узкой полоской.

Она замерла на пороге, а он, обернувшись, подмигнул ей и игриво спросил:

– Попробуешь, детка?

Она заперлась в ванной и долго смотрела на бегущую струю горячей воды, пока огромная ванная комната не заполнилась густым горячим паром и ее не начало мутить.

Пошатываясь, она вышла из ванной и по дороге в спальню рухнула на узкий диванчик.

В полубреду, в кошмаре, в угаре она кое-как начала понимать, что в ее жизни происходит что-то ужасное. И еще поняла, что выбраться из этого ада не сможет... Сама.

Потом она обнаружила, что исчезли некоторые вещи. Например, старинная китайская ваза, столовое серебро, рюмки Александровской эпохи, на глазах редели знаменитые дедовские книжные шкафы.

Она спросила его, а он пожал плечами и не стал отпираться.

– Ну, да. И что? Тебе что, жалко этого дерьма?

В этот момент она вдруг впервые четко и ясно поняла, что способна его не только любить, но и почти... ненавидеть.

В этот день она напилась. Напилась так, что пришедшая Валечка, застав ее в беспамятстве, срочно вызвала «Скорую». А вслед за ней и хозяйку, Нину Захаровну.

Бабушка умоляла ее уехать от Аристархова. Возвратиться домой. Выгнать его – слишком мягкая мера. Сопротивляться ему она не сможет и снова простит. Бабушкины доводы, логичные, четкие, пугающие и справедливые, она понимала. А вот бабушкины слезы, почти истерика, что было совсем необычно для Нины Захаровны, ее почти не тронули. Ей хватало своего ужаса и своих кошмаров. И все же бабуле удалось увезти ее на Петроградскую.

Там, в родном до боли доме, где прошло все ее детство и было столько счастья, она так и не пришла в себя – лежала весь день на диване, отвернувшись лицом к стене.

Нина Захаровна, дед Борис, Валечка пытались ее образумить. Но она лишь коротко отвечала:

– Уйдите, пожалуйста!

Вызвали врача, старого приятеля деда, известного невролога. Она даже не повернулась к нему лицом.

Он вышел к застывшим от горя и страха родным и произнес всего одну фразу:

– Скорее всего, пройдет само. Все эти страсти-мордасти. Молодость, что говорить! Ну, сами знаете...

Нина Захаровна дернулась, прошипела: «Неуч!» – и ушла к себе, не отдав врачевателю конверта с гонораром.

Дед Борис вяло оправдывался в прихожей, жал руку приятелю и вытащил из кармана помятую десятку, от которой тот отказался.

Валечка втихомолку съездила в свою деревню и пошла к тамошней «ведунье» – как называли старую знахарку и травницу местные.

Старуха дала ей какие-то травки, святую, заговоренную воду и объяснила, что надо ходить в церковь отмаливать девку и просить милости Господа.

Валечка в церковь ходила исправно, а вот бабкины травки Аля пить отказалась.

В доме стало тихо, словно в нем находился приговоренный к смерти больной. Нина Захаровна даже написала сыну – сама не понимая, правда, зачем. Там была совсем другая жизнь, другая семья и уже двое детей. Сын позвонил, говорил обеспокоенным голосом и, смущаясь, сказал матери, что на носу отпуск, путевки в Кисловодск, Светлане нужно подлечиться – колит и гастрит. Сама понимаешь, какие у нас продукты и какое питание!

– Гастрит! – возмутилась Нина Захаровна. – А здесь твоя дочь умирает!

Трубка была брошена, и больше звонков от сына не поступало.

Однажды Аля оделась и сказала, что пойдет в Летний. Погода была чудесная, ранняя и неожиданно теплая, совсем не питерская весна.

Валечка и Нина Захаровна стояли у окна и провожали Алю тревожными взглядами.

Она шла бодро и даже сорвала по пути веточку пушистой вербы.

Они вздохнули и присели на стулья. Так и промолчали почти три часа, иногда подходя к окну.

В чувство их привел звонок из милиции. Гражданку Ольшанскую Александру Андреевну необходимо было забрать из отделения.

Сорвав пальто с вешалки, прямо в тапочках, они бросились вниз по лестнице. Такси, по счастью, попалось сразу.

Аля сидела на банкетке, прислонившись к батарее. Глаза ее были закрыты.

Нина Захаровна бросилась к ней. Та открыла глаза и прошептала:

– Бабуля! Жить совсем не хочу.

– Напилась, – коротко сообщил капитан и дернул подбородком, – с моста вздумала прыгать!

Потом, спустя много лет, вспоминая «эту историю», Аля испытывала такой стыд перед собой, что ее начинало подташнивать. И как она могла... Как могла так попасться! Наркоман, подонок, предатель. Ее первый мужчина, чтоб его...

Видимо, слишком многим Аристархов принес горе и беды.

Наверное, бог его наказал. Хотя все в его судьбе было вполне логично – через пару лет он сошелся с очень небедной женщиной, женой ювелира. Уговорил ее обокрасть богатого мужа и сбежать. Дамочка повелась, потеряв голову от страсти к молодому любовнику. Сейф мужа обчистила, все отдала Аристархову, потом собрала чемоданчик и стала поджидать милого под дверью.

«Милый», понятно, не появился, и тут она словно очнулась. Взяли его через несколько дней, где-то в Молдавии, под Тирасполем.

Обманутый муж постарался, денег не пожалел, и срок Аристархову впаяли солидный. Свою роль сыграл и кокаин, найденный в дорожной сумке.

Ходили слухи, что в тюрьме Аристархов повесился, не выдержав суровости тамошней жизни.

Впрочем, поделом, подумали все. Хотя... Жаль человека. Сколько было дадено богом! А распорядиться не смог. После него осталась всего одна картина, где красавец сыграл довольно приличную роль. Все.

А Аля с бабулей уехали в Ригу. На полгода. К сестре Нины Захаровны, оформив Але академический отпуск.

Там она постепенно пришла в себя, а вернувшись в Питер, решила перевестись в Москву. Было невыносимо видеть взгляды студентов и преподавателей, считавших именно ее виновной во всей этой истории. К тому же все знали, что Аля пыталась покончить с собой. Откуда?

С дедовой помощью – а все это было совсем непросто – Аля перевелась в столицу. И только тогда ей показалось, что все это она пережила. Новая жизнь оказалась вполне сносной и даже хорошей. Аля была человеком в узких кругах известным, преподавательский состав был сильнейшим, и даже появилась подруга. Близкая подруга, которой Аля, совсем не болтливая, рассказала про «свой кошмар и затмение». Подруга выслушала и сказала, что раз в жизни необходимо пережить «дикую, умопомрачительную страсть». Раз в жизни. Вполне достаточно. И в этом есть резон и даже благо – больше Аля на такое «не поведется».

После этого разговора и своей исповеди Аля как-то еще больше успокоилась, поверив умной

Наташке. И еще – она отчетливо понимала, что прежней Али Ольшанской уже нет. Наивной, доверчивой, глупой. Готовой во имя любви бежать без оглядки. Куда? Да куда позовут. Готовой отдать всю себя и даже свою драгоценную жизнь. Нет и не будет. Точка. Теперь она другая – опытная, обжегшаяся, недоверчивая. Умная.

На третьем курсе она вышла замуж. Любила ли она своего первого мужа? Да нет, вряд ли. Ей вообще стало казаться, что на большие чувства она неспособна. Теперь она принимала любовь. А принимать было что – муж ее, преподаватель, доцент, был человеком хорошо обеспеченным, известным и уважаемым. В ранней молодости Терлецкий снялся в парочке неплохих фильмов, порой играл в хорошем театре – как приглашенный артист, была у него такая привилегия, писал критические статьи в журналы и был преподавателем театрального института, обожая делиться богатым опытом.

Его считали заядлым холостяком, и все посягательства студенток и прочих отвергал годами. А вот на Але женился.

В холостяцкой, при этом огромной квартире на Чистых прудах он сразу объявил молодую жену хозяйкой. И она с удовольствием занялась обустройством нового дома. Муж ее в средствах не ограничивал, и Аля моталась по комиссионкам в поисках антикварной мебели и посуды.

В обновленном и красивом доме стали частенько устраиваться приемы – быть приглашенным к Терлецким считалось почетным.

Аля, окончательно расцветшая, вошедшая в самый прекрасный женский возраст, порхала по квартире в ослепительных нарядах и старинных украшениях. Муж был щедр, мил и нежен. Она же относилась к нему сдержанно и отчего-то с легким холодком. Ей казалось, что именно так и надо относиться к мужчине, чтобы он тобой восхищался.

Все было прекрасно. Ездили на праздники в Питер к своим. Дед и бабуля были счастливы и наконец-то спокойны. Денег хватало на прихоти и удовольствия. Муж свозил Алю в Венецию. Купил ей машину. Оставалось только радоваться – как все сложилось.

А вот радоваться... не получалось. «Кошмарная человеческая сущность», – думала Аля.

И еще – когда она вспоминала нелепую жизнь на Театральной, ночи с Аристарховым, их страсть, свои слезы, скандалы и перемирия, ей казалось, что то ужасное время было самым счастливым в ее глупой жизни.

Мысли она эти гнала и стыдилась их. Но как можно человека заставить не думать? И тем более не вспоминать?

А вот про «личную» жизнь с Терлецким она точно старалась не думать. Не то чтобы ей было это противно, нет. Но... Это было так... Словом, это было никак. Казалось, что оба, и он и она, с неохотой, со вздохом – «идут» на это. Как бы не обидеть партнера. Ну, вроде бы надо... Вроде бы так положено. Супружеский долг, так сказать.

Через три года спокойного и счастливого замужества Аля родила дочь, которую назвала, естественно, в честь матери – Лидочкой.

А еще через четыре года – от мужа ушла. Ушла, безоглядно влюбившись. В нищего, пьющего и трижды разведенного оператора Рогового.

Годы той «счастливой семейной жизни» она вспоминать не любила. Там не было ничего хорошего. Точнее, все хорошее исчезло так быстро, словно его и не было вовсе. Жизнь состояла из его постоянных загулов и пьянок. И естественно, клятв – никогда больше! Никогда больше он не будет пить и шляться по девкам. Он так отчаянно клялся, что казалось, сам искренне верил в эту белиберду. Она не верила, но... Еще оставалась жалость. Несчастная любовь, помноженная на жалость, – это, знаете ли, огромная сила. Снова сумасшедшая, болезненная страсть и простая человеческая жалость к талантливому и никчемному человеку. Она понимала, что пропадает. И скоро совсем пропадет. И все же... К тому же уже был ребенок. Савва, которого она родила через год после их нелепого брака. Саввушка родился болезненным и слабым – ничего удивительного. От отца-алкоголика. И всю свою последующую жизнь она чувствовала свою вину перед сыном. Что бы он ни делал, как бы ни путался в жизни, как ни плутал.

Саввушку Аля любила гораздо больше благополучной и спокойной Лидочки. К тому же у Лидочки был отец – заботливый, нежный. А у Саввушки никого – никого, кроме матери. И еще – его болезней и сложностей.

Через пять лет, когда измочаленная, опустошенная, дерганая, худая как «драная коза» – это она услышала в спину на студии, – она ушла от мужа, ушла в никуда, точнее уехала в Питер, ей снова стало казаться, что жизнь почти окончена. И никогда ей не подняться с колен. Но жить надо. Надо жить ради Саввочки. Лида по-прежнему жила в столице с отцом. Аля хотела тогда дочь забрать.

Но муж был настойчив и, наверное, прав. Убеждал, что хорошую школу менять не надо. И Аля с ним согласилась. В том, что она испытала тогда огромное облегчение, она не признавалась даже себе. Впрочем, Лидочка ее не простила.

Так и не простила, несмотря на все объяснения ее и отца. А тот очень старался и брал вину на себя. Словом, снова повел себя как очень достойный человек.

Валечка помогала с хозяйством, бабуля и дед оплачивали врачей и няню для Саввочки. Только работы не было. Совсем не было, совсем.

Дед умудрился устроить ее в свой «гадюшник» – как он называл театр, в котором служил. Но ролей там почти не было, и режиссер всем своим видом показывал ей, что взяли ее только из милости. А так – никому не нужна.

Старики теперь тоже жили скромно – бабуля вышла на пенсию, дед хворал и почти не играл. Помощь внучке, врачи и лекарства. Старость и немощь. А жить-то надо! Жили. И не хуже других – так говорила Нина Захаровна, по-прежнему удивляя всех мудростью и терпением.

Снова на бабуле держался весь мир. И Алин с Саввочкой тоже.

Когда отчаянье уже разлилось рекой в половодье, раздался звонок из Москвы, и ей предложили роль. Роль была второстепенная, почти никакая. Но она, разумеется, согласилась тут же. Выезжать на пробы было нужно буквально через два дня. Решили сдать квартиру на Театральной. Торопились и сразу же поняли, что наделали кучу ошибок. Квартиру сняла какая-то странная молодая дама. По виду типичная секретарша большого босса:

тонкая талия, строгий деловой костюм, дорогие очки, никакой косметики и «бабушкин» пучок на затылке.

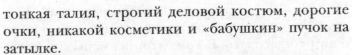

Говорила она медленно, с придыханием, постоянно облизывая красивые пухлые губы и пряча от собеседника глаза под дымчатыми очками.

«Странная, – подумала Аля, – и зачем ей такая квартира? Без ремонта, захламленная, мрачная? Одной? Да бог с ней, кого сейчас поймешь?»

Уезжала с такой тоской. Бабушка, дед, Савовочка... «Господи, дай нам всем сил», – неумело молилась она, глядя в мутное окно «Красной стрелы», уносящей ее в который раз в неизвестность.

С вокзала поехала к Терлецкому, бывшему мужу – он был предупрежден и, казалось, очень обрадовался.

Она волновалась, как встретится с Лидочкой. Впрочем, ничего хорошего не ждала. Но чтобы так!

Терлецкий был возбужден, встретил ее с цветами и в переднике.

– Жарю гусочку! – торжественно произнес он и громко втянул острым носом аромат, доносящийся из кухни. – Раздевайся, – крикнул он, – тебе приготовлена комната.

Аля неспешно раздевалась, оглядывая свое бывшее жилье. Квартира была так же ухоженна и красива – словно в ней по-прежнему присутствовала женская рука.

Она зашла на кухню, где оживленно крутился Терлецкий и, кашлянув, спросила:

– А где... Лидочка?

– Да у себя, – беспечно ответил бывший муж, – читает, наверное.

– Даже не вышла, – с болью сказала Аля.

– Да выйдет, – ободрил Терлецкий, – вот сядем обедать!

Лидочка к обеду не вышла. Аля постучалась в ее комнату.

Приоткрыла дверь. Лидочка сидела на диване, поджав под себя ноги. На мать она бросила полный ненависти взгляд.

– Что? – выкрикнула она. – Что тебе нужно?

Аля стушевалась и быстро прикрыла дверь.

– Откуда такая ненависть? – повторяла она, а Терлецкий гладил ее по голове и успокаивал.

– Возраст такой, Аленький. Что поделать, такой вредный возраст! Ревность к брату, обиды, детский максимализм. Разберется во всем, ты уж поверь! Я Лиду знаю – сердце доброе, жалостливое. Но она от тебя отвыкла, Аленький. Придется налаживать мосты, что поделать! Ты не дави – все как-нибудь само собой...

Ночью пыталась уснуть – не получилось. Сердце рвалось – все сделала не так! Все! Ушла от Терлецкого, от прекрасного человека, порядочного, великодушного, истинного интеллигента. Бросила дочь – да, бросила! И в этом надо признаться. Хотя бы себе. Бросила из-за мужика – пьяницы и разгильдяя. А если совсем честно – снова от страсти снесло башку. Аристархов, Роговой – кто следующий? А ведь не девочка, все понимала. Как в омут – а оказалось, снова болото. Вязкое, тухлое. Страшное. А теперь за ее «огненные» ночи расплачивается Саввушка. Своим здоровьем. Лидочка – своим разбитым сердцем. Где ее голова, где жизненный опыт? Где хорошие и правильные гены? Старики... Ее любимые старики! Всю жизнь прожили в одном браке. Бабушка Нина и дед Борис – как два голубка, несмотря на дедову красоту и профессию. Отец с мамой, если бы не беда... Да наверняка были бы вместе.

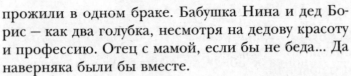

Итог – в Питере осиротевшие старики и несчастный сын. В Москве почти взрослая дочь, которая не желает сесть с матерью за один стол. Завтра пробы, которые она наверняка провалит. Потому что совсем нет душевных сил, а есть только несчастные, больные глаза.

Еще нет денег – это так, к слову. Жить у Терлецкого она не может – это понятно. Зачем травмировать Лиду? Надо снимать квартиру и жить в чьем-то хламе и в чужих запахах.

Она встала с кровати и подошла к зеркалу. На нее смотрела измученная молодая женщина – бледная, всклокоченная, с худым, болезненно осунувшимся лицом и уже не верящая ни во что хорошее. Такие дела.

Она долго лежала, глядя в темный потолок, и тихонько поскуливала, как голодная и побитая собачонка.

«Все, как песок сквозь пальцы, – думала она, – и зачем эта жизнь?»

Зачем она ушла отсюда? В никуда? Зачем предала этого человека, который хотел ей только добра, и это добро, собственно, делал? Куда она так спешила от этой красоты, благополучия, стабильности? От тихого, красивого и спокойного, семейного мирка, где все были почти счастливы? Или – просто счастливы? Как она могла – променять дочь на дурацкую страсть? Как могла обездолить ребенка?

Вдруг Але стало так жалко себя, такую никчемную и несчастливую, что ей было просто необходимо, чтобы ее пожалели – просто пожалели и успокоили.

Она вышла в коридор и подошла к двери их бывшей общей спальни. Из-под двери виднелась узкая полоска неяркого света.

«Верен себе», – подумала она: бывший муж всегда плохо спал и долго читал перед сном.

Она осторожно постучалась.

– Аленький, ты? Заходи, не стесняйся! – услышала она его приглашение.

Она зашла и села на край его кровати – их бывшей общей кровати.

– Не спится? – спросил он, снимая очки и откладывая книгу.

Она кивнула и хлюпнула носом.

Он вздохнул, сел на кровати и обнял ее.

– Все будет хорошо, милая! Ты мне поверь. Разве я тебе когда-нибудь врал?

Она замотала головой, прижималась к его плечу горячей и мокрой щекой, бормоча что-то невразумительное и жалкое.

Он уложил ее на кровать, накрыл одеялом и продолжал утешать.

– Володя, – тихо сказала она, – а если нам... Ну, снова? Попробовать? Я все понимаю, я сволочь, да и у тебя другая жизнь. Но... Вдруг... Ради Лидочки. И... ради нас. Ты же тоже – один.

Он замолчал, громко вздохнул и откинулся на спину.

Она тоже замолчала и испуганно на него посмотрела.

– Я жуткая дура, да? И страшная дрянь?

Он мотнул головой и улыбнулся.

– Да нет, Алечка, это... совсем не то... просто, знаешь... – Он снова замолчал и громко сглотнул. – Ты права в одном – все изменилось. То есть встало на свои места, если можно так выразиться... стало так, как и должно было быть, одним словом.

Она, ничего не понимая, с испугом смотрела на него – удивляясь его серьезности. Он всегда умел любую проблему перевести в шутку и сам над ней посмеяться.

– Себя не вини, – сказал он. – Тут... ты... совершенно не виновата. Ни в чем. И в том, что ты от меня ушла, – тем более. Ты ведь... чувствовала... Что я... тяготился. Верно?

Она растерянно покачала головой.

– Чем, Володя? Не понимаю. Ты всегда был отменным мужем и прекрасным отцом. И еще – замечательным другом.

– Вот именно – другом! – печально вздохнул он. – Мужем, отцом – это да. А вот любовником, Аля? Любовником я был... Хорошим?

– Нормальным, – рассмеялась она наконец, – вполне нормальным любовником. Не комплексуй!

Теперь ей казалось, она поняла его комплексы.

Он покачал головой.

– Не так, Аля. Совсем не так!

Она попыталась что-то возразить, разубедить, успокоить, но он резко прервал ее и попросил помолчать.

– Наверное, с моей стороны это было нечестно, – тихо сказал он, – но я... надеялся. Искренне, можешь поверить! Всю жизнь доказывал это. Вспомни всех моих баб, все романы. Потом – ты. Молодая, прекрасная. Свежая. Идеальная жена и будущая мать. Потому что корни, прекрасное воспитание, отличный вкус. Я искренне относился к тебе и искренне верил. Верил, что все переменится. Мечтал о ребенке. Знал, что где-то, в самых темных и дальних углах... Слухи ползут. Ползут слухи! Откуда им взяться – не понимал. Ведь всю свою жизнь я старался. Чтобы не дай бог, не приведи Господи! А шепоток в спину слышал. Как они... все это? Откуда? Не понимаю. Хоть убей – не пойму... А потом ты... ты тоже все поняла. Вернее, почуяла. Что ты могла понимать? Что я – не мужик? Но, ты же ушла! Бросилась без оглядки, на все наплевав. На квартиру, на деньги. Ушла – прости – к алкашу. Потому что молодая. Потому что страсть. Потому... Потому что потому. У вас, женщин, такое чутье! Интуиция! И знаешь, я даже вздохнул. С облегчением! Я тебя не обидел, Лида осталась со мной. Я не испортил твою репутацию. Точнее – нашим браком восстановил свою.

Она ошарашенно молчала, не смея поверить.

– Ты? Ты, Володя?

– Представь себе – я! – грустно улыбнулся он. – Такие дела.

Она мотала головой, словно пытаясь сбросить весь этот бред и нелепость.

– А Лидочка? – вдруг испугалась она. – Она знает?

– Аля, опомнись, – он сдвинул брови, – как можно такое подумать! Ни разу – ни разу, слышишь, – здесь не было никого! Лидочка – вся моя жизнь. Главное в жизни. Воздух и солнце! А все остальное – так незначительно, мимолетно... Да и лет мне немало, Алечка! Просто... Просто я перестал себя мучить. Только и всего.

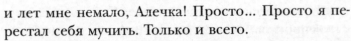

Она все еще пыталась прийти в себя.

— Такой генофонд, Володя! Такой мужчина, как ты! И так... пропадает. Бездарно. Ты уж прости, — тут же поправилась она. — Нет, я не могу в это поверить! Ты пошутил, да? Все придумал? А! Правильно. Чтобы отвязаться от меня, назойливой дуры! — обрадовалась она.

Он вздохнул, усмехнулся и покачал головой.

— Давай спать, Аленький. У тебя завтра тяжелый день. Буду ругать тебя и проклинать — самыми последними словами! Режиссер хороший, и если бы ты... прошла! Ох! Я бы был счастлив.

Она улеглась у него на плече, он обнял ее и выключил свет.

— Спи, милая. Постарайся уснуть.

Аля в последний раз всхлипнула, хлюпнула носом и устроилась поуютнее.

«Ну, и жизнь!» — подумала она и скоро, совсем обалдевшая от новой правды, уснула.

А Терлецкий еще долго не спал, лежа с открытыми глазами, и думал примерно то же самое: «Да, жизнь... Господи, прости! Нелепая и смешная. И еще — очень горькая... И иногда — страшная. Бедная Алька. Бедная Лидочка. Бедные все мы...»

Отработав пробы, Аля взяла билет домой и снова поехала к Терлецкому. Она знала, что он на службе. Лидочка открыла дверь, не сказав ей ни слова. Аля пошла за ней.

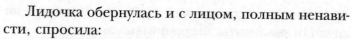

Лидочка обернулась и с лицом, полным ненависти, спросила:

— Что? Что еще? Что тебе надо?

Аля, совсем растерявшись, начала что-то бормотать, пытаясь оправдаться. Лидочка смотрела на нее с презрением и ухмылялась.

Наконец, исчерпав свои жалкие доводы, Аля стала просить у дочки прощения.

Та отвернулась к окну. Аля подошла к ней и осторожно обняла за плечи.

Лидочка вывернулась, повернулась к ней, и Аля увидела перекошенное от злобы лицо и слезы.

Она попыталась ее обнять, но дочь закричала ей что-то обидное, страшное, что она толком и не запомнила, — ей стало плохо и страшно.

Она вышла из комнаты, взяла свою сумку и открыла входную дверь.

— Лидочка! — крикнула она.

В ее голосе было столько боли и столько мольбы, что дочь выглянула из комнаты, посмотрела на нее и тихо и внятно сказала:

— Счастливого пути.

Аля вымученно улыбнулась и вышла за дверь. Там она села на ступеньку и тихо завыла.

Она не видела, как за массивной дубовой дверью стоит ее дочь и до боли зажимает ладонью рот — чтобы не слышно, не дай бог! Не слышно! Чтобы не услышала та женщина. Красивая и чужая. Ее мать. Которая ее предала.

И которую ей очень хочется... Полюбить.

В поезде Аля сразу легла на нижнюю полку и отвернулась к стене. Ничего не решилось. Ничего. Ничего не стало лучше, легче. Понятнее.

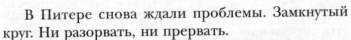

В Питере снова ждали проблемы. Замкнутый круг. Ни разорвать, ни прервать.

Надежды – в мусорное ведро. Жизнь дерьмо, и я никому не поверю, что все это совсем не так.

Господи, а Терлецкий? Бедный Володя, как его жаль! Бедная Лидочка, бедный Саввушка! Бедная я!

Она почти ни на что не надеялась и не рассчитывала. Ей было почти все равно – позвонят со студии или нет. Ее мечты и надежды словно потонули в мутном и беспокойном океане проблем. Жила сиюминутным – дать лекарство деду, достать апельсины бабуле, ухватить пару колготок для Саввушки.

Все хозяйство держалось по-прежнему на Валечке. Только и та уже была совсем не та. Тоже хворала, теряла силы. А потом и вовсе собралась к сестре. Так и сказала – отслужила я вам верно и честно, а на старости лет хочу сама хозяйкой побыть. Да и служить по-прежнему вам не могу – тяжело. Началась паника – дед совсем сник и объявил, что теперь они точно пропали. Нина Захаровна пыталась держаться и развила бурную деятельность по поиску новой домработницы. Пришла пара женщин, Нина Захаровна побеседовала и вынесла вердикт: «Нам никто не подходит». В смысле, что после Валечки все чужие. Да и чем платить? Еле сводили концы с концами. Аля ходила по городу кругами, почти бессмысленно. Дома тоже было невыносимо. Ходила и думала, что вряд ли что-нибудь изменится к лучшему. И тогда еще был звонок из милиции по поводу жилички с Театральной площади.

Оказалось, никакая не преподавательница, а обычная проститутка. Соседи, естественно, взбунтовались и стали писать жалобы. Аля приехала вечером – удостовериться.

«Учительница» открыла ей дверь, и Аля от удивления остолбенела.

«Мадам» была в прозрачном пеньюаре сиреневого цвета, на каблуках, с ярко-малиновым ртом, из которого она не выпускала сигарету в мундштуке.

Увидев хозяйку, она сразу оценила ситуацию и с громким вздохом сказала:

– А! Ты? Ну... проходи.

На кухне она плеснула в два стакана хорошего коньяку, сделала пару глотков и кивнула:

– Пей!

Аля покачала головой.

– А здорово вы меня, – усмехнулась она, – просто вокруг пальца!

Мадам махнула рукой.

– Какие мелочи, господи! А что я должна была сказать? – вдруг удивилась она. – Правду?

Аля вздохнула.

– Съезжай. Нечего выяснять.

Мадам присела напротив, внимательно оглядела Алю и вдруг предложила:

– Слушай... А давай... вместе. Ну, ты поняла? Вместе даже выгоднее. Определенно выгодней. А то... Смотрю на тебя – сердце рвется. Каблуки стоптанные, рукава на плаще обтрепались. Кожа вялая, в шелухе. А ногти? Ты когда была в парикмахерской? – требовательно спросила она.

Аля молчала и смотрела в окно.

Мадам воодушевилась.

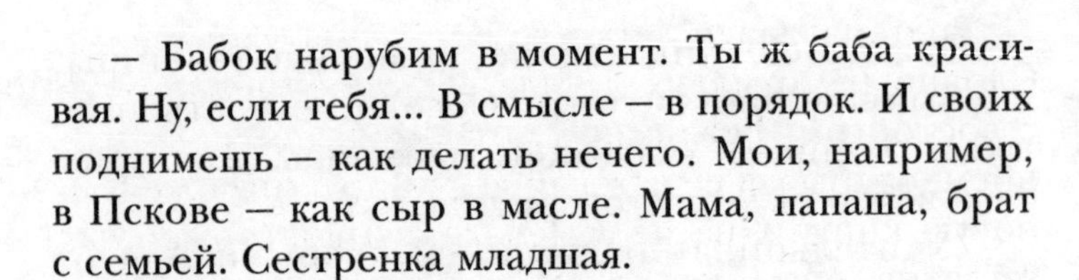

– Бабок нарубим в момент. Ты ж баба красивая. Ну, если тебя... В смысле – в порядок. И своих поднимешь – как делать нечего. Мои, например, в Пскове – как сыр в масле. Мама, папаша, брат с семьей. Сестренка младшая.

Аля посмотрела на жиличку.

– Завтра, – тихо сказала она, – завтра к вечеру свалишь. Поняла? Или...

Мадам изящно закинула ножку.

– Ну и дура, – вздохнула она, – была бы, как говорится, честь предложена!

И тут у Али началась истерика.

– Честь! – хохотала она. – Вот именно – честь! На такое дело – именно честь!

Мадам выпучила глаза и покрутила тонким пальчиком у виска.

А на следующий день позвонили со студии. Аля не сразу поверила.

– Утвердили? Точно? Нет, вы проверьте! – потребовала она.

Утвердили. Проверять нечего. Явиться нужно через неделю, ну и так далее.

И снова лихорадка – попытаться удержать Валечку хотя бы на полгода. Найти хорошего гомеопата Саввушке. Затарить два холодильника – хотя бы на пару недель. И снова сдать квартиру.

Сдала она первым попавшимся – мужчина средних лет, сибиряк и его жена (или невеста?), да какая разница! Главное – семейная или почти семейная пара.

Через семь дней она снова сидела у окна «Красной стрелы», не очень понимая, куда на сей раз ее заведет судьба и чем все это кончится.

Роль давалась легко – даже сама удивлялась. Словно на крыльях летала – с упоением, почти с восторгом. Режиссер смотрел на нее с удивлением, открывая ее каждый день будто интересную, новую книгу. Она не замечала его восторженных взглядов, она – нет, а все остальные – да. Пошла волна тихих сплетен. Дошла и до его жены – дамы властной и резкой. Она и позвонила Але однажды, очень поздно, почти в час ночи. Аля долго не могла понять, что от нее хочет эта плохо знакомая и резкая женщина. А когда поняла – искренне удивилась: «Да вы что? Господи! Какая же чушь! Да ни одной подобной мысли».

Даже обиделась. А та, уловив ее неподдельное удивление, сразу выдохнула с облегчением, но все-таки припугнула: «Если что, помни, милая. Рычаги есть. Улетишь далеко, не в Питер, в Карелию или в Финляндию. Никто не догонит».

Уже потом, когда Аля наконец опомнилась, стало смешно – пожилой, грузный, одышливый режиссер никоим образом не входил в сферу ее интересов. И еще тогда она подумала – никогда. Никогда она не свяжет свою жизнь с человеком творческим. Вот уж увольте! Хватит с нее Аристархова и Терлецкого. И пьяницы Рогового. Хватит шизиков, гомиков и рефлексий.

Нет, правда, один раз с намеченного пути сбилась – сошлась ненадолго с молодым актером, партнером по фильму. Но понимала – не корысти ради, а здоровья для. И не для брака уж наверняка. И точно – не для любви.

Через полгода умер дед Борис, и на печальных и многолюдных похоронах ей стало окончательно ясно – все, хватит! Хватит еженедельных мотаний

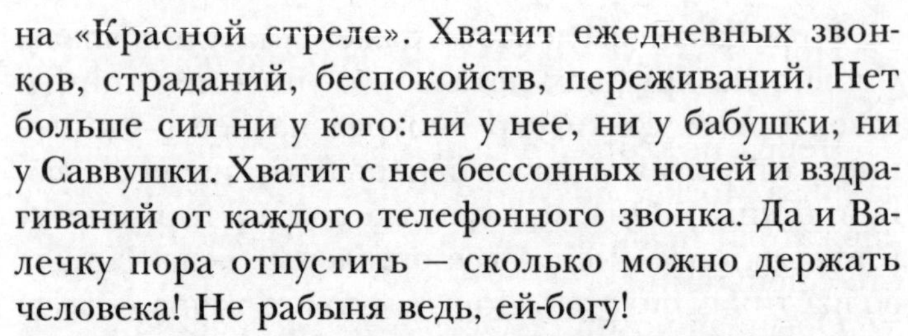

на «Красной стреле». Хватит ежедневных звонков, страданий, беспокойств, переживаний. Нет больше сил ни у кого: ни у нее, ни у бабушки, ни у Саввушки. Хватит с нее бессонных ночей и вздрагиваний от каждого телефонного звонка. Да и Валечку пора отпустить – сколько можно держать человека! Не рабыня ведь, ей-богу!

Решили так: квартиру на Театральной – на продажу. А бабулину, на Петроградской стороне, пока сдавать. Хотя бабуля все тянула – ей всего было жаль: и мебели, и кастрюль, и гардин, и ухоженных паркетных полов.

Аля обзванивала знакомых, пытаясь снять «что-то приличное» в Москве. Помог, разумеется, Терлецкий. Предложил дачу – точнее, не дачу, а дом. В поселке писателей, совсем близко от города, на Пахре. Поехали посмотреть. Домик был небольшой, кирпичный, с заросшей зеленым мхом крышей. Три комнатки, маленькая гостиная с закопченным камином. На участке сосновый бор и красные сыроежки на зеленом бархате низкой травы.

Аля в дом моментально влюбилась. Да и цена была вполне подходящей – дочь писателя, давно покойного, проживала в Париже и дачу сдавала только по рекомендации.

Переезд дался тяжко – бабуля все время плакала и сетовала, что в Питер она больше не вернется. Саввушка угрюмо молчал – от Али он почти отвык и новой жизни страшился. Но дом всем понравился, и принялись обживаться.

Квартиру на Театральной продали довольно легко, да и неудивительно. Деньги Аля положила в банк, несмотря на протесты Нины Захаровны:

«Я ИМ не верю, Аля! У НИХ хорошо быть не может!»

Через полтора года, когда, наконец, решили жилье в Москве покупать, банк сгорел. Точнее, его держатели испарились, исчезли. Разумеется, вместе с деньгами.

Обычная история. Обычная – особенно по тем временам. Обычная, да. Только не для тех, у кого там были вклады.

Аля пережила эту историю почти легко – ту квартиру она никогда не считала своей. А Нина Захаровна... На две недели слегла, повторяя, что «веры им нет – бандиты и есть бандиты. Собственно, ничего нового и все ожидаемо, сколько раз все это было».

Решили продавать квартиру на Петроградской. Но Нина Захаровна снова тянула: «А может, вернемся? Что нам Москва? Питер есть Питер, и это наша родина, Аля». Но нужно было решать. Савушке в сентябре идти в школу. Жить за городом уже нельзя, точнее, там все сложнее.

Жалко, невыносимо жалко было бабулю. Аля видела, как ей не хочется продавать родное гнездо.

– Вся жизнь, Аленька! Вся наша жизнь! Наша с Борисом, рождение Андрюши, твоего отца. Потом – ты, дальше – Саввушка. Как продать? В чужие руки?

И она принималась плакать. Аля все понимала. Страдала. Пыталась с бабулей говорить. Та тоже все понимала, соглашалась, кивала головой, а наутро снова принималась страдать.

И тут все и разрешилось. Как всегда – само собой. Жизнь, как водится, сама расставила точки. Позвонил отец и сказал, что по здоровью демобилизовался, заработав открытую язву, тетя Света тоже не ах – две операции на груди, и как там дальше будет, никто не знает. Да и сыновьям нужно пробиваться в жизни – расти, учиться, работать.

Аля растерялась. А бабуля твердым голосом постановила – квартиру надо отдать Андрею, сыну. Он в ней родился, и она принадлежит ему.

Аля остолбенела и только промолвила:

– А мы с Саввушкой? Все мы?

Нина Захаровна развела руками – дескать, простите. Но я – за высшую справедливость.

Работы, слава богу, было полно – Алю буквально рвали на части. Теперь уже она выбирала. Она вошла в свой расцвет, в истинный женский возраст. И никто и подумать не мог, что эта молодая, успешная и красивая женщина совсем одинока.

Дом и работа – все. Больше ничегошеньки – ни для души, ни для тела. Да и собрать на покупку квартиры никак не удавалось – врачи, аренда, новая машина. Туалеты, косметика – теперь ей надо было держать марку.

Она и старалась – изо всех сил.

В самолете, летевшем в Питер, – на поезд уже времени не было, – а надо было забрать кое-какие вещи из отчего дома, Аля познакомилась с Герасимовым, со своим будущим мужем. Сергеем Витальевичем Герасимовым. Владельцем большого торгового холдинга. Холостым и неприлично богатым, к тому же вполне интересным и спортивным мужчиной. Завидным, надо сказать, женихом.

Роман начался в тот же вечер. Сначала ужин в «Европейской». Потом прогулка по городу, а дальше еще романтичней – арендованный огромный и шикарный катер по ночной Неве. Шампанское, черная икра, стюарды, тихая легкая музыка.

Кровать под прозрачным балдахином и снова – чудесная музыка. Выяснилось, что оба любят блюз. Тихо и нежно пели Нина Симон и Билли Холидей.

И еще – нежность и сила. Такая нежность и такая сила...

Что не устояла бы ни одна женщина.

Впрочем, ни одна и не могла устоять никогда. Ни разу. А сейчас это была Аля.

Счастливая? Несчастная? Да кто его знает. Время покажет. Запомнила только одну его фразу: «Ни о чем не будешь жалеть. И ни в чем не будешь нуждаться. Никогда и ни при каких обстоятельствах. Закончились твои мытарства и беды. За все теперь отвечать буду я».

И у кого хватит сил отказаться? Кто будет раздумывать? Да никто! Ни богатая, ни бедная, ни счастливая, ни несчастная. Ни талантливая, ни бездарная. Самая успешная и прекрасная – не устояла бы. А уж замученная проблемами не очень юная актриса – тем более.

Время показало... не сразу, правда... было чуть-чуть и на счастье. Чуть-чуть – несколько лет. Или не чуть-чуть? Или – достаточно много?

* * *

В семь утра начиналась «Пионерская зорька». Репродуктор включали с какой-то садистской, ужасающей громкостью.

Дети, еще теплые после сна, испуганно вздрагивали и открывали глаза. Многие морщили носы, принимаясь поскуливать.

Она просыпалась раньше. Минут за двадцать до пугающих, лживо-радостных позывных. Просыпалась потому, что боялась проснуться от этого кошмара. Тихо лежала в постели, мерзла под тонким, вытертым от времени одеялом, и беззвучно плакала.

Она боялась этих бравурных маршей. Так боялась, что потом, уже в другой жизни, вздрагивала даже в аэропортах, когда объявляли взлет и посадку. Она вообще боялась громких звуков. Громкие звуки всегда ассоциировались с тем, что она ненавидела больше всего. Ненавидела и боялась – школьных линеек, октябрьских праздников с фальшивыми речовками. Выяснения отношений, внезапных новостей, остерегалась даже приятных событий – зная, что вслед за ними обязательно посыплются гадости.

В родительский день тоже включали музыку. Из репродуктора неслись песни про родину, любимую школу и... материнское сердце.

В родительский день к серому зданию интерната медленно, словно захваченные пленные, подтягивались родители. Точнее, заместители родителей. В основном это были какие-то родственники – тетки, бабки, старшие братья и сестры. Иногда матери. Реже отцы. В руках они несли котомки с гостинцами – правда, не все. Иные шли налегке.

В Вероникиной комнате жили четыре девочки. Одна – круглая сирота, Юлдузка, и три – имеющие родню. Ника, Надя и Катя. У Кати была мать, у Нади отец. Катина мать приносила пакет покупных пирожков и дешевые карамельки – те, что продают без обертки. Катина мать когда-то сильно пила, и Катю из отчего дома забрали. Потом мать пить перестала, вышла замуж, родила еще троих и жила вроде совсем неплохо. Только новый муж Катиной матери не давал забрать старшую девочку. Говорил, что своих хватает – этих бы прокормить. Катина мать мучилась, тосковала по дочке, выкраивала «копеечку», чтобы справить Кате новую юбку и привезти гостинцев. Катя мать жалела и не обижалась – говорила со вздохом, что все понимает.

Катя с матерью гуляли по парку, взявшись за руки, а потом долго сидели на лавочке, и Катя клала голову маме на грудь. Они молчали.

Катя приходила зареванная, но счастливая.

Надин отец был человеком приличным и работящим – шофер на огромном «КамАЗе». Надина мать умерла после родов, и Надю вскоре забрали. Сначала в дом малютки, а потом в детский дом. Отец приезжал каждую неделю и собирался когда-нибудь забрать Надю домой.

Но куда? Сам он постоянно в рейсах, хозяйки дома нет – куда девать девочку, с кем оставить?

Наде он обещал: «Вот женюсь и заберу тебя, дочка!»

Надя ждала. А потом «папанька» женился. Надя была на свадьбе – счастливее ее не было никого. После свадьбы собрала свои нехитрые вещички и стала ждать папу и маму. Новую маму.

Не дождалась. Новая мама отказалась забирать Надю. Отец с ней ругался, грозил разводом, но... «Шибко любил». Так и сказал. Плакал, просил прощения. Пытался объяснить, что «зацепила Людмила сердце и вытрясла душу». И Надя его тоже жалела.

Ох, как умели они жалеть! Бедные девочки с кровоточащими дырками в сердцах. Других они жалели даже больше, чем себя.

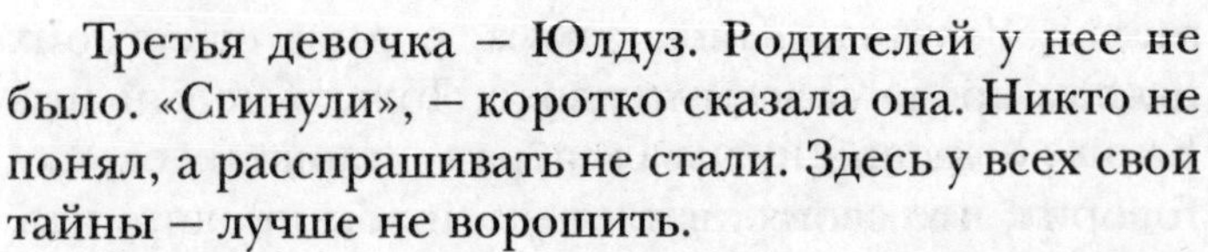

Третья девочка – Юлдуз. Родителей у нее не было. «Сгинули», – коротко сказала она. Никто не понял, а расспрашивать не стали. Здесь у всех свои тайны – лучше не ворошить.

К Юлдузке не приезжали. В родительский день она закрывала шторы и ложилась в постель – одетая, накрывала подушкой голову. Так лежала до вечера и в столовую не ходила.

К Веронике тоже не приезжали – почти никогда. Пару раз приехала соседка Зинаида, привезла теплые рейтузы и байковый халат. Поохала, повздыхала, рассказала последние сплетни и была такова.

Один раз приехала Гуля – тетка, сестра отца. Злющая, молчаливая. Сидит с папиросой в зубах и сплевывает на землю. Разговор один – чтоб твоя мать поскорее сдохла! Скажет и опять плюет.

А мамина сестра, Сима, приехала всего однажды – веселая, бойкая, симпатичная. Курносая. Трещала как трещотка – замуж вышла, муж с Украины, скоро к нему и отправятся. А что здесь делать? В поселке жизни нет – все дуру-сеструху вспоминают, Вероникину мать. Вспоминают и проклинают. Достали!

Сима уехала, к праздникам писала открытки, обещала забрать на каникулы и расписывала, какой у них сад – абрикосы, черешня, слива. А в сентябре – виноград. С кулак! Пришлю ящичек...

Не прислала. Ни разу. В детский дом Вероника попала в восемь лет. После того, как мама убила отца. Зарубила топором на глазах у дочери. Матери дали срок. А Веронику отдали в детдом. Мать отца, ее бабка Прасковья, видеть внучку не желала – поганое семя, чтоб вам всем! Никто – никто из многочисленной отцовской родни – ее не забрал. У матери была только сестра Сима и брат Василий. Про Симу понятно, а Васька был пьющий и тоже вскоре пропал. Сгинул в неизвестности.

Отец пил всегда – сколько помнила его Вероника. Пил, буянил, бил мать. А ее, Веронику, не трогал – любил. Называл «птичка моя махонькая». И она его любила. Ну, или ей так казалось. Кого-то же надо было любить!

А вот мать не любила. Никогда. Мать давала ей подзатыльники, крыла матюгами и взвалила на нее, соплюшку, огород и мытье посуды. И еще... Мать гуляла. И это знала вся деревня. Говорили, что и отец стал пить из-за этого – колобродить по мужикам мать начала вскоре после свадьбы. Отца не любила – может, поэтому?

Странная была Вероникина мать. Скотину не держала, цветов не заводила. Деревенскую жизнь ненавидела и мечтала уехать в город. Каждый день не пила, а выпить крепко могла. И тогда начиналось. Драки, скандалы, ножи, топоры. Вероника убегала в сарайку и пряталась. Иногда там и засыпала – уткнется в старый овечий тулуп и спит.

В тот день она делала уроки. Начался обычный скандал, она собрала учебники и пошла в сарайку. Вернулась к вечеру, когда вопли стихли. Зашла в сени и увидела мать с красными от крови руками и отца – тот сидел, прислонившись к притолоке, с открытыми, неподвижными глазами и полуоткрытым ртом. Лицо и грудь были залиты кровью.

– Дочка! – всхлипнула мать и протянула к ней руки. – Зарезала я его! Слышишь? Зарубила!

Вероника выскочила на улицу и побежала. Добежала до леса, упала на мокрую после дождя траву и зарылась в нее лицом.

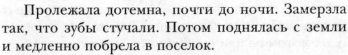

Пролежала дотемна, почти до ночи. Замерзла так, что зубы стучали. Потом поднялась с земли и медленно побрела в поселок.

У дома стоял милицейский «козлик» и толпился народ. Соседка увела ее к себе.

На суд девочку не пустили, проститься с матерью она сама отказалась. А потом был детский дом.

И начался ад. Те ужасы она потом старалась забыть – тренинг, психолог. Не получалось. До конца не получалось. Двадцать пять лет ее тошнило от запаха подгорелого молока, гречневой каши и хлорки. Двадцать пять лет она не могла слышать бравурную музыку.

Потом каждое утро, проснувшись, она оглядывала подушку и удивлялась, что на ней не стоит чернильный штамп детского дома. Двадцать пять лет она боялась, что от голода не уснет, и держала в прикроватной тумбочке дорогой итальянской спальни горбушку черного хлеба.

Двадцать пять лет она не верила, что это – ОНА. Она, Вероника Васильева, девочка из поселка Приватное, воспитанница Детского дома № 4. Она, Вероника, просыпается в двадцатиметровой спальне окнами на Москву-реку, разглядывает золотистые крокусы на тисненых обоях, укрытая легчайшим одеялом из утиного пуха. И не верит, что это все происходит именно с ней.

Это она, Вероника, встанет сейчас и пойдет в ванную, выложенную итальянской плиткой, примет душ, положит на лицо французский крем, накинет халатик из тонкого шелка и пойдет пить кофе – настоящий кофе из кофемашины, закусывая его свежайшими круассанами из соседней пекарни, разумеется, французской – от души постаралась любимейшая свекровь.

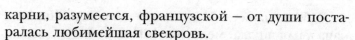

А потом наденет кашемировый свитерок, юбку из тонкого твида, итальянские туфельки, возьмет элегантную сумочку с блестящей застежкой и спустится вниз. А внизу ее будет ждать водитель – предупредительный, воспитанный и надежный.

А на работе ее ждет просторный кабинет, секретарь Юлия Павловна и – всеобщее уважение коллег.

И главное – любимая работа!

А там, дома, остался ее сынок Данечка и свекровь Вера Матвеевна. Точнее, не совсем свекровь. Ну, в общепринятом понимании этого слова. Вера Матвеевна стала ей другом, родным человеком. Мамой. Только так называла она ее про себя. Вслух не осмеливалась... почему-то.

Словом, каждый вечер ее ждала семья. То, чего у нее никогда не было. И еще – огромное человеческое счастье. Которое она, Вероника, выстроила своими руками. Все – от начала и до конца.

То, что ей надо выбираться из всего этого, она поняла рано, лет в семь. Тогда она жила еще в поселке и, если можно так выразиться, в семье. Приватное было обычным поселком Зауралья – довольно далеким от областного центра, небогатым и полуразрушенным. Молодежь оттуда бежала, старики доживали, а те, кому сбежать не удалось, варили самогон и сами же его и потребляли. Нет, были, конечно, люди непьющие и работящие. Но таких было немного, совсем немного. Клуб был почти разрушен, храм в соседней деревне тоже, да и в любом случае там сделали сельскохозяйственный склад.

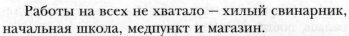

Работы на всех не хватало – хилый свинарник, начальная школа, медпункт и магазин.

Кто жил огородом, тот выживал. А остальные... К таким относилась и семья Васильевых.

У тех, кто сбегал, тоже не все складывалось. Не все и не сразу. Но у них, по крайней мере, был ШАНС. А остальное зависело от них самих.

Вероника понимала – надо учиться. Если будет успевать в школе, открыта дорога в город. Пусть не в столицу, а в районный или областной.

А дальше – столица. Все зависит только от тебя. Сможешь – прорвешься. Не сможешь – погибнешь. На такое насмотрелась – на десятерых хватит. И учиться ей нравилось. По всем предметам она успевала. Оставалось только решить, что ей больше по вкусу. Довольно скоро поняла – еще тогда, в далеком детстве, – она будет врачом! После уроков бегала в медпункт к фельдшерице Даше и торчала там до самого вечера – благо, никто ее не искал. Она без всякого страха смотрела, как фельдшерица вскрывает гнойные раны, ставит уколы и накладывает повязки.

Все летние каникулы Вероника торчала в медпункте.

А в сентябре мать зарубила отца. В октябре Вероника попала в детдом.

Подростком она часто разглядывала себя в зеркало. Зеркало висело в душевой – старое, облезлое, мутное. В зеркале отражалась худенькая девочка с острым и бледным личиком, изуродованным дешевыми очками в пластмассовой оправе. Девочка была робкой, болезненной и некрасивой. Точнее – неприметной. Лишь однажды, под Новый год, музыкальный работник Роза Сергеевна девочек преобразила – им надлежало быть легкими, воздушными и прекрасными феями зимы, вот что придумала затейница Роза. Она не пожалела своей косметики – тушь, румяна, тени, помада. Она сняла с Вероники очки, внимательно и долго рассматривала ее и принялась за дело.

Через десять минут она довольно улыбнулась, отошла на пару шагов и кивнула, указывая подбородком на растерянную воспитанницу. Все повернули головы и... остолбенели. Вероника была похожа на сказочную принцессу. У нее оказались длиннющие ресницы, огромные глаза и пухлые губы.

– Ниче себе! – воскликнула Катя. – Ва-аще!

А потом еще были горячие щипцы для завивки, и ее тонкие и легкие волосы рассыпались по плечам каштановыми кудрями.

– Ты, Вероничка, – попыхивая сигареткой, сказала со вздохом Роза, – алмаз. Вон как заиграла. С виду – мышь мышью, а как получилось! Огранка нужна. Королевская. Бейся, девочка, рвись! Кусайся, царапайся. Но выбирайся. Найди хорошего парня – не из наших, конечно. А чтоб не из наших – беги после школы отсюда подальше. Ты еще и умненькая. Институт! Вот там и подыщешь себе кавалера. А он, глядишь, из приличных и будет. И вытащит тебя. Из нашего дерьма... Вернее, сама себя вытащишь. Если, конечно, применишь по назначению мозги.

Вероника оттанцевала партию феи Зимы, не замечая восторженных и удивленных взглядов пацанвы, и тут же побежала в туалет – снимать всю эту «красоту», от которой чесались глаза и свербило в носу.

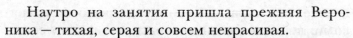

Наутро на занятия пришла прежняя Вероника – тихая, серая и совсем некрасивая.

Больше всего она боялась, что мать, освободившись, тут же приедет за ней. Как ни тяжко было в детдоме, а возвращаться в поселок совсем не хотелось. Теперь ей снова снились кошмары: мать колотится в дверь ее комнаты, запертой изнутри на хилый крючок. Колотится и требует «вернуть законную дочь». А Вероника прячется в шкафу и умоляет девчонок не выдавать ее.

Мать кричит все громче, угрожая директору и воспитателям. Потом дверь распахивается, и она врывается в комнату. Вытаскивает Веронику из шкафа, сильно бьет по лицу и волоком тащит на улицу.

Через шесть лет, когда подходил к концу тюремный срок матери, жизнь Вероники превратилась в кромешный ад. Но время шло, а мать не появлялась. Вероника слегка успокоилась и написала отцовой сестре Гуле. Гуля ответила: «Да, эта гадина вернулась. Ходит по поселку и нагло смотрит в глаза честному народу. Все ей по хрену! Ни стыда, ни совести. Даже на кладбище у мужа не была, прощения на попросила. Словом, как была сволочью, так и осталась. Только сильнее поддавать начала и еще мужика завела – какого-то бомжару из районки притащила. Страшный, морда черная – словно обугленная».

Было понятно – мать за дочерью не спешит. Господи, неужели пронесло? Неужели не явится? Главное – чтобы не заявилась до окончания школы. А там – там Вероника уедет, и мать ее не найдет. Никогда.

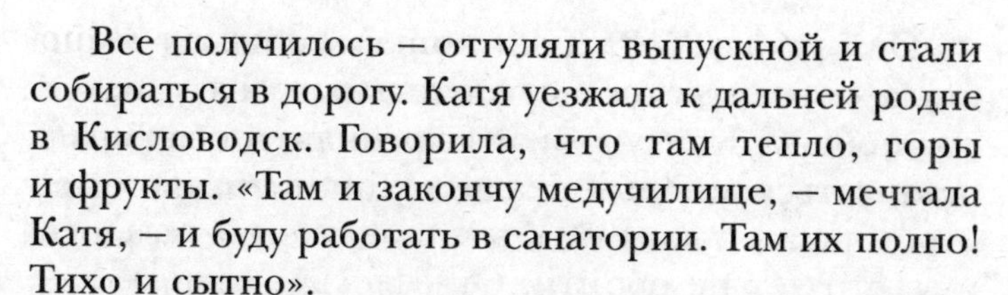

Все получилось – отгуляли выпускной и стали собираться в дорогу. Катя уезжала к дальней родне в Кисловодск. Говорила, что там тепло, горы и фрукты. «Там и закончу медучилище, – мечтала Катя, – и буду работать в санатории. Там их полно! Тихо и сытно».

Надя мечтала уехать на море, которое она никогда не видела. И тоже в тепло. Решила податься в Одессу – выучиться на повара и остаться там навсегда. А если повезет, устроиться коком на корабле. С главной целью – выйти замуж за офицера. А там и загранка, и деньги. И еще – романтика!

Юлдузка планов долго не открывала. А потом сообщила, что едет в родное село. Зачем? Да родина там! Бабка с дедом, дядья.

– Так они ж тебя!.. – возмутились девчонки.

– Наплевать. Я им простила. Все равно – родня.

И снова ни слова про мать и отца.

Когда расставались, долго плакали и причитали. Тогда им казалось, что все эти годы были прожиты совсем неплохо и даже почти хорошо. И еще понимали – за все эти годы все они стали близкими, почти родней. Несчастные, брошенные, никому не нужные дети. А что будет дальше? И это «дальше» было страшнее, чем вся предыдущая жизнь. Потому что теперь о них снова никто не будет заботиться. Потому что снова они на пороге одиночества. И снова надо будет учиться выживать.

Вероникин аттестат состоял из сплошных пятерок. Портила все четверка по физкультуре. Золотая медаль ей не досталась – шептали, что «золото» отдают школам. А детдома – перебьются. Но ничего – досталась серебряная.

Она уехала в Р. Дали койку в общаге, и она стала готовиться к вступительным. Разумеется, она прошла. Койку за ней закрепили, и она начала осваиваться в новых реалиях. Город показался ей огромным – таким необъятным, что ей казалось, и за сто лет не обойти. Оказалось – ерунда. Уже через две недели она хорошо знала центр и даже окраины. Комната в общаге была на двоих. Вторую жиличку пока не заселили. Вероника набрала в библиотеке книжек, купила комплект красивого спального белья в нежный цветочек, теплый плед, радиоприемник и чайную пару. Каждый день она покупала по сто граммов любительской колбасы и белую булку. Потихоньку от комендантши кипятила кипятильником чай, съедала колбасу с булкой и один за другим проглатывала любовные романы.

Колбаса казалась ей самой восхитительной едой – в детском доме колбасы не давали. Два раза в неделю она покупала пирожное – трубочку или эклер. И это был настоящий пир.

Ходила в кино, пару раз была в музее – картинной галерее и краеведческом.

К концу августа в общежитие стал понемногу стекаться народ. Объявилась и соседка.

Рано утром дверь распахнулась, и на пороге появилась огромного роста блондинистая девица. Она оглядела комнату, пару минут рассматривала Веронику и потом, тяжело вздохнув, бросила:

– Ясно!

Вероника вздрогнула и села на кровати.

– Что ясно? – тихо спросила она.

– Да все! – махнула рукой девица и плюхнулась на свободную кровать. Пружины протяжно и жалобно заныли.

– Ты – овца. Комната – говно. Словом, – тут она снова вздохнула, – будем жить... Как уж получится!

– Я не овца! – пискнула Вероника. – И комната... хорошая.

Девица распахнула свою сумку и начала выбрасывать из нее вещи.

– Да не напрягайся, – миролюбиво сказала она, – комнату улучшим. Тебя... ну, туда же. В смысле – жизни научим. Не беспокойся. У меня это быстро!

Она пошла к двери и тут обернулась.

– Кстати, я – Вика, – сказала она и, не дожидаясь ответа, бодренько вышла наружу.

Потом их все звали Викавероника – в одно слово. И еще – Пат и Паташон. Потому что смотрелись они смешно – одна дылда, а вторая совсем кроха, Дюймовочка. Но! Они понимали – они и есть одно целое. Викавероника. Две подруги. Две сестры. Нет, куда ближе! Казалось бы, ближе не бывает. А у них – было. Сиамские близнецы – наверное, так. Потому что не разделить, не растащить. Не оторвать друг от друга. До поры... До страшной поры.

В тот же день в их комнатке появился холодильник «Морозко» и телевизор «Юность».

– Как это? – обалдела Вероника.

– Да так, – спокойно откликнулась Вика, – положено. А они, суки! Жучат. Но, ничего. Я тут порядочек наведу. Не сомневайся!

Вероника уже не сомневалась. Впрочем, как и суровая комендантша – связываться с Викторией не желал никто. Борец за справедливость – так называла ее Вероника. Всю оставшуюся совместную жизнь. Их счастливую, прекрасную и такую недолгую жизнь...

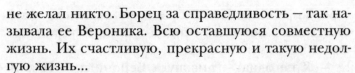

Вика приехала из маленького городка в ста километрах от Р. Там у нее остались мама и два брата – погодки. Отец не жил с ними давно, и Вика говорить о нем не любила. Однажды обмолвилась – отец их бросил, когда младший пацан только родился. Ушел к материной подруге. Сволочь, конечно. Да и черт с ним! Сейчас тяжело, а потом будет легче. Всех их вытяну, обещала она.

Вечерами подрабатывала в пекарне – до трех утра, до «утреннего» хлеба. Приходила оттуда и без сил валилась на кровать. Вероника стаскивала с нее одежду. Завтракали теплым батоном и любимой колбасой. А на каникулы уезжали к Викиной маме. Городок был тихий, сонный, спокойный. Вика мечтала выучиться и вернуться домой. Мать ее, женщина добрая и славная, Веронику приняла как родную дочь. Каждое утро пекла девчонкам свежие плюшки и пирожки – откармливала.

«Как на убой!» – злилась полная Вика, но пирожки ела – такая вкуснятина! Зимой ходили на лыжах, летом бегали на речку и за грибами.

Такой подруги у Вероники больше никогда не было. Она даже и не стремилась в дальнейшем построить подобные отношения. Знала – такого больше не будет. Такого доверия, понимания, искренности. Никто не сможет ее понять, как понимала подруга. Никто не пожалеет с такой силой души и не даст правильного совета. Никому больше она не сможет рассказать самое сокровенное, стыдное, невозможное. Они могли проболтать до самого

утра, до рассвета, когда глаза уже закрыты и заплетается язык. Вот тогда Вероника поняла, что теперь она – не сирота и не одиночка. У нее есть Вика. Есть Викина мать и мальчишки. У нее появилась родня. И жить уже не так страшно.

Вика уговаривала ее съездить к матери. Прямая, резкая Вика пыталась оправдать мать подруги или хотя бы найти причину, почему та так и не приехала к дочери.

Вероника сначала и слушать не желала, а потом постепенно стала сдаваться. Только время тянула – страшно было. Страшно возвращаться в поселок, страшно посмотреть в глаза матери, страшно пойти на могилу отца.

На втором курсе Вика призналась подруге, что влюблена в Генку Смирнова. Вероника только охнула – Генка Смирнов был ярким красавцем. Девицы вились вокруг него, как пчелы над ульем. На Вику он не смотрел – не его поля ягода.

От страданий бедная «плюшка» Вика дохуделась до сорок четвертого размера. Но Генке Смирнову все это было до фонаря.

Вика не сдавалась и обещала завоевать «сердце красавца». Отговаривать ее было бесполезно – не тот характер.

Вика страдала, лила горькие слезы, заваливала зачеты и пропускала лекции. Вероника переписывала за нее лекции, делала шпаргалки и пыталась заставить ее заниматься. Кое-как сессию сдавали – с божьей помощью.

На пятом курсе Вика наконец разлюбила коварного Генку и стала встречаться с хорошим парнем по имени Витя. Витя был простым работягой – работал на стройке. Вика говорила, что парень он

хороший, работящий, непьющий и «очень свой». Осенью решили пожениться, и Вика призналась подруге, что она «слегка беременна». Ну и ладно – какая беда! Через два месяца свадьба, весной диплом, а там – и вся жизнь!

Сыграем свадьбу, окончим «эту бадягу» – так Вика называла учебный процесс – и домой! К мальчишкам и маме. Витька там устроится на комбинат – рабочие руки всегда нужны, а я отсижу с полгода с ребеночком и – работать. В нашу больничку. Там меня ждут. А мама поможет. Выживать всегда проще гуртом, уверенно говорила Вика.

А как выживать, ей было известно. Очень хорошо известно. Даже слишком.

Уже купили платье – белое, до полу, с серебряной ниткой по рукавам и подолу. Достали и туфли – на Викину «лапу» это было непросто.

Договорились, что в студенческой столовке накроют столы. А уж мама привезет кучу всего – банки, соленья, грибы. Напечет пирогов и зарежет кабанчика.

А за две недели до свадьбы Вика погибла. Попала под машину. Водитель был пьян и сбил ее на пешеходном переходе.

Витька запил по-страшному, по-звериному. Мать Вики слегла – отказали ноги. Мальчишки держались за руки и дрожали от страха.

А Вероника... Вероника потеряла самого близкого и дорогого человека. Подругу, сестру. Сиамского близнеца. Оказалось, что разорвать их можно. Разорвать, растащить, разделить.

Физически – да... оказалось, что можно.

Просто разорвалась в клочья, покрылась льдом Вероникина душа. В который раз.

Только от этого не менее больно. А даже совсем наоборот!

Уже на четвертом курсе она поняла, что пойдет в ординатуру по акушерству и гинекологии. Профессор Куцак считал Веронику лучшей из своих учеников. Он был совсем стар, страдал сильной астмой, передвигался с трудом, но лекции читал так, что заслушивались даже самые легкомысленные студенты. Она часто провожала его до дому. Он был одинок, поговаривали, что жена его бросила, бросила некрасиво, уйдя к его руководителю, забрав с собой их общего сына. С ребенком видеться не давала, и профессор уехал из столицы в Р. подальше от «горя». Хозяйство вела Фрося, простая женщина из местных. Деревянный барак стоял на окраине города и продувался всеми ветрами. Позже, когда она попала к нему в дом, даже она, совсем неизбалованная, удивилась той нищете, той убогости, в которой существовал профессор на пару со своей «домоправительницей».

Фрося казалась суровой и вредной, но потом Вероника поняла – тетка она душевная и несчастная, совсем одинокая. Тогда профессор Куцак показал Нике свои тетради. «Готовая докторская, – посмеялся он. – Возьми, пригодится!»

Она долго отказывалась, но он уговорил, и тетради она скрепя сердце взяла.

Диплом она защитила с блеском, закончила интернатуру по хирургии, а в ординатуру профессор Куцак уговорил ее поехать в Москву. В Р. ее ничего не держало. Кроме Викиной осиротевшей семьи и старенького учителя. Как она бросит их? Как уедет? Но Викина мать сразу же пресекла подобные разговоры: «Из-за нас? Тратить свою молодую жизнь? Да ни за что!» То же сказал и профессор.

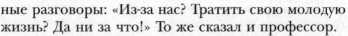

И Вероника уехала. Перед отъездом сходила на кладбище к Вике и попросила прощения.

Потом зашла к любимому учителю – попрощаться. Фрося обняла ее, и обе заплакали. А профессор утешал их и повторял, что она поступает правильно. В столице возможностей больше, а уж ей, Веронике, с ее-то талантом...

Общежитие, где ей после поступления дали место, находилось на окраине города. Точнее, это была уже не Москва, а город Химки.

В центр столицы Вероника попала только спустя пару месяцев. Настроение было такое, что ничего не хотелось. А когда приехала и вышла на улице Горького, замерла от восторга. Это был ее город! Она поняла это сразу. Не испугалась его суеты, шума и ошеломляющего количества машин и народу. Она, словно наркоман, не могла надышаться его свободой – здесь никому до тебя не было дела. Все спешили по своим делам, отчего-то хмурились, почти никогда не улыбались, и все же... Ей было так легче – легче затеряться в его водоворотах, в его сумасшедшем ритме, в его равнодушии – почти ко всем, так было легче сбежать, укрыться, спрятаться от себя самой.

После окончания – блестящего окончания! – ординатуры пошла работать в роддом на окраине. А спустя два года поступила в аспирантуру.

В аспирантуре ее сразу заметили. И даже две печатные работы попали в известный медицинский журнал. А спустя полтора года она получила приглашение принять участие в конференции молодых акушеров. Требовалось выступить с докладом.

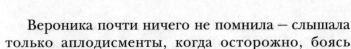

Вероника почти ничего не помнила – слышала только аплодисменты, когда осторожно, боясь упасть, спускалась с трибуны.

Через неделю ее пригласили в роддом в центре Москвы. Старый, с отличной репутацией. На должность завотделением.

Она так растерялась, что мычала в трубку что-то невразумительное, сбивалась и заикалась – словом, выглядела законченной дурой.

Перед сном она распахнула шкаф и стала выкидывать из него вещи. И вот тут разревелась. Ей не в чем было пойти туда завтра. Категорически не в чем! Старая юбка, две кофточки, купленные с рук у метро. Дурацкий синтетический шарфик с колокольчиками и стоптанные туфли из искусственной замши.

Она села на кровать и закрыла лицо руками.

Потом, словно очнувшись, побежала по коридорам общаги и в каждой комнате просила денег – первый раз в жизни. Собрав приличную сумму, побежала в торговый центр и купила строгий серый костюм, белую блузку, простые черные лодочки и маленькую сумочку-конверт.

На парикмахерскую и маникюр денег не хватило. Но выглядела она теперь вполне прилично – так ей казалось.

А вот деньги она отдавала еще долго, почти восемь месяцев.

Однажды в роддом привезли роженицу. Молодую женщину сопровождал симпатичный мужчина. Все, конечно, решили, что это и есть супруг будущей мамочки. Он очень тревожился, было видно, как сильно он переживает. Вероника выходила в холл для беседы с родственниками. Оказалось, что встревоженный мужчина вовсе не муж роженицы, а двоюродный брат. Случай с той женщиной был сложный, неоднозначный, и Вероника взяла его под свой контроль.

Она была так наивна, так неискушена в любовных делах, что поначалу не заметила ухаживания молодого ученого по фамилии Стрекалов.

Стрекалов был хорош собой, прекрасно образован и интеллигентен. Однажды он пригласил ее в театр. Вероника растерялась, но согласилась. После спектакля прошлись по центру – конец мая, погода прекрасная, уже распустилась сирень. Посидели в саду «Эрмитаж» и зашли в кафешку. Вероника очень хотела есть, но постеснялась и попросила только чаю с пирожным.

Потом Стрекалов отвез ее в общежитие, поцеловал руку и предложил в выходные поехать на дачу.

«День рождения матушки», – объяснил кавалер, чем сильно смутил Веронику.

Ночью она не спала. Он нравился ей, безусловно. Но сразу – и на семейное торжество? Это было непривычно и странно. И еще страшновато. В ней по-прежнему жила робкая детдомовская девочка, навсегда оставленная родней.

В субботу утром он заехал за ней. Она, увидев его в легких джинсах, кроссовках и тенниске, окончательно расстроилась – она-то, дурочка, нацепила строгий костюм и надела туфли на каблуках.

Разве она знала, что такое дача? А это была еще какая дача! Настоящая подмосковная старая дача. Недалеко от Москвы, в пятнадцати километрах, стоящая в густом сосновом бору, и пределов участка было не видно.

Вадим объяснил, что эти дачи давали выдающимся деятелям науки еще в тридцатых. Земли тогда не жалели – нарезали по гектару и больше. Дед Вадима был большой ученый-электротехник. Бабушка – известная детская поэтесса. Они зашли на участок, и Вероника остолбенела – дом стоял далеко, в глубине леса, и к нему вела сквозь сосны извилистая карминовая дорожка. На крыльце стояла моложавая женщина в светлом платье и скромных жемчужных бусах.

– Вера Матвеевна, – представилась она и тепло улыбнулась: – А вы тот самый молодой гений, спасший множество жизней?

Вероника залилась пунцовой краской и развела руками.

– Да нет... какое там... Это чьи-то фантазии!

И сурово посмотрела на спутника. Вадим загадочно улыбался и поддакивал матери:

– Да, она! Она, мамуль. Не сомневайся. И наша Лизка обязана ей по гроб жизни!

Стол был накрыт на огромной полукруглой и светлой террасе. Веронику удивила посуда – тонкая, почти невесомая, в скромный бежевый цветочек. На кружевной скатерти, рядом с волшебными тарелками, лежали тяжелые ножи и вилки с затейливо крученными черенками. На черенках стояли инициалы: «ВС».

Немолодая женщина в белом переднике ставила на стол закуски и пироги.

– Шура, – представил ее Вадим, – наша домашняя руководительница.

Шура махнула рукой.

– Иди уж, «руководительница»! Не руководительница, а начальник, – рассмеялась она и подмигнула оторопевшей гостье.

Вера Матвеевна проводила Веронику на второй этаж и открыла дверь в маленькую и очень уютную комнатку.

– Отдыхайте, – кивнула она, – здесь тихо, прохладно и очень спокойно. Это – моя любимая комната. Я здесь в молодости обожала укрыться от своей шумной семейки.

Часам к пяти съехались гости. Их было много, человек тридцать. Друзья дома и подруги хозяйки. Кое-кто из «остатков родни» – как выразился Вадим.

Первый раз в жизни Вероника видела такое множество прекрасных и значительных людей за одним столом. Сестра Веры Матвеевны – Ольга. Известный микробиолог. Ее муж, высокий седой мужчина в твидовом пиджаке английского стиля – Владлен. Знаменитый кардиохирург. Подруга Веры Матвеевны, Светлана, – доцент университета, историк. Муж Светланы – детский писатель. Дочь Светланы – переводчик испанской поэзии. Еще одна подруга, Тамара, – известный психолог, автор книг о воспитании детей. Другая подруга, Инесса, – математик, лауреат всяческих премий. И другие, не менее прекрасные и известные люди. И все они держались на редкость доброжелательно и мило. Все были остроумны и совсем не чванливы. За столом то и дело вскипал радостный смех. Вспоминали что-то из прошлой жизни и снова смеялись, подтрунивая друг над другом.

«Какой дом, – думала Вероника, – какие люди! Да один раз оказаться в такой компании – уже огромное счастье!»

Она была так ошарашена этим, так возбуждена и так счастлива, что всю ночь не могла уснуть.

Встречались они три месяца. А потом Вадим сделал ей предложение. Она так растерялась, что на пару минут онемела.

Он обнял ее и сказал:

– Ну, подумай, милая. Приличной девушке можно подумать три дня. А на четвертый – я начну взывать к твоей совести. Или – к милости, как угодно!

Он рассмеялся, чмокнул ее в щеку и вышел за дверь.

Она села в кресло и почему-то расплакалась.

Ей вспомнилось, как она рассказывала Вике про свою жизнь, и та вдруг сказала: «Все. Достаточно. Ты столько дерьма за свою жизнь съела, столько горя видела-перевидела, что и переварить сложно. Каждый выпивает свою чашу. Вот и считай, что ты свою выпила. И теперь впереди будет одно сплошное счастье. Ты меня поняла?»

Вероника пожала плечами.

– Да кто там что знает? Бывают везунчики и невезучие. Одним все легко и просто, а другие всю жизнь маются. Думаю, что я отношусь именно ко вторым... – задумчиво сказала она, – и ПРОСТО мне никогда не будет.

– А я не про «просто», – ответила Вика. – Просто никому не бывает. Одним сложней, а другим легче. Градус усилий и несчастий у всех разный, это правда. Я говорю про беды! Твои – закончились. Не испытывает Господь ТАКИМ человека всю жизнь. Это точно.

– А откуда ты знаешь? – спросила Вероника.

– Начитанная, – усмехнулась Вика. – Книги люблю. А там все написано.

Через три месяца они поженились. Свекровь обняла Веронику и сказала, что она абсолютно счастлива – именно о такой невестке она и мечтала.

Веронике хотелось спросить – о какой такой? Но, естественно, она не спросила.

И с той поры ей постоянно казалось, что она проживает не свою жизнь. Не она должна была приехать в Москву. Не она должна была получить такую должность, к тому же так легко и так быстро. Не ее должны были пригласить в знаменитый роддом. И не ей должен был встретиться Вадим. Не ей! А хорошей столичной девочке из профессорской, скажем, семьи. И на свадьбе Вадима и этой самой девочки должны были сидеть по обе стороны родители жениха и невесты – Вера Матвеевна и родители девушки – мать и отец. И им было бы что обсудить друг с другом.

Но все было совсем не так. Вероника так и не решилась рассказать правду о своей семье – духу не хватило. Она придумала историю. Отец погиб зимой на охоте. Заблудился и просто замерз. Мать отправилась с мужиками на поиски. Простудилась. От горя не захотела ехать в больницу и умерла от воспаления легких. Потому что не лечилась. Отмахивалась – какая разница? В смысле – теперь, какая разница теперь? Как жить без любимого мужа?

Так Вероника осиротела. Воспитывала ее бабушка. Да и ее не стало, когда Вероника уехала в Р. Бабушка умерла от старости.

– И никакой родни? – удивлялась свекровь. – Никого? Никого, кого можно пригласить на свадьбу?

Никого. Совсем никого.

Вера Матвеевна горестно качала головой, гладила Веронику и вытирала слезы.

– Бедная девочка, – твердила она, – бедный ребенок!

А «бедная девочка» сходила с ума от малодушия и вранья. И все же сказать правду так и не смогла.

Жили они все вместе – Вадим был очень привязан к матери. Да и Вероника полюбила свекровь всей душой. Хозяйство вела Вера Матвеевна. Иногда, пару раз в неделю, приходила домработница Шура. Вероника не знала магазинов, готовки и прочих хозяйственных трудностей. А однажды призналась, что совсем не умеет готовить. В поселке все было просто – жили с бабушкой бедно. Картошка, капуста, грибы.

Свекровь рассмеялась.

– Захочешь – всему научу! А не захочешь – сачкуй. Вот не будет меня, тогда жизнь и научит, – грустно вздохнула она и улыбнулась.

Вероника обняла ее за плечи.

– Вы... живите, пожалуйста!

Они с мужем пропадали на работе. Домой возвращались поздно. Шура накрывала на стол, и они со свекровью садились напротив и любовались своими «ребятами».

Потом родился Данечка, и здесь основные тяготы снова взяла на себя свекровь.

При этом еще и посмеивалась: «И когда только успели дитя народить? При вашей-то занятости!»

На работу Вероника вышла через четыре месяца после родов.

По сыну, конечно, скучала, работы, в том числе и научной (Вероника писала диссертацию), становилось все больше, а свободного времени почти не было. Вот тогда-то и пригодились тетрадки старого профессора. Она долго не могла их открыть – почему-то не поднималась рука. Однажды ночью, когда совсем не спалось, открыла. Читала всю ночь, а когда в окно стал просачиваться робкий туманный рассвет, задумалась: взять и использовать материал – безусловно, принести огромную пользу. Вот только называется это – присвоить. Присвоить чужой труд, чужие гениальные мысли. Имеет ли она на это право? Думала долго, почти неделю. А потом решила – ладно. Если от этого хоть одному человеку, хоть одной женщине будет добро, значит, все правильно. Перед защитой, когда диссертация была готова, обратилась в научный совет – с тем, чтобы на монографии указать фамилию профессора. Ей отказали – кому это нужно? Человека давно нет в живых, какой-то заштатный провинциальный преподаватель. Глупости какие-то!

И она согласилась. А надо было настоять. Просто настоять, чтобы не мучиться всю оставшуюся жизнь. Смелости не хватило. Или силы духа? Это ведь разные вещи.

И снова, глядя на сына, мужа и свекровь, Вероника думала, что все это не может принадлежать ей. Ей, девчонке из поселка Приватное. Из неблагополучной и пьющей семьи. Дочери бывшей заключенной. Детдомовке. Забытой всеми на свете. Не может!

Не может у нее быть такая семья и такое вот счастье!

А ведь было! Только... Неспокойно было на сердце. Потому что лгала. Потому что все утаила. Потому что было невыносимо стыдно – стыдно скрывать и стыдно признаваться. Потому что по-прежнему свербила мысль: «Я занимаю чужое место».

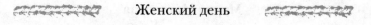

Иногда она смотрела на мужа и думала: «Люблю ли я его? Этого прекрасного, достойного человека. Замечательного отца. Замечательного сына. Исключительного мужа. Способного и цельного человека. Как узнать, как проверить, люблю ли? Я, никогда не знавшая, что такое любовь? Я, которую этой самой любовью так обделили? Что чувствуют влюбленные люди? Потребность в любимом человеке, зависимость от него – духовную и физическую? Невозможность представить себя без него? Страх потерять? Трепет от его прикосновений? Что испытываю я? Смогу ли прожить без него? Пойти за ним на край света? Потерять все, только чтобы быть рядом? Пройду ли все трудности, что нам предстоят?»

Не находила ответов. Недолюбленная, брошенная, одинокая. Смелая и робкая девочка, прошедшая через ад. Не понимающая, что такое любовь.

Не могла она ответить на вопросы, которые задавала самой себе.

Ей, закаленной в несчастьях, казалось, что можно перетерпеть любую беду. Уже ничего не страшно. Особенно после смерти любимой подруги.

И еще мучило – раз она так неуверена... Имеет ли она право быть рядом с Вадимом? С тонким, трепетным, нежным, чувствительным Вадиком? Она – истукан, ледышка, каменная баба, не способная на сокровенные слова, отчаянные, откровенные, волнующие нежности?

Все, что он давал ей, она принимала смущенно, застенчиво, робко. Никак не решаясь на такой же ответ. От смущения или от душевной скупости? От душевной и телесной? Она не могла открыть ему объятия и утонуть в них, забыв обо всем. Есть же женщины, неспособные, ну, как бы это сказать... К отдаче. Значит, она одна из них.

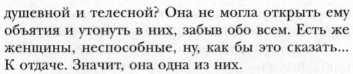

Она принимала его любовь. Принимала и ценила. Очень ценила. Но... так же ответить на нее не могла. Просто не получалось. И ей казалось, что она опять врет. Снова врет дорогому и прекрасному человеку. Который всего этого, естественно, не заслужил.

Еще помнила, как говорила ей Вика: «Ты замороженная, заиндевелая. Просто холодильник, а не женщина!»

Вот чудеса – Вероника никогда не влюблялась! Ни разу за всю свою девическую жизнь! Разве не патология? Не изъян женской натуры?

Вика влюблялась постоянно, страдала, писала наивные стихи и бегала на свиданки и танцы.

А она, Вероника, так и не отвыкла не доверять. Так и не привыкла делиться, разделять свои сложности – даже с самыми верными и родными людьми.

Позже это назвали модным словечком интроверт.

– Что-то не так? – иногда встревоженно спрашивал муж.

«Все так. Все хорошо. Да нет, все прекрасно. Так прекрасно, что и подумать страшно! Просто я... Странная, да. Для самой себя странная. Но все хорошо. Ты мне поверь».

Но это все – про себя. Вслух не решалась.

Однажды свекровь сказала:

– Никуша! У тебя ведь совсем нет подруг. Я понимаю, ты страшно занята. Но все же. Подруги –

это такая отдушина, такая наша бабская радость. Поболтаешь порой – и все как рукой снимет!

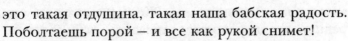

– Подруга была, – тихо сказала Вероника, – но... Ее больше нет.

– Поссорились? – удивилась свекровь. – Ты же вроде такая у нас... неконфликтная.

– Она умерла, – одними губами промолвила Вероника. – В смысле – погибла. Трагически.

– Бедная ты моя! – вздохнула свекровь. – Еще и это! – А потом предложила: – А ты подружись с Тусей! Вы почти ровесницы, Туся – прекрасная девочка, умница, всезнайка. Пройдитесь вечером по поселку, подышите воздухом. Поболтайте о том о сем. Мне кажется, вместе вам будет неплохо.

Туся – дочь соседей по даче и приятелей Веры Матвеевны. Милая, симпатичная особа. Отказать свекрови неудобно, и как-то вечером они пошли погулять. Туся оказалась любопытной болтушкой – расспрашивала Веронику про отношения со свекровью, про жизнь с Вадимом.

Вероника, не привыкшая к откровениям, от расспросов старалась уйти, и очень скоро ей захотелось сбежать от назойливой Туси. Но пока дошли до калитки, Туся успела выложить, что в Вадика были влюблены все девчонки поселка. Что он был влюблен в Каринку Арутюнову, ах, была там любовь!.. И даже с ней, с Тусей, они целовались – не подумай ничего дурного! Всего пару раз, да и то лет в тринадцать. И как тебе удалось его подцепить? – искренне удивлялась она.

Вероника что-то пробормотала, что не очень устроило любопытную Тусю, и наконец сбежала. Туся разочарованно смотрела ей вслед. Потом вздохнула и пошла домой. Жена Вадика ее в очередной раз здорово разочаровала.

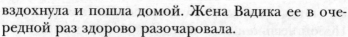

— Не сложилось у вас с Тусей? — спросила свекровь. — Вижу, что не сложилось. Ну и ладно! Так — значит, так.

А у мужа она однажды спросила про Карину. Он удивился:

— А тебе откуда известно? — А потом рассмеялся. — Да глупость какая, первая любовь! И потом — Каринка давно замужем и живет, между прочим, в Австралии.

Потом пожалела, что спросила. Дура, конечно. Неуверенная в себе дура. Вот, собственно, все.

А ревновала ведь. Ревновала!

* * *

Женя стояла у окна. На улице было красиво. Потому что солнце. Такой редкий по нынешним временам гость. Особенно в апреле. Все москвичи давно привыкли к низкому, свинцовому небу. Снегу было совсем мало, но тот, что лежал — черными, грязными горками, — никак не желал таять. Но все равно чувствовалась весна. По запаху, что ли? Хотя какой в Москве запах... Смешно.

Она услышала, как хлопнула входная дверь. Дашка!

Женя вздохнула и пошла в коридор. Дашка скидывала сапоги и чертыхалась.

— Вот, посмотри! — сказала она и подняла с пола сапог. — Смотри, как делают! — От обиды она чуть не плакала. — Мам, ведь почти двести долларов! И такие удобные! Блин!

— Да, гадость, — согласилась Женя.

Обувь пропадает за сезон. Покупать дорогую совсем нет смысла. А что делать?

– Есть будешь? – спросила мать.

Дашка кивнула.

– А папа? Дома?

Женя показала глазами на дверь.

– А Машка? Звонила? – снова спросила дочь.

Женя только махнула рукой.

Никита от ужина отказался. Женя сидела напротив дочки и смотрела, как она ест.

«Развалилась семья! – с тоской подумалось ей. – Была – и нет. Маруськи нет, Никиты тоже. Маруськи нет физически, а Никиты... да тоже физически, считай. Хотя он лежит в соседней комнате. Остались мы с Дашкой. Две бедные, заброшенные девочки. Да и Дашка скоро слиняет. Наверняка. На черта ей эта похоронная обстановка, вечные претензии, скандалы, попреки, недовольства.

Уйдет, например, к подруге Инке – у той своя квартира, и она давно ее приглашает. Или закрутит роман и поселится с бой-френдом. Сейчас это модно – проверить друг друга на прочность. Так привыкают, что в ЗАГС идти не хотят. Зачем лишние хлопоты и лишние траты? А может, правы? Не будет разводов и всяких дележек имущества.

Только вот хочется увидеть родное дитя в свадебном платье с букетом цветов. Хочется накрыть стол, выпить шампанского и сказать тост. Мудрые слова мудрой женщины – берегите друг друга! Прощайте. Будьте терпимы к слабостям. Доверяйте друг другу. И еще – будьте жалостливы и милосердны. Брак ведь такая штука... Никак без терпения и милосердия. Вы нам поверьте! Просто так, на слово. Потому что у нас, извините, опыт. И не всегда положительный, кстати. Увы...

Хотя, нет, последнее говорить точно не нужно.

Дашка ела торопливо, громко причмокивая.

– Дашка! – поморщилась Женя. – Ну ты как свиненок!

Дашка махнула рукой.

– Да ну! Дай расслабиться, мам. Хотя бы дома.

Никита вышел из комнаты и заглянул в кухню. Молча кивнул дочери и вышел вон.

Дашка посмотрела на мать. Обе снова вздохнули.

Женя вымыла посуду и ушла к себе. Точнее, в семейную спальню. Где теперь она осталась одна. В целом – неплохо. Спокойно. И легче уснуть. Но...

На сердце такая тоска! И такая тревога. Она набрала Маруськин мобильный. Тишина. Десять звонков и – полная тишина! Какая дикая манера – не брать трубку. А потом она преспокойненько скажет, что просто не слышала. Не слышала, не видела пропущенные звонки. Была чем-то занята, не могла оторваться.

Что я сделала не так? Когда? Что упустила? Или – проклятые гены? И воспитание тут ни при чем? Гены, как тяжелый невод, тащат вниз – куда от них деться? И она совсем не виновата, ее девочка. Просто так на роду написано – быть такой. Да ладно! Бред. Какой «такой»? Что она, Женя, накручивает? Маруська не наркоманка, не пьяница, не воровка. Да, было однажды, но... С детьми ведь это бывает? Да, непослушная. Дерзкая, упрямая. Просто... другая. Другая и все! Совсем не такая, как Дашка. Да и не обязана она быть такой, какой хотят ее видеть другие. Но Женя была уверена – ее, мать, она любит. И любит сестру.

Как неожиданно все развалилось. Как быстро, незаметно, почти мгновенно! Вчера была семья, а сегодня вот нет! Ни семьи, ни любви. Ничего. Он в кабинете, *у себя.* Она – у себя. Их *вместе* теперь нет. Она свободна: к подружкам – пожалуйста! В кино – да иди. В отпуск – куда тебе нравится. Только одна, без меня. Мне это все просто неинтересно. С тобой, без тебя... И еще – пожалуйста! Оставь меня в покое. Это единственное, о чем я прошу. Неужели это так много?

Хотелось плакать. Очень хотелось. А слез не было. Выплакала. Думала тогда, четыре года назад – все прошло. Мы все это с тобой пережили. Прошли достойно, без предательства, без нытья, без заламывания рук. Не без сложностей, да. Не без потерь. Но прошли ведь! Тогда казалось, что теперь уже ничего не страшно. И будет даже лучше, чем раньше. Потому что через такое прошли. Через такой ад! А оказалось... Оказалось, что все сгорело в огне той беды.

И похоже, все безнадежно. Ничего не осталось. Где же справедливость? Впрочем, смешно о ней говорить, когда тебе сорок пять...

И с «ягодкой опять» тоже не получилось. И снова – увы! Женя видела, как стареет. Сначала – по чуть-чуть. Потом больше. Усталая и несчастливая тетка. Именно тетка! Вот в кого она превратилась.

Когда? Когда все начало рушиться? Может, еще тогда, когда Женя, наперекор ему, взяла Маруську? Не посчиталась с его мнением? Тогда начались его обиды? Может, тогда, когда начала издавать романы, а муж был тогда уже «сбитый летчик». Может быть, не простил ей успеха? Заработанных денег? Узнаваемости и народной любви? Или все это копилось, копилось и вот – вылилось. Вылилось во все это – в равнодушие, отчужденность, раздражение. А она – она ведь так старалась! Старалась его не обидеть – например гонорарами. Приносила все и клала на стол:

– Ну, как будем распределять? Отпуск, покупки, девчонкам? Может, машину? Ты же давно мечтал поменять!

А он сразу мрачнел и бросал:

– Ты хозяйка. Вот и распоряжайся. Кстати, хозяйка всего! – Тут у него появлялась недобрая кривая усмешка.

– Чего – всего? – удивилась в первый раз Женя. – В каком смысле?

– Да в самом прямом, – резко бросил Никита, – денег, решений – всего. Вот и разруливай. Сама! Я тут – никто. А машина мне, кстати, совсем не нужна. Ни старая, ни новая. Слышишь?

Господи, как она тогда плакала! Пытаясь ему объяснить, что в жизни бывает по-разному. А сейчас и тем более. Женщины вышли на передовую и зарабатывают порой больше мужчин. Время такое. Но мы же родные люди. Мы же семья! Что ж нам считаться, кто в доме хозяин? Порадуйся, что так получилось! Что мы вылезли из нищеты, например. Что твоя жена состоялась. Что карьера ее успешна. Что мы можем себе кое-что позволить. Например, поехать в Париж. Да куда угодно можем поехать!

«Ты завидуешь мне?»

Ах, как ей хотелось задать ему этот вопрос! Ты не можешь пережить моего успеха? Тогда ты

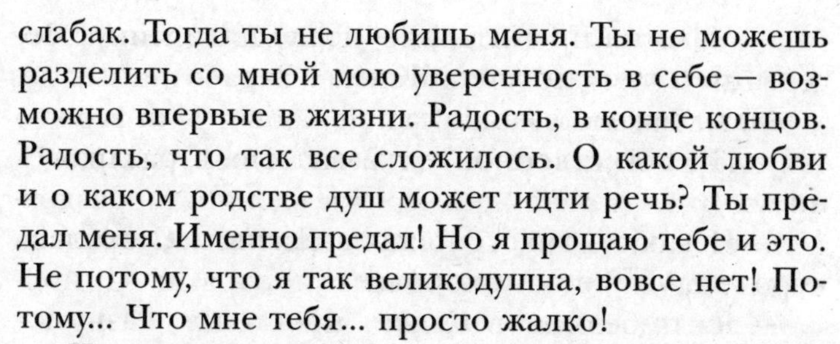

слабак. Тогда ты не любишь меня. Ты не можешь разделить со мной мою уверенность в себе – возможно впервые в жизни. Радость, в конце концов. Радость, что так все сложилось. О какой любви и о каком родстве душ может идти речь? Ты предал меня. Именно предал! Но я прощаю тебе и это. Не потому, что я так великодушна, вовсе нет! Потому... Что мне тебя... просто жалко!

И еще – ведь тогда, после всего этого ужаса, ты просто сложил руки! Ты не захотел бороться, биться, хлопать крыльями, взбивать пресловутые сливки в горшочке. Ты просто... отстранился от меня, отстранился от семьи, от проблем, в том числе и материальных. Ты предпочел... усталость от жизни, обиду на весь свет – в том числе и на меня. Ты сложил лапки и закрыл дверь в свой кабинет. Все. Дальше сами! Тогда карабкаться стала я. И очень удивилась, когда у меня получилось. Я ведь совсем не верила в себя!

Я удивилась. Девчонки тоже. Ты предпочел не заметить. А мама... мама, как всегда, меня осудила. За что теперь? Да все просто. Раньше ее дочь была просто неумехой. Неспособной, серой и тусклой. Некрасивой, неловкой. Не дочь, а сплошное расстройство. А когда у меня получилось, тогда все стало еще смешнее. Теперь ее неудачная дочь писала плохие романы. Наивные до глупости, нереальные до смешного. Больные фантазии пятиклассницы – так назвала ее первую книжку Елена Ивановна.

А ведь Женя принесла ее с такой гордостью. Вручила торжественно, даже слишком торжественно. Смотри, мамуль! Это сделала Я!

Мать не звонила три дня. Женя не выдержала первая.

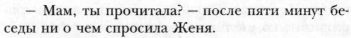

– Мам, ты прочитала? – после пяти минут беседы ни о чем спросила Женя.

Мать тяжело вздохнула.

– Ну, естественно! – сказала она с раздражением.

– И как? – тихо спросила Женя, не ожидая, впрочем, уже ничего хорошего.

– Язык бедноват. Сюжет простоват. Развязка мало реальна, – ответила мать.

И вот тогда Женя закричала:

– И это – все? Это все, что ты можешь сказать? Ни-че-го положительного? Хотя бы то, что меня туда взяли? Взяли просто так, с улицы – без звонков и денег. Прочитали и решили издать. Совершенно неизвестную тетеньку. И еще похвалили. И очень ждут вторую книгу. Хорошо, допустим, ты права. Я автор неопытный и неумелый. Наверняка там многое хромает и многое плохо. Но – меня напечатали! Меня хотят издавать дальше! И меня не за что похвалить? Мною невозможно гордиться?

Елена Ивановна дочь не перебивала. Когда Женя, всхлипывая, наконец замолчала, она жестко спросила:

– Все? Истерика закончилась? А кто тебе скажет правду, если не мать? Кто укажет на твои недостатки? Я, между прочим, всю жизнь в театре. При искусстве, так сказать. И я человек крайне правдивый. Без рефлексий, как ты, надеюсь, заметила. Держу себя в руках – в любой ситуации. В отличие от тебя! Так, как ты пишешь, – так не бывает! Откуда ты это взяла? Любовь побеждает, предатели наказаны, честные и несчастные – награждены. Где ты это видела, Женя? Такую любовь, такую жертвенность? Преданность такую? Ты же всем

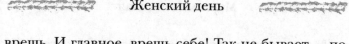

врешь. И главное, врешь себе! Так не бывает, – повторила она. – Я такого не видела.

– Уж точно не в твоей семье! – ответила Женя. – И правда твоя, которой ты так кичишься, никому не нужна. Вот мне – совершенно точно. И еще – я не вру. Я фантазирую. А это разные вещи! Пусть будет все хорошо. Хотя бы в литературе. А то, что ты «при искусстве», вот это ты правильно сказала. Именно «при»!

– В ли-те-ра-ту-ре? – по слогам повторила Елена Ивановна. – Это ты про себя? Хамство и дерзость говорит о твоем поражении. Истеричка! А ты возомнила, что ты уже «в»? В смысле – в искусстве? Ну что ж! Пиши мемуары. Мемуары великой писательницы, – усмехнулась мать и бросила трубку.

Женя рыдала на кухне. Дома были девчонки. Они сели возле нее и пытались ее утешить.

– Не плачь, Мусик! Мы очень тобой гордимся! – причитала Дашка.

– А может, она тебе просто завидует? – предположила Маруська. – Так просто, по-бабьи? Она же баба. Конкретная баба! – засмеялась старшая дочь.

Женя вздрогнула и уставилась на Маруську.

– Завидует? Мне? Своему ребенку?

Маруська пожала плечами.

– А что, думаешь, так не бывает? Эх ты, инженер человеческих душ!

Никите о своей обиде она рассказывать не стала. Почему? Да понятно же. Он тоже отнесся к ее успеху достаточно равнодушно. С большой, надо сказать, иронией.

Ночью, наплакавшись, она вдруг сказала себе: «Я вам всем докажу!»

И сама испугалась. Кому, собственно, всем? Да и так ясно – мужу и матери. Но в основном, конечно, маман.

Наивная дура! Она ведь решила, что теперь она реабилитирована. Что теперь ею можно гордиться. Что Елена Ивановна будет рассказывать в театре: вот ведь какое дело, ну, с моей Женькой. Как получилось! Вы ж ее помните – ни о чем была девка. И тут – на тебе! Что сказать, молодец. Я ею очень довольна. И даже горжусь.

И страшно признаться – даже самой себе! – Все это она сделала для того... чтобы понравиться... маме!

И снова не получилось. Как странно, однако.

За пять лет до этого в дом пришла беда.

Никиту подставили. Подставил партнер, к тому же ближайший товарищ. Никита почему-то любил это слово – именно товарищ, а не друг. Он объяснял это так: друг – что-то более интимное, что ли. Тот, кому можно доверить душу. А товарищ – тот, кому можно просто доверить. Например, деньги. Бизнес. Деловые бумаги в конце концов. Товарищ – это то, что больше основано на деловых отношениях. Деловых и предельно честных. А друг – это материя душевная. Товарищ – этическая. Только другу можно простить практически все, а вот товарищу – нет. Именно потому, что это категория из другой сферы. Доверие. Доверие во всем. Но товарища не впускают в семью, не посвящают в личные проблемы. Потому что все это мешает работе. Товарищ – это партнер. По бизнесу, по жизни. То, что подразумевает долг, ответственность и честные отношения. А друг – это часть сердца. Часть души, часть детства, часть чего-то очень личного, очень общего – взглядов, отношения к жизни, искренности. К слову, друзей у него не было – он всегда говорил, что его лучший друг – она, Женя. И в ней он уверен – она его не предаст.

Так вот тот был товарищ. Абсолютное доверие, проверенное годами и множеством ситуаций. Институтский товарищ. Умный, толковый, ловкий. Никита им восхищался. Этот «прекрасный и сметливый» товарищ организовал банк. Маленький такой банчок, камерный, для своих – в старинном особнячке в зеленом уютном арбатском переулке. Сам «товарищ» стал председателем совета директоров и держателем контрольного пакета. А дружка юности, Никитоса – как он его называл, – назначил зампредом правления банка. Естественно, с правом подписи.

И тут Никита себе изменил. Товарищ был допущен в семью. В дом. Товарищ и его женщина, почти жена. Вместе пили, ели, ездили на море. Вместе решали проблемы. И этот товарищ его подставил. Да как! Он не только украл. Украл, кстати, все – без остатка. Опустошил все счета, вплоть до личных, Никитиных. Совет директоров тогда «отъехал» за границу. На переговоры. В полном составе. Председатель правления в тот момент почему-то внезапно и быстро собрался во внеплановый отпуск. В «лавке» остался один Ипполитов. И в одно «непрекрасное» утро... все счета оказались пусты. Но если бы он подставил только Никиту! Он подставил всех. Точнее, всех обокрал. Всех вкладчиков. Ни в чем не повинных людей. Они просто слиняли с деньгами. Ну а потом... – потом пришла проверка: аудиторы, следственный комитет.

И начался ужас. Никиту задержали – прямо в кабинете следователя. Не выпустили даже под залог. Статья грозила тяжелая – мошенничество в особо крупных размерах.

Женя бросилась искать адвоката, и он нашелся довольно быстро. Только денег на него не было. Денег вообще не было ни копейки. Они тогда только что купили загородный дом и поменяли машину. Ведь у них все было прекрасно. Денег достаточно – завтра собирались купить путевки в Европу. Длинный тур, почти на месяц. Вместе с девчонками.

Денег не было, а адвокат был необходим. Мать, правда, тогда здорово выручила – отдала все, что было. По крайней мере, так она говорила. Еще одолжила та самая Соня, подруга матери. Женя бросилась продавать дом. Но это, как известно, дело нелегкое. Может повезти сразу, а может совсем не скоро. Получился второй вариант. Долго морочила голову одна молодая и нахальная особа. Чуяла, что Женя прогнется. Торговалась до полного Жениного изнеможения. Разумеется, Женя уступила – куда было деваться? Одолжила крупную сумму у соседей – под залог расписки о продаже дома. А та вдруг пропала – на телефон не отвечает. Нет ее, и все. И снова по новой. И опять не везло.

Дом не продавался, соседи требовали свои деньги обратно. Женя хорошо помнила, как сидела всю ночь на кухонной табуретке и медленно и ритмично раскачивалась. И тихонько, боясь разбудить девчонок, скулила. Хотелось одного – разбежаться и головой об стену.

Наконец дом продался. Конечно, совсем не за те деньги, на которые они рассчитывала. Но кто тогда считал потери? Адвоката нашла Елена Ивановна. Адвокат был известный и очень чванливый. Переговоры вела мать. У Жени уже не было сил. Наконец разрешили свидание.

Никиту было невозможно узнать. Господи, что сделала с ним тюрьма всего за каких-то три месяца! А если – не приведи господи – они его не вытащат?

Вытащили. Выпустили из зала суда. Она видела, что во время процесса он был почти безучастен, смотрел в пол и «ломал» пальцы. Даже когда начал говорить адвокат, Никита никак не отреагировал. Не поднял глаза. Жене хотелось рвануть к нему и прижать к себе. Мать крепко, до боли, держала ее руку. Но Жене было от этого легче. Физическая боль притупляла душевную.

В ту ночь, в первую ночь дома, Никита признался, что больше всего его потрясла не потеря всего – абсолютно всего, что у них было, не позор, не ужас предвариловки, а предательство того самого товарища.

– Переживем! – бодро сказала обессилевшая Женя. – Потерю денег и дома точно переживем. И то, что сделала та сволочь, тоже переживем. Просто перевернем страницу и начнем все сначала. Да, мой хороший? Забудем все эти ужасы и будем снова жить. Мы же все вместе, правда?

Никита странно посмотрел на нее и вяло кивнул.

Все были снова вместе. Без денег было сложно, но не смертельно. Продали новую машину и Женины оставшиеся украшения, подаренные мужем. Она, кстати, их почти не надевала.

Отнесли в ломбард Женину шубу и Никитины дорогие часы. Как-то еще продержались. Женя украдкой смотрела на мужа – кажется, искать работу он и не собирался. Первые полгода приходил в себя – это понятно. А дальше... Дальше он лег на диван и просто сложил на груди руки. Теперь это была его любимая поза.

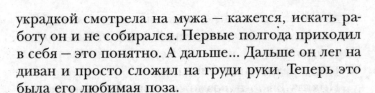

Сломался? Сломался – понимала она. И как же его поднять? Как заставить поверить, что жизнь не кончилась? Что они еще так молоды. Что впереди еще много всего. Что у них есть квартира, крыша над головой. Есть дочки. Родители.

У них есть любовь! Разве этого мало? Мало для того, чтобы жить?

Но вот «жить» он как раз и не хотел. А уж обсуждать их дальнейшую жизнь – тем более. Его главное слово теперь было – «отстань!». И еще «оставь меня в покое!».

И через полгода она его «оставила». Понимая, что бьется в закрытую дверь. Головой об стену. Ничего не получалось. Ни по-хорошему, ни по-плохому.

– Давай разводиться! – не выдержала она.

Он спокойно кивнул.

– Пожалуйста! Думаешь, ты меня напугала?

Мать тогда сказала:

– Не трогай его! Пусть придет в себя. А если нет, вот тогда и будешь решать. А пока пожалей. Ему ведь досталось...

Как странно – она могла оправдать его. И даже – пожалеть. Своего зятя. Которого, кстати, считала неудачником. А ее, свою дочь, никогда!

Ни оправдать, ни пожалеть.

Что там о материнском сердце? Ну-ка, ну-ка?

Пожалеть – да! Оправдать – разумеется! Только глаза у него стали... Холодные и чужие. Безразличные. Злые.

И все это совсем не оставляло надежд. И было так неуютно в их доме, так грустно. И даже немного страшно.

Последний шанс – врачи. Нашелся психотерапевт – по рекомендации, безусловно. Сначала Женя пошла к нему одна, без Никиты. Доктор оказался приятным мужчиной средних лет. Ухоженным, в прекрасном костюме, от него пахло приятным одеколоном. Женя тут же вспомнила небритого мужа в потрепанной майке и тренировочных штанах.

Специалист внимательно выслушал ее и кивнул.

– Да, вы по адресу. Разумеется, это диагноз. Наш диагноз. Депрессия – несомненно. Здесь даже не беседы главное, главное – препараты. Но, разумеется, я должен его увидеть. Он придет? – с сомнением спросил он.

– Я постараюсь, – промямлила Женя, сама не очень-то веря в успех.

– Попробуйте, – вздохнул врач, – это единственное, что вы можете для него сделать.

Ничего не вышло – к врачу он идти отказался. Категорически. Посоветовал «подлечиться самой».

Ничего не помогло: ни угрозы, ни уговоры, ни слезы. Ни мольбы спасти семью.

Решила тогда – надо жить своей жизнью. Только... как? Она этого совсем не умела! Устраивать жизнь при наличии больного и обозленного мужа? Злилась, плакала. Жалела. Его и себя. Вспоминала его слова: «А зачем ты меня оттуда вытаскивала?»

Вот тогда она и ушла в свои книги. На несколько часов погружалась в свои фантазии и забывала обо всем. Наверное, только это тогда ее и спасло.

А однажды позвонил этот самый доктор. Она растерялась и удивилась. Он спросил, как дела у супруга, внимательно выслушал, посетовал, посочувствовал и... предложил посидеть в кафе!

Женя что-то торопливо залепетала:

– Ой, даже не знаю... Совсем нет времени, я вам позже перезвоню, можно?

– Меня не надо бояться, я не кусаюсь, – рассмеялся он. – Просто... хочу вам помочь.

Чушь какая – о! Помочь? Да чем, господи? Душещипательной беседой? Как жить с мужем, страдающим депрессией? Посочувствовать ей, несчастной и бедной? Дать пару советов, как не сойти с ума?

А может, и вправду так? И она ему позвонила. Встретились через пару дней в центре. Зашли в кафе, заказали кофе и торт.

– Ешьте побольше сладкого, – улыбнулся он, – углеводы, знаете ли, поднимают настроение.

Сладкого ей не хотелось. И доктор в тот вечер показался ей уже не таким замечательным – теперь он был, на ее вкус, сладковатым, как тот самый торт, слегка назойливым и чрезмерно настойчивым:

– Может, в кино, а, милая Женя?

В кино тоже совсем не хотелось. Она попыталась поговорить о Никите, но он мягко ее прервал:

– Разве нет других тем, Женечка? В смысле – полегче и поприятней?

Она еле удрала тогда от этого «углевода». Вспоминать его было противно.

Рассказала подружке Нинке. Та пригвоздила:

– Ну ты и дура! Приличный мужик. Зовет в кино и в кафе. Развлеклась бы, пококетничала... Авось, и легче бы стало!

– Развлеклась? Когда в доме беда и болен муж?

– А ему нравится болеть и быть несчастным, – отрезала Нинка. – Издевается над тобой – и счастлив! Ни работать не надо, ни вылезать из говна. Ничего не надо – только лелеять свои страдания. А все тащишь ты! Ну и тащи дальше. И жалей своего инвалида. А ему, между прочим, совсем неплохо. И лечиться не хочет – значит, не так страдает.

Женя вздохнула и положила трубку. Нинка во многом права. Но это не ее муж, а Женин. И жалеть его будет она. Потому, что жена. Все просто.

Только иногда думала: «Господи! И сколько же все это будет продолжаться?» Нет, она готова терпеть. Но он же должен ей как-то помочь!

И снова бесконечные разговоры: «Я одна не справляюсь, Никита! Не жалеешь себя, пожалей хотя бы меня!»

Наконец согласился. Идти к «углеводу» совсем не хотелось. Стала искать другого врача. Нашла. Симпатичная пожилая тетка. Милая, интеллигентная, доброжелательная. Женя ездила с Никитой к ней на Арбат. Во время беседы моталась по улице – в ее присутствии муж беседовать отказался. Ну и ладно! Лишь бы ему помогло. Выходил мрачный. Разговаривать не желал. И она тоже молчала. Только иногда предлагала зайти посидеть в кафе. Он не отвечал и лишь ускорял шаг – к метро.

А однажды – была середина апреля, солнечный день, чирикали воробьи, плескаясь в растаявших лужах, – сам предложил посидеть. Зашли в кофейню. Он выпил две чашки эспрессо, и ей показалось, что он впервые сделал это с большим удовольствием.

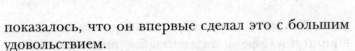

Потом прошлись до «Смоленской» и даже о чем-то болтали. Жене тогда показалось, что все, слава богу, налаживается.

Но... Очень скоро пыл его поостыл, к докторице он ходить отказался и снова засел в кабинете – газеты, приемник, компьютер. Снова был хмур, избегал общения и от любого Жениного предложения отказывался.

Она тогда съездила к милой докторше на Арбат, и та ей сказала то, что расстроило ее окончательно.

– Ему, – сказала докторша, – там хорошо. Очень комфортно в своей болезни. И взятки гладки. Его все устраивает. Ему нравится казаться больным и ни за что не отвечать. Он к этому уже привык. И боится начинать все сначала, идти на работу, словом, включаться в обычную жизнь. Ничего не поделаешь – это его выбор! А ваш... Ну, ваш выбор за вами! – она тяжело вздохнула.

Подумайте, нужен ли вам такой муж? И есть ли что-то такое, из-за чего вы готовы все это терпеть? И еще, – она довольно долго помолчала, – я вас понимаю. Приличному человеку всегда сложно сделать выбор – в смысле, в свою пользу. Приличный человек сначала думает о других. Ну, и еще общественное мнение, от которого мы так зависим. Укоры совести, жалость – что там еще? И все-таки. У вас всего одна жизнь. Подумайте об этом! Чтобы не пожалеть потом. Ведь есть же более легкие варианты, – она чуть покраснела и отвела взгляд, – устройство личной жизни, например... При всех прочих... при существующей ситуации, так сказать. Простите меня ради бога, не мне вас учить. Просто мне всегда жалко совестливых людей. Особенно женщин. Таким тяжелее всего.

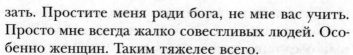

Она долго размышляла тогда над словами врачихи. Сердиться было глупо – она говорила искренне, хотя и не очень тактично. А как оставаться тактичной, давая такие советы? Да ладно, не в ней дело. Дело в самой себе. Именно ей надо ответить на несколько вопросов. Например, любит ли она своего мужа? Где кончается любовь и где начинается жалость? Что сильнее – жалость или злость на него? Где граница между его болезнью и эгоизмом? И что сильнее? Попросить его уйти или уйти самой? Выгнать его из дома – ну, это совсем бред! На это она не пойдет никогда. Уйти самой? Куда, интересно? К маме? Снять квартиру? Допустим, на однушку ей хватит. А девочки? Оставить их с Никитой? Глупость и снова бред. Никогда она так не сделает. Никогда. Значит, выхода нет? Так получается?

Получается так...

Игоря она встретила случайно – как это часто бывает. Или не часто. Толкалась на Ленинградском рынке – как всегда, бестолково. Кислая капуста, свиная грудинка. Яблоки для Дашки, мандарины Маруське. Да, еще творог, хорошо, вспомнила!..

Тащила свои котомки – только бы дойти до машины. Вдруг кто-то сзади подхватил эту тяжесть. Она обернулась. Севостьянов стоял и улыбался.

– Ку-ку, – сказал он, – здравствуй, Евгения!

– Ку-ку, – вздохнула она, – ну ты и шутник!

Игорь проводил Женю до машины, уложил сумки в багажник и предложил пообедать.

Доехали до ресторанчика с бизнес-ланчем – Севостьянов сказал, что там вполне достойно. Заказали обед и принялись болтать.

Игорь Севостьянов учился в параллельном. Умница, любимец девчонок и учителей. Хорошая семья, родители – врачи, сестра – переводчик. В десятом Игорь начал встречаться с Нинкой, Жениной подружкой. И Женя стала основным поверенным тайн влюбленных. Они часто ругались – строптивая Нинка и избалованный Игорь. А она, Женя, их пыталась мирить. Временами это получалось. После выпускного начались экзамены в институт. И очень скоро Севостьянов дал Нинке отставку. Ну, все было понятно – новое место и новые увлечения.

Нинка переживала недолго и на втором курсе выскочила замуж. И пусть брак продлился от силы три месяца, Нинка снова не горевала – такой был счастливый характер. Про Севостьянова знали немного – вроде тоже довольно быстро женился, родился ребенок, ну, пожалуй, и все.

Севостьянов был словоохотлив и оживлен. Рассказал, что в первом браке отношения не сложились и они с женой довольно быстро расстались. Через пару лет окольцевался вновь, и снова, увы, не сложилось. Теперь в ЗАГС ни ногой, даже под дулом ружья. Баб, конечно, полно, но ничего серьезного. С сыном не общается – там другая семья и бывшая против. Не то чтобы страдает от этого – к сыну привыкнуть не успел, но... приятного мало. Сказал, что есть бизнес, будешь смеяться – магазины дамского белья. Элитные, между прочим.

– Могу сделать скидку, – смеялся он.

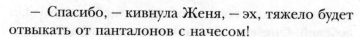

– Спасибо, – кивнула Женя, – эх, тяжело будет отвыкать от панталонов с начесом!

Посмеялись.

Спросил про Нинку, Женя сказала, что все хорошо. Хотя это было сильным преувеличением. Но не рассказывать же о проблемах подруги. Тем более ее бывшему возлюбленному. Потом долго пили кофе, и когда Женя, взглянув на часы, заторопилась, Севостьянов предложил «знакомство продолжить».

– Зачем? – вырвалось у нее.

Он в голос расхохотался.

– Ты, мать, как была, так и осталась!

– В смысле – дурочка? – уточнила Женя.

– В смысле – прелесть! – покачал головой Севостьянов.

– Пóшло, – отрезала Женя, – теряешь хватку!

И все же телефонами обменялись.

Она забыла о нем в тот же вечер. А назавтра он позвонил. Чем очень, надо сказать, ее удивил. Пригласил в «Современник». Она согласилась, убеждая себя, что это вовсе не то. Старый, школьный приятель. Лишний билетик, дама его пойти не смогла.

После спектакля прошлись по Чистым прудам, посидели на лавочке, поели мороженого. Снова трепались о жизни. Возле берега кружили два белых лебедя, выгнув прекрасные шеи, нежно курлыкали и толкались оранжевыми клювами.

А потом... Потом он ее поцеловал. Она так растерялась, что даже забыла вырваться. И сердце заныло так сладко, что ей стало совсем не по себе.

– Севостьянов, – хрипло сказала она, – никому все это не нужно. Ни мне, ни тебе. И пожалуйста, не порть этот замечательный вечер и не смущай лебедей. Они птицы верные, боюсь, не поймут.

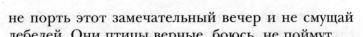

– А ты? – спросил он. – Ты? Птица верная?

– Более чем, – тяжело вздохнула она, – больше, чем надо.

– Кому? – спросил он. – Мне, например, очень надо!

– Не трепись, – улыбнулась она, – и поймай мне такси.

Он звонил еще пару недель, но она не брала трубку. Пару раз рука к трубке тянулась, но... Выдержки, слава богу, хватило.

Только потом она часто думала: «А может, вовсе не слава богу? Может, просто трусиха? Больше трусиха, чем верная жена?»

А потом звонки прекратились, и она стала забывать Севостьянова.

Только подумала пару раз – да нет, все правильно! Куда ей «в роман»? С Маруськой проблемы, с Никитой засада, как говорит старшая дочь. Работа не ждет. Какие свидания, какие романы?

На это бы все хватило бы сил! Или? Или... Если бы получилось? Сил бы хватило на все?

Ответа не было. Потому что не было опыта. Совсем.

Влюбленности, разумеется, были. Абсолютно детские, школьные. Ну, пару раз поцеловались в подъезде, написали друг другу записки с заверениями в вечной любви и – все. О каком опыте может идти речь, если в восемнадцать она встретила Никиту? Если честно, мысли тогда были всякие. И о разводе, и о какой-то побочной связи. Ну чтобы хоть как-то, хоть на время выскочить из ситуации. Просто дать себе передышку. И злость на мужа была – ладно бы дело было только в болезни! Нет ведь – он намеренно загонял себя и ее! Намеренно выбрал путь «страданий» и тащил ее за собой. Обидно, грустно и больно. И еще поняла: уйти от него она не может. Пока точно не может. Жалось побеждала злость и раздражение. А девчонки? Ладно, Маруське по барабану. А Дашка? Она отца обожает и очень жалеет. Да Женя и не рассказывала ей всей правды – да, болезнь. Вследствие пережитого стресса. И как она объяснит свой уход? Бросить больного человека? С которым прожита жизнь? Какой пример она подаст дочерям? Нет, невозможно! Решительно невозможно. И тогда нашелся выход. Она начала писать книжки. Чтобы спрятаться, укрыться, отключиться, наконец.

И вот чудеса! – получилось.

Маруська однажды выдала:

– Ага, молодец! Ты, мам, тяжеловоз да и только. Тащишь все на себе и не рыпаешься. А он, – она кивнула на дверь кабинета, – а он и доволен. Теперь совсем расслабится. И не говори, ради бога, что он болен ужасно и неизлечимо. Лично я все равно не поверю.

Женя стала тогда оправдываться, лепетать что-то о чувстве долга, о прожитой жизни.

Маруська смотрела на нее с усмешкой.

– Ну да! Чувство долга! У тебя – да, а у него – нет. А про прожитую жизнь, мамочка... Так она у тебя еще впереди.

Женя махнула рукой и разговор прекратила.

А под Новый год Маруська из дома ушла. Виноват был, конечно, Никита. Но и она, Маруська, тоже была хороша. Он чем-то задел ее, вроде пустяк, а она начала отвечать. Женя выскочила в коридор и принялась их разнимать. Тщетно – орали в два голоса, один пуще другого. И Маруська выдала:

– Ездишь на мамином хребте и радуешься! А еще мужик!

Никита дернулся, побледнел, лицо его исказилось страшной гримасой. У Жени упало сердце – ей показалось, что сейчас случится что-то ужасное, страшное, и Никита выплюнет их тайну Маруське.

– Никита! – закричала она. – Замолчи, умоляю!

Муж посмотрел на нее и закрыл дверь в кабинет. А Маруська, рыдая, схватила куртку и хлопнула входной дверью.

Тот еще был праздничек! Никита так и не вышел, Дашка рыдала, а Женя сидела, словно заледеневшая.

Маруськин телефон не отвечал. Почти неделю. Женя обзванивала ее подруг, искала телефоны Маруськиных ухажеров, караулила ее возле института.

Узнала, что в институт она не ходит почти два месяца, сессию сдавать ей не дадут и вообще готов приказ об отчислении.

– Ну, – спросил как-то вечером муж, – и кто из нас был тогда прав? Вот теперь и расхлебывай!

Как в этот момент она его ненавидела! Просто захлебывалась от ненависти.

– Ты же вырастил этого ребенка! – кричала она. – Неужели у тебя ничего нет в сердце? Даже обычного, человеческого волнения? Просто беспокойства за человеческую жизнь? Удивительное бездушие, просто пугающее!

Он пожал плечами и мотнул головой.

– Не-а! Поволнуешься ты – у тебя это отлично

получается. Да, вырастил! Только вот полюбить так и не смог. Извини. И что – теперь я преступник?

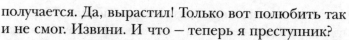

– Ты не преступник, – закричала Женя, – ты хуже! Ты просто законченная сволочь. Вот кто ты такой! И еще – аферист. Выдумал себе страдания и упиваешься! А как живется всем нам – тебе наплевать. Даже на Дашку наплевать. Ты не заметил, что она редко бывает дома? Они сбегают от тебя, понимаешь? Только мне сбежать некуда. Вот что обидно. И я тебе не жена – вот с этого дня. Запомнил число?

Боже, как она потом жалела об этих словах! Как страдала! Надо было заткнуться, выйти из комнаты, хлопнуть дверью. Да что угодно – только не такие слова. После этого ничего уже не поправить. Ничего. И что делать дальше? Как жить в одной квартире, как дышать одним воздухом? Как вообще жить?

Он уйдет. Разумеется, он уйдет! Куда? Да какая разница! Уйдет, потому что совместная жизнь – даже такая колченогая, которой живут они, – невозможна. После этих слов невозможна.

Всю ночь она прислушивалась, не хлопнет ли входная дверь. Не хлопнула. Ни ночью, ни утром, ни вечером. Он не ушел и назавтра. То есть не ушел вообще!

И это означало только одно – ему действительно на все наплевать. Ничего не нужно. Кроме собственных привычек и собственных удобств. У него больше нет гордости и нет обид. Ему все равно.

У него нет ничего – только кушетка в кабинете, ноутбук и книжки.

А ему, между прочим, всего сорок шесть. Всего на три года больше, чем Жене.

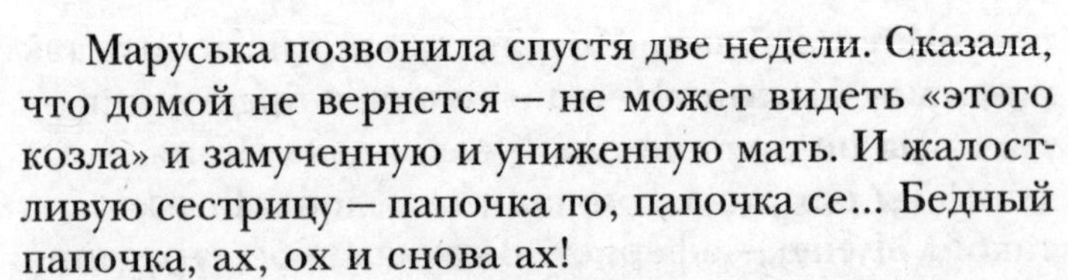

Маруська позвонила спустя две недели. Сказала, что домой не вернется – не может видеть «этого козла» и замученную и униженную мать. И жалостливую сестрицу – папочка то, папочка се... Бедный папочка, ах, ох и снова ах!

Сказала, что с ней, с Женей, готова встречаться на нейтральной территории. Где угодно. Институт да, бросила. Потому что неинтересно. Потому что не хочет всю жизнь заниматься технологией рыбного производства. Устроилась на работу – в кафе официанткой. Сняла комнату вместе с подружкой. Передохнет, подумает и решит, как строить дальнейшую жизнь, чтобы не быть загнанной лошадью, мама. Ты меня поняла? Да, мам! Привези, пожалуйста, мой синий свитерок с мышками, да, и красный с узорами. И еще джинсы, кроссовки и желтый рюкзак. Хорошо? Только ему не говори, где я. И что у меня все хорошо.

С мужем она теперь общалась через Дашку. Обедал он один, после них. Сталкивались иногда в коридоре или на пороге кухни или ванной. Оба опускали глаза. Смотреть друг на друга было невыносимо.

Женя брала ноутбук и ехала работать к матери. Пройдешься по парку от метро, съешь эскимо – все глоток свежего воздуха и перемена обстановки. Иногда ходила в кино и встречалась раз в неделю с Маруськой. Маруська была жизнью довольна – щебетала, какое это счастье – свобода! «Ты, мам, не поймешь! – грустно вздыхала она. – Ты у нас раб. Раб своего положения. И узник совести!»

Говорила, что работа нелегкая – попробуй целый день на ногах! Но все равно здорово. А об институте и вспоминать не хочется – бр-р!

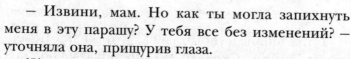

– Извини, мам. Но как ты могла запихнуть меня в эту парашу? У тебя все без изменений? – уточняла она, прищурив глаза.

Женя пожимала плечами и смущалась.

– А что ты хотела услышать? Что я развелась или удавила его подушкой?

– Вариант, – кивала Маруська, – только это не для тебя. Ты же у нас порядочная!

– В твоих устах это звучит как недостаток, – грустно улыбалась Женя.

– А так и есть, – кивала Маруська, – недостаток твоего воспитания и поколения – думать о других больше, чем о себе. Разве нет?

Дашка дома почти не бывала, у нее был роман. А когда бывала, не выпускала из рук телефона – как маньяк – и часами строчила эсэмэски.

Женя тревожно вглядывалась в лицо дочери – застывшие, полубезумные, встревоженные глаза. Вздрагивает от каждого звонка. То смеется, то плачет. В общем, черт разберет.

И это счастье? Это любовь? Ну, тогда извините...

Спустя примерно полгода или чуть больше разговаривать они начали. Ну, невозможно же жить в одной квартире и совсем не общаться! Перебрасывались пустыми бытовыми фразами – так, ни о чем. Даже ужинали порою вместе. Только вот... По большому счету так и ничего не изменилось.

Как была на сердце тоска, так и осталась... Тоска, сожаление, разочарование, боль. Одиночество. Только и спасалась за ноутбуком – выдумывала свои «сказочки» про счастливую любовь и – утешалась... Идиотка.

* * *

Тогда впервые показалось, что жизнь повернулась лицом. Сколько можно показывать задницу? Тогда, после той встречи в Питере. После прогулки по Неве, шампанского, тихой музыки Вивальди. Его объятий и поцелуев. После всего, что тогда было. И все это, надо сказать, было прекрасно.

То, что он богат, было ясно, собственно, сразу. «Барские замашки», – смеялась она. Если букет, то невообразимый, огромный – штук двести роз или триста тюльпанов. Или сирень – корзина среди зимы. Если конфеты, то тоже «ничего себе» – плетеная шкатулка разноцветного швейцарского шоколада. Или короб, обтянутый атласом и украшенный ее инициалами, – именной заказ на «Красном Октябре». Шубы – сразу две, господи! «Чего мелочиться? – удивился ее реакции он. – Я же не знал, какая тебе понравится – серая или черная». Кольцо – обязательно в комплекте с браслетом или с подвеской. Путешествие – конечно же, на экзотические острова, да еще и на частном самолете: «Одолжил у друга».

Сказка, мечта, фантазия, невозможность поверить в происходящее, прекрасный девический сон или сладкий болезненный бред...

Потом она ломала голову: как она так попалась? Попалась, как в сети – ни выбраться, ни очнуться. Влюбилась? Как влюбляются в восемнадцать? Смешно! Уж с ее-то жизненным опытом, с ее-то ошибками! Купилась? А что? Кто бы устоял, спрашивается? Но влюбилась ведь не в урода, колченогого, старого и слюнявого, – влюбилась в красавца, да еще какого! Знала про него немного, пунктиром – образование среднее: «На высшее не потянул, ну, и? Проиграл? Да ничуть!» – здесь он смеялся.

Был женат – один раз, в далекой молодости. В той семье остался сын – ему, разумеется, помогает, но бывшую не простил – выгнала его, жестко и обидно бросив в лицо: «Как был нищетой, так и останешься!»

Родом был из Сибири, там и проживала его бывшая вместе с сыном. Кроме ежемесячных переводов, общения не было – жена давно вышла замуж, сына растил другой человек, да и вообще: «Не лезь в нашу жизнь! И деньги твои поганые нам не нужны!»

«Дура, – комментировал он, – как была идиоткой, так и осталась». В К. остался отец – мать умерла. Но и с отцом отношений не было – не мог простить ему ухода из семьи и раннюю мамину смерть.

Потом и отец умер.

Однажды честно признался:

– Баб было не море – океан. Но... сама понимаешь, какие это были бабы!

Она пожала плечами.

– Не понимаю. А какие?

Он посмотрел на нее и вздохнул.

– Дворняжки! Стало понятней?

– А почему? – удивилась она.

– Так было проще, – жестко отрезал он, – они свое место знали и на большее не рассчитывали. Пояснил?

Она кивнула. Понять поняла, но удивилась. Странно, когда красивый, умный и успешный му-

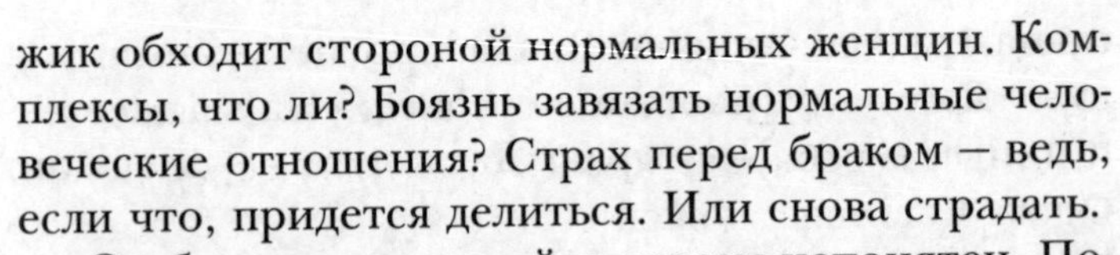

жик обходит стороной нормальных женщин. Комплексы, что ли? Боязнь завязать нормальные человеческие отношения? Страх перед браком – ведь, если что, придется делиться. Или снова страдать.

Он был и понятен ей и совсем непонятен. Понятно было – провинциал с амбициями. Не дурак, это видно. Несомненно, везунчик. Человек жесткий и не слишком сентиментальный. С большой раной в душе – измена жены, пьющий отец, смерть матери.

Все так. Вроде бы ясно. Но... Иногда, когда она лежала с ним в одной постели и слушала его спокойное и ровное дыхание, ее вдруг пронзала дикая мысль, что она ничего не знает об этом человеке и еще меньше его понимает. Почему она это чувствовала? Казалось бы, он все про себя рассказал. А если и нет – так это его право. Всего про себя она ведь тоже не рассказала. Ни про Аристархова, ни про скотское пьянство оператора. Ни про «закидоны» Терлецкого.

У каждого свои секреты, в этом нет ничего необычного. И все-таки... Какое-то смутное беспокойство, какая-то тревога, предчувствие, что ли... Только чего? Ведь не боялась же она его, ну, это совсем бред!

Он был сдержанно-ласков, понятно, человек бизнеса, нюни там не задерживаются. Щедр до сумасбродства. А иногда – вот чудеса! – начинал считать копейки. Правда, потом смущался: «Это у меня в подсознании, Аль. Комплекс голодного».

Обладал сумасшедшей интуицией, и по поводу ее работы тоже. Был внимателен и с Саввушкой, утешая ее, что парень перерастет, и болезни «отвалятся»: «Знаешь, какой я был хлюпик? И на, посмотри!» – Он начинал поигрывать мускулами. Про Лидочку говорил: «Не психуй! Подрастет и придет в себя, все наладится». Звал ее, Лидочку, в дом. Саввушка пошел в элитную школу. В общем, жаль, бабушка до всего этого не дожила. Вот кто за Алю порадовался бы!

Ну а Алина жизнь... Да что говорить! Огромный загородный дом, новая машина, салоны и парикмахерские, массажисты и личный тренер по фитнесу. Хочешь работать? Пожалуйста! Только вот всеядной быть не нужно – выбирай то, что нравится. От всего получай удовольствие.

Сказка? Да кто бы спорил! И Аля влюблена, и ее любят. Какие сомнения? Зачем она ему, если не для любви? Той, что не купишь за деньги. Потому что за деньги такие, как Аля, не любят, это же ясно, как дважды два.

Бывший муженек Терлецкий – на правах, так сказать, близкого друга – переживал.

– Странный человек, – говорил он. – Непонятный. И такое богатство! Разве заработаешь его честно? Как говорится, с трудов праведных не наживешь палат каменных! Алька, милая! Ты бы от него подальше. Что у них на уме? Ни за что не догадаешься.

– У кого – у них? – злилась Аля. – Ты безнадежно отстал. Сколько актрис замужем за богатыми людьми? В том числе за олигархами и чиновниками. А мой далеко не олигарх, и слава богу, не чиновник!

Терлецкий разводил руками и качал головой.

– Ну, не знаю, не знаю... Тебе, конечно, виднее...

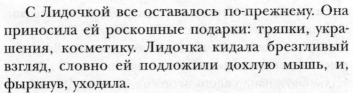

С Лидочкой все оставалось по-прежнему. Она приносила ей роскошные подарки: тряпки, украшения, косметику. Лидочка кидала брезгливый взгляд, словно ей подложили дохлую мышь, и, фыркнув, уходила.

Терлецкий вздыхал и молча разводил руками.

«Непробиваема, – думала Аля, – и в кого такое упрямство? Просто баран, а не девка!»

Саввушка учился неважно, подолгу болел и слишком увлекался компьютером. Типичный современный подросток – зароется у себя в комнате перед экраном с пакетом чипсов, – и все по барабану, лишь бы не трогали.

Однажды спросила мужа:

– Герасимов, а ты занимаешься... легальным бизнесом?

Он посмотрел на нее с удивлением.

– Ты что, милая? Сейчас ведь не девяностые! Сейчас весь бизнес легальный.

– А в девяностые? – тихо спросила она.

– А в девяностые, Аля, он был нелегальный! – жестко ответил он. – Еще вопросы?

Она покачала головой.

– Значит, сомнения, – усмехнулся он, – тебя что-то тревожит?

– А почему ты женился на мне? По любви? – неожиданно для себя самой спросила она.

Он снова усмехнулся.

– По мозгам, Алечка! Всегда хотел иметь статусную жену из творческой среды – балерину, актрису, певицу. Красивую, умную, из семьи с историей. Тебя это удивляет?

– И тут попалась я, – кивнула головой Аля, –

что ж, понимаю. Прошла, так сказать, кастинг. По всем пунктам. Полное соответствие. Да?

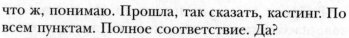

— Да, — спокойно кивнул он, — полное. Тебя это огорчает? Или, может быть, оскорбляет?

Она мотнула головой.

— Что ты, как можно! Такая честь!

— Зря иронизируешь. Я же не из тех идиотов, что женятся на сикушках с накачанными губами и непомерными амбициями. Вот это и называется — по мозгам. А плюс к такому неоскорбительному, на мой взгляд, расчету, в тебя вполне можно влюбиться. Или в это трудно поверить?

Она отвернулась к стене. Почему-то стало... обидно, что ли? Потом себя успокаивала — сказал правду, за это обида? Чем лучше враль Терлецкий или подонок Аристархов? Чем лучше «гений» и пьяница Роговой? Чем лучше все те, кого она встречала на своем пути? Что ж, спасибо за правду. Какой бы неприятной она ни была. Нет, не так — как бы неприятно ни было слышать про его расчетливый и «грамотный» выбор.

А она? Она сама? Вышла бы за него замуж, если бы он был беден как церковная мышь? Неудачлив в делах, уродлив, скуп?

Вот именно, Аля! Так что заткни свою гордость и свое самолюбие. Ничем тебя не оскорбили, ничем. А что не понравилась форма — так извини. У каждого она своя, что поделать!

Впервые она не думала о деньгах — ну, разумеется. Впервые чувствовала себя защищенной. Впервые не надо было волноваться о завтрашнем дне. Впервые она не хваталась за любую работу, а внимательно читала присланные сценарии и позволяла себе подолгу раздумывать.

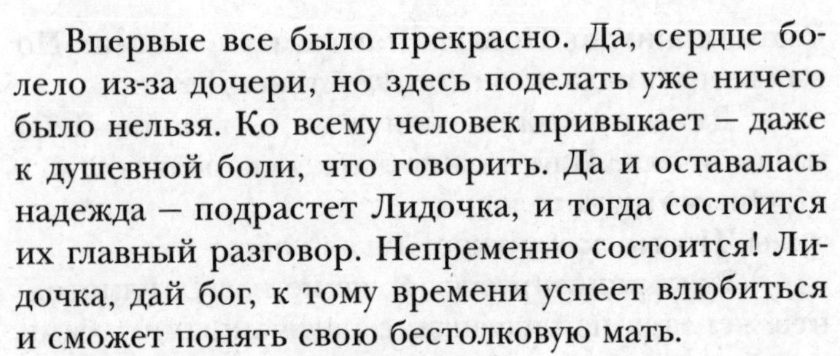

Впервые все было прекрасно. Да, сердце болело из-за дочери, но здесь поделать уже ничего было нельзя. Ко всему человек привыкает – даже к душевной боли, что говорить. Да и оставалась надежда – подрастет Лидочка, и тогда состоится их главный разговор. Непременно состоится! Лидочка, дай бог, к тому времени успеет влюбиться и сможет понять свою бестолковую мать.

Да, все было прекрасно. До одного дня, до одной догадки, до одной улики.

Герасимов уезжал часто и надолго – бизнес в родном К., к тому же появились еще большие амбиции: теперь захотелось власти. И Герасимов решил баллотироваться в местные органы власти.

Она не понимала, зачем ему это нужно. Ведь... когда есть все, можно жить и радоваться? Путешествовать, коллекционировать что-либо. Любить друг друга. Заниматься благотворительностью, наконец! Просто жить. В свое удовольствие.

Он только усмехнулся тогда.

– Тебе, Алька, этого не понять.

И снова в дорогу. И снова надолго.

– Старость меня дома не застанет! – нарочито бодро напевал муженек.

Скучала, но понимала – есть в этом и своя прелесть, несомненно есть! Отдохнуть друг от друга, успеть соскучиться. Да и дело для мужчины превыше всего. Она же не сопливая идиотка, требующая постоянного присутствия мужа. К тому же сама человек работающий.

И в тот раз он уехал. Снова в К. Тогда он начинал свою рекламную кампанию. Уезжал надолго.

Она была недовольна и снова спрашивала, зачем ему все это надо. Он отвечал без тени юмора:

– Деньги, Алька, уже заработаны. Хватит и нам, и нашим внукам. Про бизнес все знаю. Все почти уже неинтересно. А там – новые перспективы. Новые возможности.

– Возможности заработать еще больше денег? – с иронией спрашивала она.

Он отвечал серьезно:

– Не в деньгах дело. Хочу сделать что-то хорошее, веришь? Например, для своего родного края. И потом – власть это неограниченные возможности. Решение многих и сложных проблем.

– Личного характера? – ухмылялась она.

Он пожал плечами.

– Ну, не только. Для края, для города. Для людей! Странно, что ты, моя жена, мне совершенно не веришь.

Теперь он торчал в К. больше, чем в столице. Виделись они примерно раз в два-три месяца.

А потом... Потом раздался звонок.

– Кто? Да какая вам разница? Просто хочу вам открыть глаза. Вы что же, думаете, что он там один? Столько времени и один? Красивый, молодой, здоровый и богатый? Да у него там любовница. Молодая и с сыном. Чудный мальчик, три годика, кудряшки, зовут Димочкой. Не знали? Так вот, знайте. И бабенка та молода и красива. Гораздо моложе, чем вы, дорогая. Нет, ничего личного. Кроме искреннего сожаления, что вас обманывают. Такую достойную женщину, известную и любимую всеми актрису. Просто предупреждение. Кто предупрежден, тот вооружен, знаете ли. Будьте внимательней и осторожней. Реальная угроза вашей семье. И кстати, вашему благополучию, не так ли, моя дорогая?

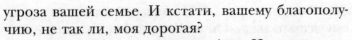

– Сволочь! – прошипела Аля. Но ее уже не слышали – в трубке монотонно звучали гудки.

Так, в ступоре, просидела до самого вечера. Когда очнулась, за окном было темно. Вспомнилось все и сразу – долгие отлучки Сергея, одинокий Новый год: «Милая, погода нелетная, придется встретить чертов праздник в аэропорту, ох как неохота! Как я хочу к тебе, Алька!»

Прошлым летом вдруг ни с того ни с сего – срочная встреча на Кипре. Нет, конечно, возможно – на Кипре офшоры, это известно каждой жене бизнесмена. Только вот... Встреча эта почему-то растянулась почти на две недели. А в августе, когда они собрались в Испанию, от поездки вдруг отказался: «Снова дела, что поделать. Ну, не плачь ты! Да, мечтали. Все понимаю – но... Дело важнее всего, ты уж прости, дорогая!»

Слезы утерла и в Мадрид отправилась одна.

Господи, какая же дура! Столько звоночков, а она... Ни сном ни духом!

Потом, когда в голове сложился печальный пазл, стала думать – а как вообще все это возможно? Нет, она все понимает! Мужики полигамны, он достаточно молод, крепок и жизнелюбив. Здоров, богат. И все же... Ведь он любит ее. Любит, безусловно любит! Такой, как он, вряд ли бы притворялся. И их супружеская жизнь – вот ведь чудеса! Не заметила (ну ни разу!), чтобы она ему была неприятна, чтобы хоть раз он отодвинулся от нее, отмахнулся, укрылся от ее поцелуев и ласк.

Она зажгла свет и подошла к зеркалу. Придирчиво, внимательно рассматривала себя – с левого боку, с правого. Фас, профиль. Сняла халат и осталась в одних трусах. Снова медленно поворачивалась у зеркала. Все нормально. Нет, правда, все хорошо. И даже отлично для ее сорока. Для ее сорока двух. Хо-ро-шо! Она еще очень красива, очень стройна. Очень ухожена. На нее оборачиваются на улице. Она ловит восхищенные взгляды мужчин и завистливые – женщин. У нее прекрасная кожа, хорошие волосы, стройные ноги. Грудь – вовсе не женщины, рожавшей два раза. У нее самый возраст. Возраст зрелости, знаний, опыта. Возраст любви.

А он... Он заводит какую-то бабу, та рожает ему ребенка. Он встречает с ними праздники, ездит на море, покупает квартиру. Спит с ней. Целует их общего ребенка. Радуется его первым шагам и первым словам. Вот, значит, как!

Она побежала в его кабинет и стала судорожно рыться в ящиках письменного стола. Один ящик был закрыт на ключ. Она взяла кухонный нож и ящик открыла. Ничего особенного – деловые бумаги и только.

«Сейф!» – осенило ее. Нашла ключ от сейфа. Открыла. Наличные деньги, две пары дорогих часов, какие-то акции. И снова никаких следов. Может, это вообще чушь? Звонок недоброжелателя, конкурента? Какой-то бывшей бабы?

Хорошо бы поверить в это и все поскорее забыть. Не думать, не вспоминать. Не сопоставлять дурацкие факты. Забыть – и все. Сколько женщин убедили бы себя именно в этом. Но не она. Не может она сделать «вид» – характер не тот. Ей лучше знать. Знать правду, пусть самую мерзкую и самую горькую. Правду. Потому, что без этой правды она просто не сможет жить дальше.

И не сможет принять решение. Она на секунду задумалась: а так ли это нужно? Знать? Ведь за этим последует... То есть должно последовать. Нет! «Надо», – решила. А там – там посмотрим.

И она решилась на отчаянный поступок. Просто взяла билет в К. По приезде сняла номер в скромной гостинице. Почитала местную прессу. Про Сергея Герасимова было написано много – и земляк, и простой русский мужик. Поднялся из самых низов, работал как вол – словом, что называется, сделал себя сам. Курирует детский дом под К. Сделал там отличный ремонт, завез компьютеры и телевизоры, дает дотации на питание и фрукты. За что ему огромный респект. Помогает также дому престарелых – тоже дотации плюс новое оборудование для столовой. Вложился в детский парк в центре города – качели-карусели, аттракционы. Дал денег на ремонт местному музею. Словом, чудо, а не человек. Просто добрый гений какой-то! И как без него раньше жили? На его предприятии работает уйма народу и все просто счастливы – бесплатная столовая, выездной лагерь и детсад для детей сотрудников. Амбулатория. Строится храм на деньги Герасимова. Просто отец народов! Благодетель!

А вот газетка оппозиционная. Журналистка со звучной фамилией Благонравова – а так ли хорош народный избранник? Так ли открыт, так ли честен? Как начинал он свой бизнес? А происхождение первичного капитала? А личная жизнь? Так ли все безоблачно там? Все знают, что жена Герасимова – известная столичная актриса Ольшанская. Это-то знают все! А вот про остальное... знает только ближайшее окружение. И ЭТО тщательно все скрывают!

Что «это», не уточнялось.

Аля набрала телефон газетенки. Корреспондент Благонравова? Да, была. Но уволилась. По семейным, так сказать, обстоятельствам. Телефон? Да что вы, милая! Кому он нужен, ее телефон? Все про нее давно забыли – тоже мне, птица!

Аля поехала по адресу газетенки. Остановила молодую девушку, курящую под пластиковым козырьком на крыльце. Та узнала Алю и все не могла поверить своим глазам:

– Вы? Тут? На гастролях?

Глазами хлопала, ладошками хлопала, но телефон Благонравовой дала. Сказала, что Ленка в деревне, у мамы.

Благонравова трубку взяла и, пару минут посомневавшись, согласилась на встречу.

Встретились в кафе на окраине города. Корреспондентка не верила своим глазам:

– Вы? Обалдеть! Какими судьбами?

Аля положила на стол пятитысячную купюру.

– Информация и адрес, – жестко сказала она, – все, что вы знаете!

Та тяжело вздохнула, купюру взяла и, наконец, заговорила.

Да, есть местная семья – любовница (или гражданская жена?) и трехлетний сын Дима. Местная красавица, победительница районного конкурса красоты. Зовут Ангелина. Занимается благотворительностью и поет народные песни. В городе ее любят – вроде тетка не вредная и сердобольная. К тому же набожная. Стоит на службе в платочке, рядом, за ручку, сынок. Поет в церковном хоре. Живет с сыном в загородном доме. Водит машину. Белый «Мерседес», кстати...

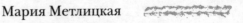

– А он? – резко спросила Аля. – Он живет вместе с ними?

Благонравова пожала плечами.

– Ну, я же за ним не следила! В городе его любят, – вздохнула она, – а ее, Ангелину, жалеют.

– Угу, – бросила Аля, – в хоре, значит, поет. Набожная. При этом с чужим мужем спит и детей от него рожает!

Благонравова вздохнула и развела руками.

– Как мне ее увидеть? – спросила Аля.

– Да хоть сегодня, на вечерней службе. Она не пропускает. Храм на Кирочной улице.

– А как узнаю, что это – она?

– Узнаете! – засмеялась Благонравова. – Сразу узнаете! Белая коса из-под косынки ниже пояса. Я же вам говорю – поет народные песни!

– Народница, – усмехнулась Аля, – эх, ей бы еще и вашу фамилию. К такому подходящему имени... Благонравова Ангелина. И сразу – в рай. На белом «Мерседесе».

Благонравова виновато улыбнулась.

– А может, не надо? Подумайте! Вам же... есть что терять! – смущенно сказала она.

– Ему, кстати, тоже, – откликнулась Аля, – или вы сомневаетесь?

Благонравова отчаянно замотала головой.

– Да, вот еще... А почему вы уволились? – поинтересовалась Аля.

– Вам объяснить? – усмехнулась та. – Или не надо? Просто сказали – исчезни. Сгинь, а то будет хуже.

И на глаза корреспондентки навернулись слезы.

Аля вернулась в гостиницу, выпила чаю и легла на кровать. А ведь права эта девочка! Ей есть что терять. Может, не стоит ворошить муравьиную кучу? Может, все это лишнее, зря? Вернуться в Москву, уйти с головой в работу, зажить прежней жизнью, словно ничего не случилось? Закрыть глаза и... продолжать ездить в Парижи, Америки, на острова. Пользоваться прежними благами – а их, ой как немало! Развод – это снова сплетни. Снова проблемы. Головная боль – как жить дальше?

А как жить дальше, зная все это? Нет, не получится. Никак не получится. У нее не получится точно!

Она попыталась уснуть. Тщетно – какой там сон! Если вся твоя жизнь под угрозой!

Она зашла в церковь, когда молодой полноватый батюшка уже нараспев читал молитву.

Огляделась – кучка пресных старух, молодой мужчина с жидкой бородкой. Девушка, совсем подросток – в инвалидной коляске. Пожилая пара – умные, добрые и грустные лица. Она. Высокая, стройная, синий шелковый платок, из-под которого видна толстая, ниже пояса, светло-русая коса. Прямая спина, маленькая, изящная ножка.

Обошла сбоку – тонкий нос, пухлые губы. Глаза опущены, губы повторяют за батюшкой слова молитвы.

«Замаливает, – подумала Аля, – наделала делов, как говорила Валечка, и замаливает».

Молода, стройна, хороша собой. И это все? Достаточно, чтобы оттеснить ее, Алю? Известную актрису и законную жену? Обычная девочка – таких на пучки по пятнадцать копеек. Обычная! А вот она, Аля, совсем необычная. Умница, красавица, статусная жена. И что с того? Перепрыгнула тебя эта девочка с длинной косой. Легко перепрыгнула – на раз-два-три. Молодость!

Выходит, что так. Грустно выходит. Аля вышла на улицу и села на лавочку. В голове было звонко и пусто. Растерялась. Увидела ее и растерялась. И вот что странно – никакой злости нет. Вот совершенно никакой злости. На нее – нет. А вот на тебя есть, мой дорогой!

Вот и посмотрим, как выйдешь из ситуации. Даже интересно. Святой наш! Благодетель, меценат, человек чести. Доверенное лицо власти. Надежда народа. Сволочь последняя!

Посмотрим тебе в глаза. И послушаем праведные речи.

Только как-то грустно от всего этого... Грустно и нелепо. В который раз нелепо складывается ее, Алина, жизнь!

И почему так отчаянно не везет? Вот почему, а? И нет ответа...

Прижать к стенке – прижать так, чтобы не отвертелся. Руки на стол и – всю правду! Начистоту! Воззвать к совести, припугнуть. Шантажнуть, наконец! Испорчу твою предвыборную кампанию, зайка. Не полюбуешься видом из окна из губернаторского кабинета. А что, они такого боятся. Еще как боятся! Боятся слететь с тех вершин, на которые так долго карабкались. Пусть поваляется в ногах, пусть порыдает! Пусть будет каяться, захлебываясь честными слезами и густыми соплями, дескать, ошибся, с кем не бывает. Исправлюсь! Честное пионерское! Искуплю! Всей своей жизнью, любимая! Только поверь и прости!

А она – она с удовольствием будет смотреть на него, корчащегося у ее ног в предсмертных судо-

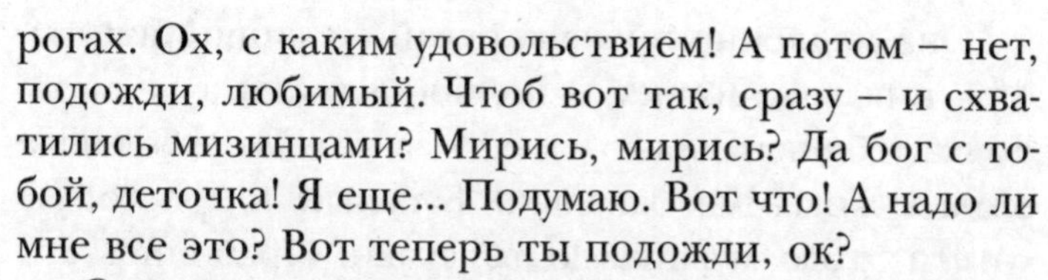

рогах. Ох, с каким удовольствием! А потом – нет, подожди, любимый. Чтоб вот так, сразу – и схватились мизинцами? Мирись, мирись? Да бог с тобой, деточка! Я еще... Подумаю. Вот что! А надо ли мне все это? Вот теперь ты подожди, ок?

Она знала – такие вот мачо, мать их, в подобные минуты сразу теряют лицо. Ах, посмотреть бы на него, жалкого... Вот уж удовольствие, право слово! Жалким она его ни разу не видела. Не везло.

Она снова подошла к зеркалу. Яркий холодный искусственный свет гостиничной люстры безжалостно обнажил все то, что путем чудодейственных и упорных трудов и ухищрений ей удавалось так успешно скрывать.

Она увидела далеко не юную женщину, бледную, почему-то отечную, с болезненно искривленным ртом и страдальческим взглядом усталых, поблекших глаз.

– Дурочка! – прошептала она. – Какая же ты, Алька, дурочка! Думаешь, победила? Вытянула счастливый билет? Тебе же положено! Кому, как не тебе? Ты же красавица. Умница. Талантливая. У тебя же такие родители, такие бабушка с дедушкой... Нет, правда. Кому, если не тебе? А что ты выиграла, Аля? Дырку от бублика? Шиш с маслом? Кукиш с солью?

Когда-нибудь же должно было тебе повезти? Правда ведь? Ну, чтобы по справедливости!

Нет, Алечка! Не должно. Кто тебе обещал? Бабушка с дедушкой? Папа? Мама покойная? Где написано, что будешь счастливой? На каких свитках, пергаментах, в каких скрижалях обещано?

Где, кроме твоего наивного и глупого сердца? И веры дурацкой? Когда-нибудь, непременно...

Она медленно провела рукой по лицу. Мать ты, Аля, никакая. Точнее – полное дерьмо, а не мать. Дочка тебя ненавидит – и есть за что. Ты променяла ее на мужика. Как банально! Банально и просто. Ты хотела этого мужика до трясучки. Нравились его крупные сильные руки. Красивый затылок. Темные, как кофейные зерна, соски. Голос его нравился – глуховатый, хриплый. Казалось, страшно волнующий. Запах его – ох как нравился! Нравилось засыпать у него на плече и слушать его дыхание. Все! Нет, не так – ты убедила себя, что он – талант! Просто огромный талант. Из тех, кому ничего при жизни. Все только потом. Себя убеждала, его... А все не совсем, Аля, так... Хотя какая теперь-то разница? Ты быстро «выспалась» у него на плече. Очень быстро. Только вот сына успела родить и еще – бросить родную дочь. Для того, чтобы «выспаться». Саввушку, сына от любимого человека, бросила на стариков. Они все везли, как могли. А могли уже как-то не очень. Мамину квартиру потеряла. Бабулину у тебя отобрали. Терлецкий, бывший муж и дружок, ну, это – вообще, обхохочешься. Сменил ориентацию, господи боже мой! Дочка продолжает ее презирать и ненавидеть. Саввушка – недовольный кивок в ее сторону и снова в экран. Кто она сейчас? Актриса? Да, безусловно. Успешная? Да, вроде бы так. Только... это как посмотреть. Не стала она той актрисой, о которой мечталось. Не стала. Уж себе-то в этом признаться можно? И даже нужно! Она неплохая сериальная актрисулька. Вот так. И – не более! Нет, была пара-тройка полных метров, не главные роли, конечно, но все же. А так, по большому, по гамбургскому, как говорится, счету... Да ты и сама, Аля, знаешь. И дальше – ты, милая, обманутая жена. Глупо обманутая. Тебя променяли на девку, соплюшку. Провинциальную дурочку. Хотя... Кто из вас дурочка – большой вопрос. Она-то взяла и родила. А ты – поленилась. Карьера, то-се. Есть двое детей, хватит? Двое – да. Только есть ли у тебя эти дети, Аля? Хотя бы один? И посему выходит – стерва ты, Алька, и неудачница. Лузерша – как есть! Сопли утри, мстительница, и успокойся. Ну, или не успокойся – если полная дура. Говенная мать, внучка, паршивая жена. Средненькая актриска. Усекла?

Она побросала вещи в дорожную сумку, заказала такси и поехала в аэропорт. Публичная казнь отменяется. Почему? Испугалась? Да бросьте! Просто нет сил. Совсем нету сил. На разборки эти, расстрелы у стенки, оправдания, снова ложь. На разводы, разъезды, дележки имущества. На вопросы родных, взгляды коллег. Шушуканья, сплетни. Разборы полетов. Вранье.

Нет сил. Пусть все идет как идет. И – наплевать. Кривая вывезет. Всегда вывозила! Кривая...

Она купила билет, натянула вязаную шапочку по самые глаза, нацепила на нос очки, взяла в буфете стакан крепкого кофе, булочку с маком и бутерброд с колбасой. Наплевать. На все наплевать. И на запрещенные булки и копченую колбасу тоже. Она уселась в самом дальнем углу, угнездилась в глубокое кресло, съела все без остатка и крепок уснула.

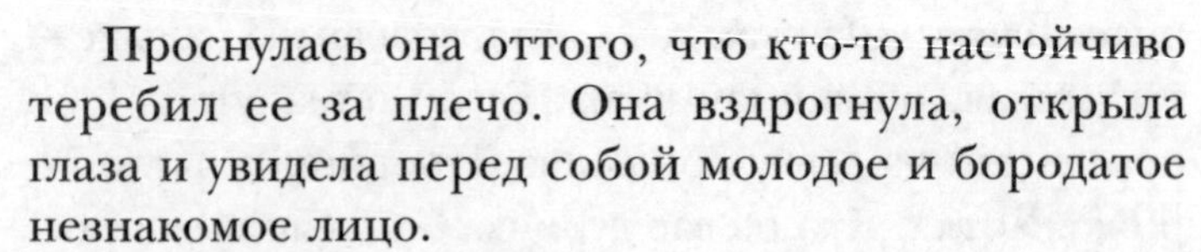

Проснулась она оттого, что кто-то настойчиво теребил ее за плечо. Она вздрогнула, открыла глаза и увидела перед собой молодое и бородатое незнакомое лицо.

– Вы кто? – испугалась она, не сообразив сразу, где она так крепко уснула.

– Володя, – улыбнулся бородач, – и, как мне кажется, ваш попутчик.

Она оглянулась по сторонам, сообразила, что она в аэропорту, встрепенулась, испуганно затараторила:

– Господи, я пропустила свой рейс! – Аля резко вскочила из кресла.

Он мотнул головой.

– Все в порядке. Надо, правда, поторопиться. Регистрация уже заканчивается. Побежали? – И он протянул ей большую и крепкую ладонь.

Аля с удивлением посмотрела на протянутую руку, отвела ее и сказала со вздохом:

– Ну, побежали. Раз уж так вышло.

Он подхватил ее сумку, и они припустились со всех ног.

У стойки регистрации она остановилась.

– Погодите. А откуда вы узнали, что я лечу в Москву?

Он рассмеялся.

– Да никаких чудес! Вы заснули, а ваш билет упал на пол. Ну, я его и поднял. А когда положил его вам на колени, я вас узнал. Вот и все.

– В каком смысле – узнал? – нахмурилась Аля.

Бородач улыбнулся.

– Вы же Ольшанская, верно?

Она еще больше нахмурилась.

– Вы... обознались. Я однофамилица. Точнее, оч-чень дальняя родственница. Бывает такое.

– Правда? – искренне расстроился он. – А так похожи!

Она махнула рукой.

– Ну не вы первый. Привыкла.

Они зарегистрировались и пошли по резиновой кишке к самолету. Самолет был полупустой.

– Не возражаете? – поинтересовался бородач, указывая на свободное место рядом с Алей.

Она равнодушно пожала плечами. Прогнать неудобно. Все-таки выручил. Знакомиться ближе – ну, это совсем бред! «Ладно, буду спать дальше», – подумала она и закрыла глаза.

Потом вдруг спросила его:

– А вы что – смотрите сериалы?

Он улыбнулся.

– Ну, не то чтобы очень... Мама смотрит и сестра. Ну, и косвенно, получается, я!

– Попали, значит, – вздохнула Аля, – косвенно, а попали.

– Ну, какое «попал», – удивился он, – есть лица... Которые... завораживают! Как, например, Александра Ольшанская. На которую вы так похожи. Она... такая... Ну, как из родника напьешься, так, что ли... Простите за выспренность, – смутился он. А потом осторожно спросил: – А вам? Она нравится?

Аля зевнула.

– Куда уж! Так нравится, что... Господи не приведи! – пробормотала она и снова закрыла глаза.

Во время обеда они перебросились какими-то незначительными фразами, потом она снова пыталась уснуть, но ничего не получалось, и она открыла глаза и стала листать журнал.

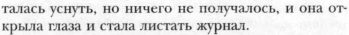

За кофе они разговорились. Володя рассказал, что сейчас живет в столице, но сам родом из Омска, мать и сестра переехали с ним, отношения такие, что порознь никак нельзя: «Единственный мужчина, что вы хотите, – со смехом пояснил он, – я за них отвечаю!»

Дальше он поведал, что учится на факультете журналистики, об МГУ мечтал с ранних лет, слава богу, что поступил и сейчас абсолютно счастлив.

Аля хмыкнула:

– Приятно! Приятно видеть счастливого человека!

Потом он грустно добавил, что мама ведет дом.

– Все непросто, старшая сестра человек нездоровый, а точнее, очень больной.

Подробностями Аля не заинтересовалась, просто подумала: «А хороший, наверное, парень. Лицо хорошее, доброе. Печется о своих женщинах. Жалеет их, определенно, любит. Повезет какой-нибудь девочке, повезет. Если мать и сестра "отдадут" его в чужие руки. И если она согласится на весь этот груз. Тогда все будут счастливы. С такими мужиками женщины счастливы всегда. Только вот достаются они не всем – только тем, кто успел на раздачу. А не шарил глазами в поисках сильных страстей».

На улицу вышли вместе. Володя шустро поймал такси и попросил разрешения проводить Алю до дома.

– Не стоит, – резковато отказалась она, – езжайте, Володя, к своим. И по дороге купите цветы! Женщинам это приятно.

Она села машину и увидела его грустное и растерянное лицо. Она махнула ему рукой, и ей почему-то стало смешно. И еще чуть полегчало на сердце. Вот интересно даже – почему?

Герасимов позвонил на следующий день. Был по-деловому краток и сдержан:

– Ты здорова? Что у твоих?

Она отчиталась короткими фразами:

– Все здоровы, по всей видимости, твоими молитвами.

Он удивился.

– Не в духе?

Она делано рассмеялась.

– Да что ты! Все замечательно. И дух мой крепок – не сомневайся! – И первая положила трубку, не спросив про его дела – ни одного слова.

Бородач нашел ее через три дня – она парковала машину и вытаскивала из багажника сумки.

Увидев его, она оторопела и замерла на месте. Потом с досадой сказала:

– Глупость какая-то! Просто... ужасная глупость с вашей стороны. И как прикажете мне на все это реагировать, а? – она здорово разозлилась.

Он хлопал огромными густыми ресницами и молчал.

– Идите домой, Володя! – резко сказала она. – К сестре и к маме. И выкиньте из головы все эти глупости. Вы меня поняли?

Он молчал. Она резко развернулась и пошла к подъезду. Охранник с испугом посмотрел на нее.

Она притормозила.

– Почему во дворе посторонние? Вам что, зарплату задерживают? Или так развлекаетесь?

Охранник густо покраснел и направился к Володе.

– Без фанатизма! – предупредила Аля и со вздохом вошла в подъезд.

И очень сдерживалась, чтобы не обернуться. Старалась – просто из самых последних сил. Получилось. Хоть кошки на сердце скребли. Но знала точно – так правильно.

Господи, какая же чепуха! Все то, что происходит с ней в последнее время. Очень, конечно, жаль, но – чепуха.

А через две недели она пошла с ним в кино. Очередная глупость, конечно. Но так хотелось тогда почувствовать, что она все еще кому-то интересна. Кому-то нужна. Что она все еще женщина. После кино они целовались в парке, и ей снова было смешно. Хотя... Целовался он замечательно! Очень грамотно, надо сказать, целовался. И руки его были нежными, сильными и умелыми. И когда он обнимал ее, ей уже не казалось, что он сопливый и восторженный мальчик. Нет! Ее обнимал мужчина. И вообще он был мужиком. Внимательным, терпеливым, отзывчивым.

А после их первой ночи... Ей вообще показалось, что она им увлеклась. Бред, ей-богу! Какой же все это бред!

Только вот... Когда она думала про К., про Ангелину с белой косой, про мальчика Диму... и, кстати, про своего все еще мужа Герасимова, ей уже было легче. Ну, не так трагично все это воспринималось, что ли. В общем, спас ее Володя. Спас, что и говорить. От самого страшного бабьего краха – я старая и уже никому не нужна.

А смерть бабушки... Ее не стало именно в то время, в тот месяц, когда Але было особенно плохо. Так плохо, что не хотелось жить. Бабушка была единственным родным человеком. Самым близким, самым любимым. И такое одиночество тогда навалилось, господи! Такая образовалась дырка в душе! Просто пулевое отверстие!

И снова помог Володя, поддержал, не оставил, утешал.

А Герасимов... Герасимов продвигал свою драгоценнейшую кампанию. Нет, конечно, звонил.

Но не приехал! Дела.

* * *

– Маруська! – кричала в трубку Женя. – В полпятого вечера, слышишь? Ну, пожалуйста, посмотри обязательно! Ну, зайди к соседям, в конце концов. У кого-то же должен быть телевизор. Все-таки твою мать показывают. Не дальнюю родственницу.

Маруся что-то лепетала, обещала зайти к соседям или потом посмотреть в Интернете.

– Посмотрю, мам! Где-нибудь посмотрю, не волнуйся.

– А может, к нам... заедешь? – осторожно спросила Женя, заранее зная ответ.

И она не ошиблась. Потом положила трубку, глубоко вздохнула и вытерла слезинку, ползущую по щеке. Не заедет. Ну, в общем, правильно. Зачем? Чтобы ловить презрительные и осуждающие взгляды Никиты? Чтобы видеть, как он сюсюкает с Дашкой? Чтобы стать свидетелем или участником очередного скандала? Незачем, верно. Ладно, не посмотрит – тоже беда не большая. А ведь хотелось, чтобы все сели в гостиной, накрыли чай и посмотрели эту фигню. Не потому, что важно, а потому, что ВМЕСТЕ!

Давно в их семье не было ВМЕСТЕ. Вот в чем дело.

– Дашка! – позвала она дочь. – Через полчаса начало. Скажи отцу, если можно. А я позвоню пока бабушке.

– Маруська не придет? – удивилась младшая дочь.

– Занята, – крикнула с кухни Женя, – что-то очень важное у нее, не очень поняла.

– Занята, – хмыкнула Дашка, – совсем обнаглела! Мать, можно сказать, на центральном телевидении! А она...

Дашка вздохнула, осуждая сестру, и пошла в кабинет отца. «Позвать на "просмотр"», – хихикнула она и привычно, капризно надула губы – отец обожал ее гримасы. Ее кокетство. Ее ужимки. Да чего уж там, он обожал ее всю.

И что удивительного? Родная же дочь, в самом деле!

* * *

С утра болела голова. Свекровь посоветовала крепкий и сладкий кофе. Вероника кофе послушно выпила, и чуть отпустило, правда.

На вечер лежали билеты в театр. Вадим ускакал на работу и пообещал, что эфир будет – пренепременно! – смотреть на работе. В секретарской большой телевизор, и девочки будут счастливы посмотреть на его жену.

Будет же о чем посудачить, правда?

Данька с Шурой отправились на улицу. Свекровь пекла обязательный субботний пирог – неделя капустный, другая – мясной. Сегодня был черед именно капустного. Из кухни доносились дразнящие запахи.

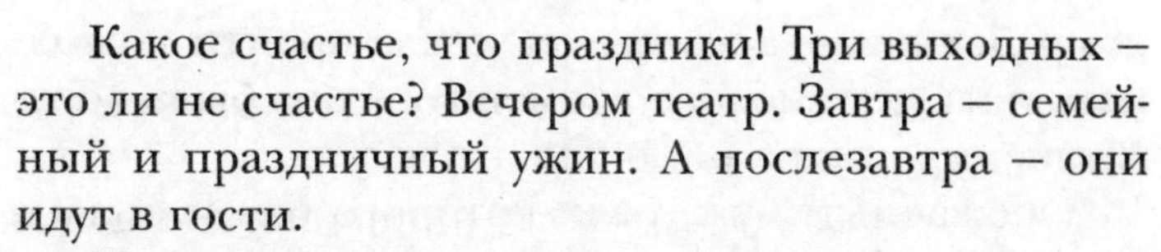

Какое счастье, что праздники! Три выходных – это ли не счастье? Вечером театр. Завтра – семейный и праздничный ужин. А послезавтра – они идут в гости.

И все эти дни не надо торопиться, спешить, думать про автомобильные пробки. Можно поваляться в постели, потом встать, выпить кофе и снова завалиться – просто так, «поваляться дурака», – как говорил маленький Данька.

Можно ходить в халате и теплых тапках, не красить ресницы с раннего утра. Не натягивать колготки, которые обязательно поползут. Словом, та милая и приятная расслабуха, которую так ценят работающие женщины.

Вероника валялась в спальне, полистывая журнал. Свекровь уже кормила Даньку обедом. Хотелось спать, и она глянула на часы – до эфира оставалось почти сорок минут. «Подремлю», – решила она и сладко зевнула.

Уснула тут же. Потом думала – лучше бы не просыпалась. Ей-богу.

* * *

Аля принимала педикюршу. Педикюрша стала, как это часто бывает, почти подругой. Аля ценила ее за профессионализм, за абсолютное нелюбопытство и умение держать язык за зубами.

Натали – так все называли ее – была немолода, все еще красива, естественно, ухожена и абсолютно разочарована в людях. Это, как она сама говорила, и держит ее на свете, помогая выживать в наше скотское время. Бывшая учительница литературы, бывшая челночница со стажем, бывшая

домработница – все это она успела пройти за двадцать пять лет «нового времени», – она была образована, иронична и... очень несчастлива.

Обожаемый муж, ради которого она и билась как рыба об лед все эти годы, свалил к подружке их общей дочери. Зажил с ней «красиво», разменяв квартиру бывшей жены и родив в новом браке двух очаровательных малышей.

Но самое страшное было не это. Не предательство стареющего болвана, подумаешь, новость! Самое страшное было то, что Олечка, единственная, любимая, холеная и лелеяная дочка, перешла в стан врага – ни с папашей, ни с лучшей подругой отношений не разорвала ни на минуту. На вопрос матери: «Как же ты можешь?» – ответила спокойно:

– А, собственно, что? Что случилось такого? С Милкой мы с первого класса, ты знаешь. А папу... А папу я просто люблю.

– А меня? – тихо спросила Наташа.

– А ты никуда не денешься! – спокойно, с улыбкой, ответила дочь. – Ты ж моя мать. Куда же ты без меня?

Просчиталась дочурка. Натали вычеркнула ее из своей жизни одним росчерком пера. Отправила вместе с дружной компанией.

Только вот что было на сердце...

Но никто не узнал. Умные догадались. И молчали. Потому что умные. Что непонятного? Когда предают мужики – ну, это все знают. Это можно пережить, можно. Страшно, тяжко, гнусно, но... можно. А вот когда предает ребенок... Тогда кончается жизнь.

Квартира, размененная коварным сластолюбцем, когда-то принадлежала родителям Натали.

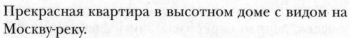

Прекрасная квартира в высотном доме с видом на Москву-реку.

Поделили честно – однушка ему, однушка Олечке и однушка Натали. Правда, почему-то как раз ее квартира оказалась в совсем дурном, далеком и густонаселенном районе аккурат напротив огромных, работающих труб ТЭЦ.

– Почему, – спрашивали у нее, – почему ты согласилась на это?

– А мне было по барабану, – пожимала плечами она, – по барабану, где жить, и все. Потому что лучше тогда было просто не жить.

Травилась снотворным – выжила. Пыталась сброситься с моста – ухватили за полу пальто. Открыла на кухне газ – подумала о соседях и тут же духовку закрыла. Решила – ну ладно. Раз так – поживу. Только вот больше ... никому не поверю. Ни одному человеку на свете!

И правда – «людишек» она стала презирать. Откровенно презирать. И еще не верить им. Вот никому не верить, и все. Раз уж предали самые близкие... Что говорить про других?

Выучилась на педикюршу. Появились клиенты. Зарабатывала прилично. В душу никому не лезла – знала, как это бывает.

С Алей они подружились – могли выпить кофе на кухне или в кафе, прошвырнуться по магазинам.

Обе скрытные, замкнутые. Обе не очень счастливые. Впрочем, Аля несчастной себя не считала – но до поры. А Наташку очень жалела. Несчастная баба, такое досталось! Ладно этот козел. Но чтобы дочь! Хотя... чья бы корова... Уж ее отношения с Лидочкой... Что говорить.

Натали ловко делала свое дело, они попивали кофеек, лениво перебрасывались фразами, и Аля поглядывала на часы – через пятнадцать минут передача.

– Останешься? – спросила она приятельницу. – Посмотришь на звездищу, небесную красоту?

Натали кивнула.

– А как же? Как не посмотреть на тебя, милая? На причепуренную и звездную? А то, – она хрипло рассмеялась, – мне звезда является в неглиже – крем на морде, маска на волосьях, старый халат и любимые тапки!

Посмеялись, и Аля щелкнула пультом. Шла реклама, и она приглушила навязчивый звук.

* * *

Марина Тобольчина сидела дома и тоже поглядывала на часы. Нет, не очередной телевизионный шедевр с ее участием ее волновал. Хотя, разумеется, все свои эфиры она тщательно и внимательно, по нескольку раз отсматривала. Скрупулезно разбирала, опытным глазом выдергивала ошибки и косяки, придирчиво разглядывала тщательно упакованные гримером морщины. Ей никогда не нравилась ее внешность. Хотя считалось, что она интересная. Но! Интересная – это не хорошенькая, не симпатичная, не миленькая и уж тем более не красавица. Интересная – это такая, какая может заинтересовать. Сделать себя, приукрасить, обратить на себя внимание. А это она умела! Наблатыкалась, говорила она. Стиль, то-се. В общем, работа над собой с годами стала очень заметна. Понимала, что фигура приличная, рост хороший, ноги и грудь вполне. А вот лицо... Лицо заурядное! Но при определенных усилиях, как говорится. При наличии денег к тому же...

Но в данный момент ее волновал не скорый эфир. В данный момент ее волновал телефонный звонок. От любимого, очень любимого когда-то человека. Он всегда звонил перед эфиром – просто так, поболтать. Так было заведено долгие годы, и она, Марина, даже сейчас, в иных обстоятельствах, ждала его звонка.

А тот не звонил. Не звонил – хоть ты тресни. Такое за ним водилось – особенно в последнее время. Она этого искренне не понимала – такой пройден путь, их столько связывает... Даже теперь, когда они перешли в дружескую стадию, и многое изменилось... Разве так можно? С близкими людьми?

Потом, разумеется, отбрешется – сын, дочь, теща. Жена. Что-то непременно случалось – особенно на праздники и выходные. Раньше, когда срывалось их очередное тайное свидание, для нее это была почти трагедия. Но сейчас? Разве она чего-то требует? Чего-то ждет?

Тогда, в пору их страстного романа, это было обидно до слез. В прямом, надо сказать, смысле. Марина начинала реветь. Реветь она могла долго, со вкусом, очень жалея себя. Других – с тех пор, как поселилась в столице и стала работать на телевидении, – она жалеть разучилась. Маргарет Тэтчер прозвали ее.

И вправду железная. Столько вынести, перестрадать, пережить может не женщина, а железный дровосек, не иначе!

Звонка так и не было. И понятно, что сегодня уже и не будет. Почерк «родимого» был ей хорошо знаком.

И все же обидно! Она зло утерла слезы, умылась холодной водой – всю косметику на фиг, крем на лицо, и трубку она не подымет. Хоть ты разбейся!

Она налила себе полстакана хорошего коньяку, открыла коробку шоколадных конфет, плюхнулась в кресло и нажала на пульт телевизора.

«Пошли все к черту! – решила она. – Буду любоваться на себя любимую. И получать удовольствие! Хотя это вот... Думаю, вряд ли».

На экране зазвучала знакомая мелодия, пошла не менее знакомая заставка и показалось лицо ведущей.

Марина Тобольчина была нежна и вкрадчива, говорила тихо и доверительно, и казалось, что бесконечно искренно.

И ей верили. Как не поверить Марине Тобольчиной? Она говорит только правду! Она сама из женщин с нелегкой судьбой. Сама всего добилась в огромном и неласковом городе. Сама, все сама! Тоже героиня. Вполне могла бы задавать эти вопросы самой себе.

И все бы снова ей верили. Такие глаза лгать не могут.

А доверие – вот залог успеха! Кому верят, за тем и пойдут. Верно, господа?

Ну, тогда дружно вперед!

Я готова. А вы?

* * *

– Сегодня наша программа, как всегда, посвящена женщинам. Наверное, вы, мои дорогие, заметили, что мужчины редко бывают в этой студии. Не потому, что среди них мало героев. Разумеется, нет. Просто моя программа – о женщинах. О женской судьбе. О каждодневном, рутинном подвиге. О преодолении. А уж сегодня, Восьмого марта! Да что говорить... Итак. В моей студии снова три женщины. Снова три героини. Которые и вправду настоящие героини. Потому что они – хозяйки судьбы. Своей, разумеется, но не только своей. Они хозяйки и наших с вами судеб, мои дорогие! Потому что от их мнения, их опыта и их таланта, их участия в нашей жизни зависим и мы с вами! Наше настроение, наш настрой. Наши с вами надежды и вера. Так или иначе, прямо или косвенно, но три эти женщины соприкасаются с нашими судьбами и отчасти влияют на них. Хватит томить вас, мои дорогие! Хватит держать интригу! Итак, у меня в гостях: Александра Ольшанская! Киноактриса, любимица зрителей, умница, красавица и просто звезда!

Камера наезжает на Алино лицо. Аля сдержанно и с достоинством улыбается и слегка кивает головой.

– Вторая гостья – Евгения Ипполитова! Писатель, инженер человеческих душ, как говаривал классик. И просто наш любимый автор. Который всегда оставляет нам надежду.

Женя улыбнулась, кивнула и слегка помахала ладонью.

– И наконец – ученый, врач-гинеколог, директор научного перинатального центра «Семья», автор множества монографий и статей, лауреат премии «Врач года». Женщина, на которую молятся тысячи людей в надежде, что она сделает их жизнь радостной и полноценной. Встречайте – Вероника Стрекалова!

Камера дает крупно бледное лицо Вероники. Она поправляет дужку очков и, чуть оглянувшись на визави, смущенно кивает.

— Теперь, мои дорогие, вы и сами увидели, что я вас и не думала интриговать. Потому что три эти женщины — красивые, талантливые, безусловно, сильные, мужественные, образованные и очень успешные, вне всяких сомнений являются золотым фондом нашей страны. Ведь давно не секрет, что именно на женщинах держится наш неспокойный и довольно жестокий, к сожалению, мир.

Никак не умаляю завоевания и успехи мужчин. Ничего подобного! Но сегодня — Восьмое марта. Можно по-разному относиться к этому празднику. Но, согласитесь, праздники лишними не бывают! И если есть еще один повод подарить любимой цветы и вспомнить о ее заслугах, почему бы этого не сделать?

К тому же три эти дамы еще и прекрасные матери, жены и дочери. И сейчас мы будем говорить обо всем. Потому что вам, мои дорогие, интересно знать о наших героинях все — верно? Как проходило их детство, юность, взросление. Какую роль в их жизни играла семья. Как они встретили свою любовь и как поняли, что все это — серьезно и навсегда. Как изменилась их жизнь, когда у них появились дети.

И наконец, самое главное, — как они сделали свою карьеру? Как добились того, что имеют сейчас? Что такого произошло в их судьбе, что она стала необычной, неординарной и яркой? Сколько усилий они к этому приложили? Было ли им просто или же крайне сложно ТАК выстроить свою жизнь? Что их печалит и что радует? Какие милые женские штучки их могут развлечь? Что для них кухня, дети, мужья? Как они, такие успешные и знаменитые, совмещают работу с домашним хозяйством? И конечно, что помогало и помогает им выносить трудности, печали, проблемы и все остальное, с чем сталкивается на своем пути каждая из нас?

Одним словом, мы будем говорить обо всем. Даже о рецептах пирогов и нашем любимом женском релаксанте – шопинге! И все же самое главное – мы будем говорить об успехе. Потому что перед нами – очень успешные женщины!

Мы будем искренны, откровенны и правдивы, верно?

Тобольчина обвела внимательным взором гостей, и все уловили осколки льдинок в ее «проникновенном» взгляде.

Все, слегка сомневаясь, неохотно кивнули.

– Потому что если мы с вами не будем искренны, нам не поверят, не так ли? – напирала Тобольчина.

Над столом прошелестел едва уловимый вздох, и все снова кивнули.

– Ну что? Поехали? – и она мягко и ненавязчиво улыбнулась.

Начались вопросы и, разумеется, ответы.

* * *

Женя внимательно разглядывала себя. Мама права. Надо срочно что-то делать с лицом. Эти дурацкие морщинки вокруг глаз, эти «печальки» в уголках губ. Тоска. Да и цвет волос мне совсем не идет... И снова мама права. И взгляд у меня какой-то затравленный. Как у подростка, который украл у старшей сестры губную помаду.

Она почти расстроилась – совершенно недовольная своим внешним видом. Ладно, фигня! Я же не актриса Ольшанская. Главное, чтобы я отвечала умно и остроумно. За это меня и ценят, в конце концов. Вся надежда на интеллект. Хотя в формате передачи Тобольчиной...

Вероника тоже внимательно разглядывала себя. Сухарь. Просто сухарь, а не тетка. Брови сведены к переносью, лоб перерезала тонкая складка. Губы поджаты. Очки на кончике носа, ни дать ни взять – строгая училка начальных классов. И еще – господи! Губы дрожат. И это, конечно же, заметят все.

Она тоже расстроилась и осторожно посмотрела на свекровь. На лице добрейшей Веры Матвеевны сияла улыбка радости и гордости за невестку.

Вероника вздохнула. А Вадик смотрит на работе вместе со своими «девочками». И эти самые девочки тут же увидят и дрожащие руки, и сухо поджатый рот, и зализанную прическу – волосок к волоску. То, что сама Вероника всегда ненавидела. Черт бы побрал эту гримершу!

Аля сделала большой глоток из стакана с медовым виски, закурила и шумно выдохнула тонкую струйку дыма.

– Хороша! – хмыкнула она и посмотрела на педикюршу. – Что скажешь, Наташка?

Натали с удивлением посмотрела на клиентку и пожала плечами.

– Тоже мне новость!

И обе засмеялись.

Первый блок передачи закончился, и пошла реклама.

Женя наконец выдохнула – ничего плохого. Абсолютно ничего! Интервью течет плавно, Тобольчина, конечно, тетка противная, но мастер своего дела, что и говорить. Да и к своему внешнему виду она почти привыкла – и тоже ничего криминального. Тетка и тетка. Гламура, конечно, ни грамма, ну и хорошо. Она и гламур – вещи несовместимые.

– Ну, как? – осторожно спросила она Дашку.

Дашка подняла кверху большой палец.

– Круто, мамуль. Ты у меня такая звездунья! Просто Мэрил Стрип, мам. Нет, здорово, правда!

Женя махнула рукой.

– Скажешь тоже! Мне до Мэрил – как до луны. Хотя что-то общее есть – длинный нос, например. И небольшие глаза. И это, наверное, все. А вот обаяния нет, – грустно вздохнула Женя.

– Нет, правда, похожа, – продолжала настаивать дочь.

Никита скептически вздохнул, посмотрев на Дашку, и покачал головой.

Женя сделала вид, что этого не заметила.

Вероника отхлебнула остывшего чаю и снова посмотрела на свекровь.

– Хорошо, Никочка! – улыбнулась та. – Все очень славно. И выглядишь ты замечательно. Настоящая леди! Просто английский шик. Строго и достойно. Честное слово!

Аля почистила апельсин и протянула половину Натали.

Та мотнула головой.

– Изжога. Желудок болит всю дорогу. После того как эти сволочи... устроили свой гадюшник.

– Забей, – посоветовала Аля, – пошли они все! Пусть сдохнут все, кто нас не захотел, да, Натуль?

Натали горестно вздохнула и кивнула.

– Вот именно. Пошли они все! Уроды. А ты красотка, Ольшанская, – добавила она, – просто нереальная красавица, Алька!

– Киногеничная, – кивнула Аля, – а в жизни... – она рассмеялась, демонстрируя себя в домашнем виде, – а в жизни... Еще лучше, да?

И они снова дружно и громко расхохотались. Как идиотки, честное слово.

Кончился рекламный блок, и на экране появилось лицо ведущей. На сей раз оно было озабочено чем-то важным, словно тревожным и каким-то неприятным для нее, что ли.

Тобольчина чуть сдвинула брови, сделала паузу, снова нахмурилась и притворно вздохнула.

– А сейчас, мои дорогие, – снова возникла пауза, – а сейчас... сейчас мы с вами убедимся, что ничего на свете не бывает просто. Даже у таких блестящих и удачливых женщин. У всех есть свои тайны, горести, скелеты в шкафу и мыши под крышей. И все это не обошло стороной и наших прекрасных и талантливых героинь. И то, что они сумели со всем этим справиться... говорит еще раз только об одном – все в жизни поправимо. Все можно преодолеть, победить, разрулить, если хотите! Если, конечно, есть желание и воля. И еще – немного удачи. А самое главное – сильный характер и щедрое сердце.

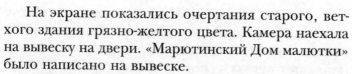

На экране показались очертания старого, ветхого здания грязно-желтого цвета. Камера наехала на вывеску на двери. «Марютинский Дом малютки» было написано на вывеске.

Женя почувствовала, как ее сердце окаменело, словно остановилось. Она бросила взгляд на мужа и увидела, как тот побледнел и плотно сжал губы.

– Марютинский Дом малютки, – раздался печальный голос ведущей. – Он стоит на окраине города М. Семнадцать лет назад на центральной трассе поздно вечером произошла страшная авария. В машине ехали трое. Мать, отец и ребенок. Молодые родители погибли сразу, такое несчастье! А крошка-дочка осталась жива. Совсем чудом спаслась! Такая счастливая судьба у малышки. Даже прибывшие милицейские удивились такому чуду. На девочке почти не было царапин – еще одно чудо. Мать прикрыла ее своим телом. Машины, идущие следом, тут же остановились. И в одной из них сидели тоже совсем молодые люди, тоже муж и жена. Молодая женщина схватила девочку на руки и принялась успокаивать. Приехала «Скорая» и увезла малышку в больницу. А еще через пару месяцев молодые супруги, ставшие невольными свидетелями трагедии, удочерили малышку. Фамилия этих прекрасных людей – Ипполитовы. Евгения и Никита. Вы все уже поняли, правда? Наша героиня, наша прекрасная и любимая писательница Евгения Ипполитова и стала матерью той девочки, которую держала на руках в ту страшную ночь.

Женя закрыла глаза и откинулась на спинку кресла. Она слышала, как страшным шепотом закричала Даша, как муж быстро выключил телевизор, как раздался телефонный звонок, и Даша закричала:

– Оставь, бабушка! Оставь нас в покое! – И тут же громко, в голос разрыдалась. Никита что-то говорил дочери, пытаясь ее успокоить, а Женя медленно встала и пошла в свою комнату, моля господа об одном – чтобы у Маруси не нашлось соседей с телевизором. Или чтобы она – необязательная, забывчивая, легкомысленная Маруська – забыла об обещании обязательно посмотреть передачу с участием ее знаменитой и «публичной» матери.

Она легла на кровать и накрыла голову подушкой. Чтобы не слышать, не слышать! Ни криков Дашки, ни телефонных звонков. Ни от кого! И, не дай бог, звонка от Маруськи.

В голове так стучало, так громыхало, так отчаянно билось, что Женя подумала – так, наверное, и хватает удар. Вот и славно! Только дай бог, чтобы сразу, в момент! Потому что жить дальше не представлялось возможным. Вообще. Ни одной минуты.

Потому что закончилась жизнь. Все. Точка. Без запятых.

Вероника почувствовала, как руки у нее похолодели и сердце стало биться так часто, что казалось, выскочит из груди.

Тобольчина тяжело вздохнула и продолжила:

– Грустно об этом говорить. Грустно и больно. Хотя это – жизнь. И все, что нас не убивает, делает нас сильнее. На этом испытания нашей любимой писательницы не закончились. Увы! Несколько лет назад в дом снова пришла беда. Мужу Евгении, в прошлом – управляющему одним печально известным банком, было предъявлено обвинение. Конечно, потом суд во всем разобрался и все обвинения были сняты, но... Это произошло не сразу. Почти полтора года господин Ипполитов находился под следствием. Почти полтора года он просидел в СИЗО. Его бывшие коллеги похитили все деньги несчастных вкладчиков и сбежали за границу. Никита Ипполитов, человек честный и – увы – наивный, ничего не знал о махинациях партнеров и руководства. И только когда все открылось, понял – его подставили. Банально, по-бандитски подставили! Он подписывал все документы и оказался виновен. Можно представить, что пришлось пережить Евгении и их дочерям. Изолятор, передачи, следствие, дорогие адвокаты и суды. Кошмар, согласитесь! Но главное – как человек проходит через все испытания и как он из них выходит. И эта семья вышла достойно, ничего не растеряв по дороге. Поддерживая друг друга, помогая и борясь. И они снова вместе, их брак и любовь стали только крепче и глубже. Евгения – достойный пример преданной и верной жены. И к тому же человек, который сумел не только выстоять и поддержать, но еще и подняться и сделать блестящую карьеру, став любимицей и поддержкой для тысяч и тысяч женщин в нашей стране. Браво, не правда ли?

Вероника поймала на себе тревожный взгляд Веры Матвеевны. Та чуть насупила брови.

– Бедная эта Евгения, – тихо сказала свекровь, – такие испытания! Не приведи господи! Может, поэтому так хорошо пишет? После всего?

Вероника смогла только кивнуть. Она уже догадывалась, что может быть дальше.

Женя лежала в комнате с закрытыми глазами и слышала, как снова заработал телевизор. Страх опять подступил к горлу. И еще – она удивилась, что в комнату к ней не зашли. Ни Никита, ни Дашка. Значит, она виновата?

Вот только в чем? Этого Женя не понимала.

Потом распахнулась дверь. На пороге стоял разгневанный муж.

– Какого черта? – взревел Никита. – Какого черта ты про меня? Трепись про себя! Ты же у нас человек публичный! Зачем, Женя? Чтоб еще раз подчеркнуть, какая ты благородная? Живешь с нищим и безработным зэком? И вся страна про это услышала! Ну, теперь ты довольна?

– Ты о чем? – спросила она, не поворачиваясь к нему.

Он чертыхнулся и не ответил.

Затем последовал громкий удар двери – с потолка посыпалась штукатурка.

Аля вздрогнула и подалась к экрану.

– Та-аа-к! – медленно сказала она, понимая, во что это все может вылиться.

Она почувствовала, как холодный и липкий пот тонкой струйкой побежал по спине.

– Ну, а теперь продолжим, мои дорогие! – Тобольчина опять грустно вздохнула. – Вероника Стрекалова. Умница, красавица и – как многими признано, – настоящий гений. Заслуги Вероники известны, по-моему, многим. Успешная женщина, молодой ученый, мать и жена. Такую карьеру, как сделала Вероника, не построишь одним усердием и упорством. Здесь нужен талант. И он у нее, безусловно, есть. Директор огромного центра – разве не блестящее достижение для молодой женщины из далекой провинции? Прекрасная семья, любящий муж, очаровательный сын и золотая свекровь. Обо всем этом нам рассказала сама Вероника. И все это – чистая правда. Счастливица? Безусловно! Удачливая? Наверняка! Родилась с золотой ложкой во рту? – Тобольчина снова вздохнула и прикусила верхнюю губу. Потом расстроенно покачала головой: – Нет. Все это не так. Совсем не так, далеко не так! И Веронике – прекрасной, талантливой, умной – пришлось пройти через такие испытания... Которые не пожелаешь и лютому врагу. Судите сами, мои дорогие! Судите и делайте выводы! Что все в наших с вами руках. И история Вероники – яркий тому пример.

На экране глухая деревня. Дома полуразрушены. Кривые черные крыши. Сугробы в человеческий рост. Искалеченные, темные «танцующие» заборы. Оператор заходит в чей-то двор. Стучат в хлипкую перекошенную дверь. Дверь открывается, и на пороге появляется женщина. Точнее – то, что, наверное, раньше было женщиной. Хотя верится в это с трудом.

Женщина улыбается беззубым ртом и пропускает гостей в избу. Темные сени, скрипят половицы. В комнате почерневшая, в глубоких щелях, кособокая печь. Заклеенные пластырем и газетой оконные стекла. Кровать с панцирной сеткой, покрытая старым ватным одеялом, из которого торчат желтые клочья ваты. Закопченный чайник на непокрытом столе. Миска, ложка, несвежие полбатона. Мутный стакан. Грязное полотенце. Открытая банка засохших консервов. Шкаф с треснутым зеркалом. Лампочка без абажура. Все говорит о том, что в доме не просто нищета – в доме разруха. Дно.

Хозяйка садится за стол и смотрит мутными злыми глазами.

– Это – Елизавета Семеновна Васильева, – слышится закадровый голос. – Она утверждает, что она – мать Вероники Стрекаловой. Впрочем, это подтверждают и соседи. Верится, конечно, с трудом... Но зачем же ей врать?

– Елизавета Семеновна, – обращаются к ней, – это правда, что Вероника Стрекалова ваша дочь?

Женщину возмущает такое недоверие.

– Но как же получилось, что вы – тут? Одна, в такой, простите, нищете и убогости? Где ваша знаменитая и небедная дочь?

Женщина шамкает беззубым ртом, ловит грязной ладонью еле заметную слезу и посылает проклятья. Кому? Разумеется, дочери. Рука ее тянется за стаканом, она делает глоток – камера берет крупным планом ее горло, – и речь ее становится если не связной, то по крайней мере понятной.

Да, дочь. Она все про нее знает. У соседки Сергеевны есть телевизор. Узнала, конечно, узнала. Как не узнать свою кровиночку?

Она протяжно всхлипывает и снова тянется к стакану.

– Рассказать о своей судьбе? Да пожалуйста! Скрывать нам нечего! Все равно все узнаете – вы ж, как овчарки, идете по следу. Да и не стесняюсь я – давно отстеснялась! Сидела. За что? Да мужа своего зарубила. И ни разу не пожалела. Ни разу! Конечно, пил. И еще как пил. И бил. Да так зверски, что по неделям встать не могла. Однажды в кипяток мордой макнул. Шкура слезла, почти ослепла. Ничего, отомстила. Заснул, сволочь, и я его топором. Башку его дурную пополам рассекла. Как кавун треснул. Не отказывалась – все в поселке знали, какая он сволочь. Девку? Вероничку? Нет, не бил. Любил ее, засранку. Она за ним – как хвост за собакой. «Папаня, папаня». Когда меня забирали, орала: «Ты убила папаню! Я тебя ненавижу!» Это где это видано, чтоб дочка была на стороне драчуна? Засудили.

Вся его родня стеной встала. И малу́ю настроили. Мать твоя – убийца и сука. А ведь никто девку мою не взял. Ни сеструха моя, Симка. Хотя обещала. Говорила: «Я, Лиза, Вероничке твоей матерью буду». Стерва. Ни его сеструха. Все девку бросили. Ее, понятно, – в детдом. А когда я вышла... – тут старуха сморщилась и снова стала водить по сухим глазам заскорузлой ладонью, – а когда я вышла... Дочку свою не взяла. Почему? Да потому, что сломатая была, вот почему! После зоны сильно пить начала. На работу не брали. В свой поселок дороги мне не было – там бы мужнина родня меня бы склевала. Значит, и без угла я осталась. Куда ее брать? Почему не поехала? А что девке душу травить? Вот я, мама твоя, приперлась. Гостинчик привезла. А сейчас – обратно. Потому, что брать тебя, доча, мне некуда. Сама у чужих людей прибиваюсь. Кому огород вскопаю, кому постираю, кому в хлеву приберусь. За это и переночевать в сарай пустят, и харчей подбросят. Куда ее брать-то было? Там, в интернате, она в тепле и сытая. А что я ей дам? Нищету и позор? Чтобы в спину тыкали: твоя мать – зэчка.

Потом вот сюда прибилась, в Толпеево. Здесь подруга моя жила, тоже зэчка. Тамара. Мы с ней случайно увиделись – на базаре. Ну, она меня к себе и позвала, знала, что я бомжую. Померла Тамара три года назад. А перед смертью избу на меня записала. Как живу? Да как все. Огородом кормлюсь – картошка, капуста. Яблоки берем в колхозном саду – семь километров от Толпеево. Сад заброшенный, колхоза давно нету. А яблоки есть. Сливы остались, смородина. Наберу ведро слив и ведро яблок – и в Рузаево на базар. В августе грибами пробиваемся, себе насушим и у дороги продаем. Ничего, живем. Не хуже других! Правда, когда Тамара, подружка моя, преставилась, совсем плохо стало... Ни поговорить, ни винца выпить... Одиночество... Страшная штука... – Тут слезы полились из ее глаз уже нешуточные. Было видно, что по подружке она горюет сильнее, чем по дочери. – А что – Вероника? Отрезанный ломоть.

Нет, не обижаюсь. Я ведь сама... Виноватая. Постеснялась тогда к ней приехать. Забоялася. Ну, и у нее обида – откинулась мать, а не появилась. У нее своя жизнь, у меня – своя. Если б приехала? Да куда она приедет? Не нужна я ей. Деньгами бы помогла? – Тут она призадумалась. – Деньгами могла бы... Да зачем это ей? Она же теперь богатая и известная. Зачем ей такая мать? Да и горя она через меня много узнала. Я ее не виню. Горжусь ею? Да какое я право на это имею? Чем мне гордиться? Я ее не воспитывала. Хорошему не учила. Молодец девка, что говорить. Вылезла из этого говна, не поленилась. Все потому, что умная была. Сметливая. Видела, как мы тут живем, и себе такой судьбы не хотела. Потому из всех сил ножками и сучила.

Получилось. Не у всех получается. У меня вот... да что про меня! Внучок, говорите? Ну, и дай ему бог! Увидеть? Да стыдно мне с ним видаться. К чему ему такая бабка? Стыдиться будет. И дочке я ни к чему. Пропащая я. Буду доживать жизнь, как умею. И никого не виню – сама заслужила.

А дочке моей, Веронике, передавайте привет. Добра побольше чтобы в жизни видела. Ей же... этого добра в детстве совсем мало досталось. А я свою жизнь прожила. Как сумела. Сама виновата. А у нее, у Вероннички, прощения прошу. Есть за что. Только меня уже бог наказал. Сильней не накажешь! Да пошли вы все! Как крысы в щели залезли. Валите отсюда! И деньги свои поганые заберите. Жила без них и еще проживу. Пошли к черту, сволочи! Пустила вас, дура старая. А вы всю душу и вынули. А ну валите, вашу мать! Пока я вас! Топором!

Грохот, мат, улица. Крики, проклятья вслед. Старухи в окнах таких же развалюх. Одни старухи.

Пустая заснеженная дорога. Вдали темные кособокие домики. В которых уже нет жизни. Только старость и тлен. Все умирает или почти уже умерло. Редкие трубы вяло дымят черным дымом. Скоро и они затухнут.

Кромка почти черного леса и снова голос ведущей:

– Вот такая история. Такая непростая история жизни. Казалось бы... Вечно пьяные родители. Кровавая драма на глазах у маленькой девочки. Мертвый отец и убийца-мать. Детдом. Казалось бы, кривая дорожка проторена. А ведь нет! Наперекор судьбе, наперекор! Она пошла наперекор всему. И вышла. Вышла на светлую и прямую дорогу. Которую проложила себе сама. Вот она – сила духа.

Вот он – характер. Вот он талант и усердие. Каждый кузнец своего счастья и своей судьбы. И Вероника Стрекалова это доказала. Сначала себе, а потом – и всем нам. Респект и уважение. И еще восхищение. Вами, наш дорогой и прекрасный доктор. И еще... – Тобольчина снова вдруг загрустила, – и еще один факт. – Она тяжело вздохнула, и камера наехала крупным планом, показав неподдельную грусть, даже скорбь, в ее глазах. – Наша Вероника испытала еще одну драму. Ничуть не менее страшную, чем предыдущая.

Был человек в жизни Вероники, которого она очень любила, даже боготворила и очень ценила. Этот человек сделал очень много для становления нашей героини. Он, можно сказать, слепил ее, изваял, как Пигмалион Галатею, – это ее учитель. Лев Семенович Куцак. Кто он, этот почти никому не известный ученый? Лев Семенович Куцак родился в Минске в семье потомственных врачей. Окончил медицинский. Карьера начиналась прекрасно. Молодому врачу пророчили прекрасное будущее. Но... в пятьдесят втором его выгнали с работы – началось дело врачей. Талантливый врач уехал и осел в Р. В столицы ему путь был заказан. Жена ушла от него, забрав с собой сына. Он начал преподавать в местном медицинском. И писать научные труды. Его отовсюду гнали, шпыняли, называя ненормальным. Он так и не создал новую семью – его семьей была домработница и молодая студентка Вероника Васильева. Он сразу понял, что девочка эта незаурядна. Что ее ждет блестящее будущее. Что она так увлечена своей профессией, как никто из огромного числа его студентов. И он – он сделал ее своей поверенной. Допустил в святая святых – в свои научные изыскания. Вероника стала его ассистенткой. И верным соратником. Вечерами они корпели над научной работой, и оба были счастливы. Вероника почти жила у учителя. А он – он считал ее частью своей крошечной семьи. Домработница старика, верный друг и помощник и тоже совсем одинокий человек с трудной судьбой, считала молодую студентку своей дочерью. Это и была, по сути, маленькая семья, пусть без кровных уз, и все же семья. Три одиноких сердца нашли спасение друг в друге. Но главное, профессор Куцак привлек Веронику к своей научной работе. Она стала полноправным соавтором талантливого врача.

Лев Семенович Куцак был человеком со странностями – впрочем, как все гении. Он ничего не помнил, что касается обыденной жизни. Мог выйти на улицу без носков и в разных ботинках. Не знал, сколько стоит хлеб и где продается молоко. Ни разу в жизни не заплатил за квартиру. Три раза в день ел только суп и пил крепкий чай. Ему, по сути, была нужна лишь толстая тетрадь, какой-нибудь пишущий предмет и тарелка горячего супа. И еще ворчливая Фрося на кухне и умница Вероника напротив. Когда Вероника уезжала в Москву, профессор Куцак перекрестил ее, поцеловал в лоб и попрощался – навсегда. «Почему? – удивилась Вероника. – Я скоро приеду. Летом. Возьму отпуск и приеду.»

Он грустно улыбнулся и ничего не ответил. Он знал, что тяжело болен и ему осталось совсем немного. Вероника приехала через четыре года. И разговаривала с профессором уже на кладбище. И ей казалось, что он все равно ее слышит и все понимает. В одном интервью Вероника сказала, что именно он, профессор Куцак, сформировал ее как личность и как врача. И именно ему она обязана многим. Такая потеря... такая потеря для нашей героини и для науки вообще. Но какое же счастье, что у гениального профессора осталась такая ученица. Которая смогла донести до нас все, чему научил ее любимый учитель. А то, что она так и не увиделась с ним, так это издержки молодости и нашей суетной жизни. Думаю, ему было обидно, что любимая ученица не нашла времени навестить учителя. Наверное, так. Но! Наверняка профессор великодушно простил любимую ученицу и там, на небесах, радуется ее успехам и личному счастью. Как говорится – не подвела. И еще – наверное, в том, что Вероника Стрекалова так рано получила научную степень, есть тоже заслуга старого профессора.

И вот снова, мои дорогие, перед нами пример личного мужества и огромных усилий ума и воли. Теперь это Вероника Стрекалова. Женщина, сумевшая выбраться из кошмаров детства, потерявшая самых близких людей, нищая провинциалка, сделавшая немыслимую карьеру и достигшая огромных высот. Вторая наша героиня, построившая свою жизнь вопреки и наперекор страшным ударам судьбы. Ни разу не поскользнувшись, не упав, не потеряв лицо. Что это? Мужество? Сила воли? Упорство? Талант? Да все вместе! Вот поэтому она и есть героиня. Думаю, возражений нет!

Женя всего этого, слава богу, не видела и не слышала. Она по-прежнему лежала у себя в комнате, игнорируя звонки мобильного, на котором высвечивалось: «Мама».

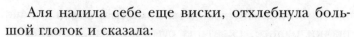

Аля налила себе еще виски, отхлебнула большой глоток и сказала:

— А теперь моя очередь.

Натали с тревогой глянула на подругу. Глянула и промолчала. А про себя подумала: «Да что там у тебя. Смешно, ей-богу! Ну, скажет эта стерва про Лидку – да и бог с ней. Оглянитесь по сторонам – у десятков звезд проблемные дети. Одна засадила свое чадо в психушку. У другого наследничек пьет. У третьей – дочь-наркоманка. У четвертой сыночек откинулся с зоны. У знаменитого певуна сынуля ворюга. Поймали в Париже, в «Галери Лафайет». И сделали «красивый» репортажик. И что? Ну поноют, покаются или будут горестно качать головами и рассуждать, «что я сделал не так?». Кому и какое до этого дело? А здесь – вообще ерунда. Ну, осталась девица с отцом. Мать от нее никогда не отказывалась. Приезжала, звонила. Не пила, под забором не валялась. Да, ушла к другому – подумаешь, какое дело! Сколько таких историй? Да море! Девка выросла нормальная, адекватная. Интервью про мамашу-кукушку не раздает, прилюдно родительницу не проклинает. Бедности не знала, папаша над ней трясся и трясется поныне. И в чем цимус? Да бросьте! Нечего Альке бояться. Накирялась просто и дергается».

Вероника с трудом встала на ноги. Вера Матвеевна оторвалась от экрана и с ужасом глядела на невестку.

— Как же так, Никуша? – тихо спросила она. – И зачем?

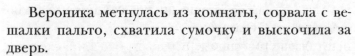

Вероника метнулась из комнаты, сорвала с вешалки пальто, схватила сумочку и выскочила за дверь.

Она выбежала на улицу, так отчаянно пахшую весной, и на секунду растерянно остановилась – куда? Куда ей бежать? К кому? К Вадиму? Невозможно. Подруг у нее нет. Родни – тем более. Позвонить знакомым? Коллегам? Какая глупость, господи! И еще – какой стыд. Невыносимый стыд. Отчаянный. Мимо проносились машины, и ветер распахивал полы пальто.

«Интересно, – подумала она, – а как это – одним разом? Махом одним? Раз – и ее нет. И вместе с ней нет боли, страха, обмана. Нет больше стыда. Вот самое главное!»

Она тряхнула головой и подняла руку – идиотка. Есть же Данька! Как она могла ТАКОЕ подумать? Есть все то, чего у нее никогда раньше не было. Есть семья и есть Вадик.

Или уже всего этого нет?

Вера Матвеевна сидела в кресле, уставившись в одну точку. Из оцепенения ее вывел настойчивый звонок телефона.

– Мама! – громко кричал ее сын. – Где Ника? Ты меня слышишь?

– Ушла, – задумчиво ответила мать и почувствовала горячую боль в сердце.

– Мама! – закричал сын. – Как ты могла?

Во время очередного рекламного блока Аля поднялась и пошла в ванную комнату. Поглядела на себя в зеркало и усмехнулась:

– Ну, милочка, держись! Третий акт марлезонского балета. Сейчас на сцену выходишь ты. Что, испугалась? Трясешься? Боишься, что твои скелеты посыплются из шкафов? Ну-ну. На сцену, деточка! Тебе ж не впервой! Блистать, так сказать. Вот и блещи. Твою мать. Бенефис!

Реклама закончилась. Снова лицо Тобольчиной. Усталое, надо сказать, лицо. Вылезли так тщательно загримированные морщинки, усталые глаза. Устала возить «героинь» лицом по асфальту? Ничего, соберись. Профессионализм, это ведь такое дело!

Собралась. Снова грусть в прекрасных очах. Снова боль в хорошо поставленном голосе.

– И третья героиня нашего рассказа. Александра Ольшанская. Любимица многих. Что, кстати, вполне понятно. Умница, красавица. Внучка известного актера, кумира Северной столицы, да и всей нашей страны, Бориса Самсоновича Ольшанского. Прекрасная актриса, завладевшая сердцами тысяч и тысяч наших с вами соотечественников. Короче, звезда. Казалось бы, – Тобольчина чуть нахмурила брови, – жизнь Александры, ее родственники, ее детство, готовили ее только к огромному счастью. Прекрасная семья, куча родни, огромная квартира на Петроградской стороне, где бывали знаковые люди эпохи. Бонна, гуляющая с маленькой Сашей в Летнем саду. Все предусмотрено и расписано загодя. Но так не бывает. Ни в одной человеческой, даже самой счастливой судьбе. Увы! Смерть младшего брата и матери. Огромное горе семьи. Но Сашенька не сломалась! Поступление в театральный вуз, первые успехи в кино. Удачный брак с замечательным человеком. Рождение дочери. И тут – очередная каверза судьбы. Александра влюбляется и уходит от мужа. Казалось бы, что тут такого? Да ровным счетом – ничего. Любовь оправдывает все. Но есть одно маленькое «но» в этой истории. Ребенок. Девочка. Дочка Александры Ольшанской, Лидочка. Она остается с отцом. Почему, спросите вы? Да потому, что ей там было лучше. Потому, что в новом браке матери... Ну, как бы сказать... Все получилось «не очень».

Нет, дело совсем не в ней, в Александре. Она-то, как всегда, безупречна. Дело в нем, в ее новом супруге. Талантливом операторе Викторе Роговом. Он пил. Пил страшно, запойно. Как пьют многие люди из творческой среды. Почему? Нереализованность гения? Возможно. Но факт остается фактом. Они развелись довольно скоро. И опять – но... Дочь так и не смогла простить мать. Девушка отказалась с нею общаться. Такая беда... Что должно быть на сердце у матери? Какая невообразимая боль раздирает ее душу поныне? Никто не узнает. Потому что Александра Ольшанская про свои беды не говорит. А их было множество... Повторюсь – как в любой человеческой жизни. И еще... – Тобольчина снова вздохнула и опустила на долю секунды глаза. Потом подняла их, широко распахнула и продолжила: – Но это еще не все. Судьба продолжает испытывать человека. Наверное, до самого конца жизни. И Александра Ольшанская приняла еще один удар судьбы. Приняла достойно, без истерик и слез.

Лицо Тобольчиной исчезает, и на экране появляется высокий забор, а за забором чуть виден большой красивый дом с черепичной крышей. Калитка открывается, и на пороге появляется молодая женщина с длинной пшеничной косой, держащая за руку хорошенького, лет трех, мальчика. Женщина медленно идет по красивой ухоженной улице, беседуя со своим ребенком.

– Прелестный малыш, не правда ли? – почти поет ведущая. – Чудный, ни в чем не повинный малыш. Не понимающий, в какой переплет он попал. Малыш – сын Сергея Герасимова. Мужа – да-да! – мужа нашей героини. Я не ошиблась – Александры Ольшанской. А мать малыша зовут Ангелина. Такое в жизни бывает, не правда ли? Все мы грешим, ошибаемся. Врем. Не будем ханжами. Но дело не в этом. А дело в том, что Александра смогла понять и принять ситуацию. И еще простить. Простить своего неверного мужа. И тем самым сохранить семью. Согласитесь, есть ради чего. А то, что все мы живые, так это понятно. И сама Александра хорошо знает, что такое любовь и что такое ошибки. Ведь высшая мудрость женщины – не только простить, но и принять ситуацию. Не героиня – скажете вы? Подумаешь, не построила отношения с дочерью. Закрыла глаза на измену супруга. Нет, героиня! – отвечу вам я. Не раскиснуть, не впасть в истерику. Не терять надежды на лучшее. На то, что все образуется. Не героизм? Не скатиться в драму, в депрессию? Не героизм? Пытаться жить в новых условиях и оставаться собой. Не героизм? Нет ли в этом трагизма? Да, безусловно, есть! Но ударам судьбы она противопоставила терпение, силу духа и мудрейшее сердце. Я думаю, так.

Аля сидела молча. Только застыли руки. Неподвижные, словно мертвые, холодные руки.

– Ты знала? – тихо спросила Наталья.

– Да какая разница! – отмахнулась Аля. – Зато теперь знают все. Все, понимаешь? И он в том числе. Не поняла?

Натали растерянно покачала головой.

– Эх! – крякнула Аля и встала с кресла. – Он теперь знает. Что знаю я. А это значит, что надо менять жизнь. Ты понимаешь? Выяснять отношения. Разводиться, делить имущество. И снова обретать статус разведенной и неудачливой женщины. Теперь ясно? Ведь я не должна промолчать!

Натали пожала плечами.

Аля подошла к окну, раздвинула тяжелые шторы и, не поворачиваясь, сказала:

– А у меня... совсем нету сил. И желания, кстати, тоже.

* * *

– Куда? – повторил водитель, с удивлением глядя на странную пассажирку на заднем сиденье.

Вероника вздрогнула и пришла в себя.

– Я... даже не знаю. Простите. Может быть, прямо? – залепетала она.

– В смысле? – жестко уточнил он. – Прямо в каком это смысле?

Странная пассажирка вдруг расплакалась, словно школьница перед классной доской.

– Я... Мне все равно, куда ехать. Вы... понимаете?

– Лично я – нет! – отрезал водитель. – Ну, если прямо, так прямо. Мне все равно.

Насчет денег он не волновался – дамочка не бедная, это видно. Странная – да, но не из бедных. Сумочка такая... Неслабая. Пальтишко оттуда же. Из бутика – как сейчас говорят. Очки, кстати. Вот очки точно потянут на пару штук баксов. Откуда он знает? Да из жизни. Из жизни богатеньких, вот откуда! Возил одного хрена, было дело. Так вот баба его, хрена этого, тоже слепошарая оказалась. Заказывала окуляры – а потом хвасталась. Дура. Почему дура? Да потому что так и ушла от сожителя в очочках и сумочке. А в сумочке – хрен с маслом.

Хозяин тогда его вызвал и приказал – отвези эту! По месту прописки. Вышла бедная. С одной сумочкой и с разбитым сердцем. Отвез он ее, горемыку, в Братеево. К маме. В панельку. После коттеджа в Ватутинках. Рыдала, сморкалась, жаловалась. Не женился, сволочь! А так надеялась! И после рая такого – снова выселки и крики по ночам под окном. Райончик, надо сказать, мать его за ногу!

Ничего, не помрет. Сколько их, наивных! Надеются, что приедет их принц на белом «мерине». А на всех принцев не хватит. И «меринов», кстати, тоже.

А эта – он бросил взгляд в зеркало заднего вида – тоже оттуда? Наверное. Послал, поди, муженек – нашел помоложе. Да и ладно. Главное – чтоб без истерик. Ну, покатаемся, а что дальше? А дальше привезу ее к дому и попрощаемся. Позвонит обидчик по сотовому, куда денется. Или сама наберет. Когда кататься устанет.

Он крякнул с досады, резко крутанул руль и покатил по дороге. Где наша не пропадала!

Женя отвернулась к стене и уставилась на обойный рисунок. Ничего внятного и определенного – на сером фоне размытые, бледно-розовые пионы. То, что пионы, поймешь не сразу – только когда приглядишься. Сейчас это модно – ничего определенного, только намек. А там додумывай сам. Что тебе видится и что тебе хочется. Умно. Очередная шарада. Вся жизнь – шарада. Главное – решить, как тебе хочется. Уговори себя, что ты счастлива, – вот, пожалуйста! А разве нет? Ты замужем, муж не пьет, не гуляет. У тебя две дочери – не наркоманки и не проститутки. Прекрасная квартира в хорошем районе. Приличная машина, старая дачка с верандой. Ты здорова. Мир посмотрела. Карьеру сделала – в твои-то годы! Сделала легко, непринужденно. Жил не рвала, подножки никому не ставила. С совестью в сговор не вступала. Удача? Конечно. И что получается? Да то, что ты счастлива. Вот так получается! И это тогда, когда рядом болеют, и болеют смертельно. Теряют детей и близких. Когда на склоне лет уходят и предают мужчины, сталкивая тебя в тухлую канаву – чтоб не мешалась. Когда взрываются бомбы – совсем близко, там, куда ты ездила в детстве к родне, чтобы от пуза поесть абрикосов. Ну, как, успокоилась? То-то! А все твои «беды»... Не беды, а так, неприятности. Ну, может быть, очень большие. Но – всего лишь неприятности, точно.

Вот и прикинь, что к чему, и сопли утри. Предательство? Да брось ты! Предать могут близкие. А все остальные... Забудь. И забудется. Переживут. Кстати, все. Телезрители – сегодня же. Точно. Своих забот полон рот. Поохают, покряхтят у телика, и все в трубу, как и не было. Муж? Так у тебя давно нету мужа. Есть сосед, старый приятель. Отец твоих дочек. Почти отец. Вернее, не совсем отец и не совсем обеих. Но это частности. Дочки? Ну, порыдают – особенно Дашка. Маруська? Простит. А кстати, за что? За ложь? Да о чем ты? Ложь во спасение – это не ложь. Маруська девочка не слишком сентиментальная. И ломоть, похоже, отрезанный. К диалогу, кстати, способный. Простит. У нее уже своя жизнь. И не нужно видеть друг друга все время. Постоянно. Постоянно смотреть друг другу в глаза и помнить о том, что ты – приемная дочь. Прорвемся и с этим. Не привыкать. Так что же такого смертельного у тебя, матушка? Что уж такого невыносимого?

А все. Вся жизнь коту под хвост, вот что. И ничего у тебя, если разобраться, милая, нет. Ни мужа, ни семьи. И работа твоя... Тоже блеф. Потому что ты пишешь о том, чего нет. Или так: ты – писатель-фантаст, матушка. Представитель жанра, который тебе незнаком и совсем не близок. И будешь еще говорить, что ты состоялась и занимаешься любимым делом? Снова блеф. Вся жизнь твоя – блеф. Утрись и смирись. Так живут многие, не ты одна. Утешение? Да, наверное.

И все-таки... почему же так плохо? Невыносимо просто... Пройдет. Пройдет? Пройдет. Не сомневайся. Все ведь проходит.

А если Маруська что-нибудь натворит? С собой что-нибудь сделает?

– Я... пойду? – тихо спросила Наталья. – Клиентка... ждет, – смущенно добавила она, посмотрев на часы.

Аля стояла у окна и молчала. Потом, не оборачиваясь, махнула рукой.

– Да, иди, конечно, иди. Сопли мне утирать не надо и жалеть тоже. За что жалеть? Сижу тут... вся в шоколаде. А тебе надо спешить чистить чужие пятки. И слушать очередное нытье. Иди, Наташка. Все пройдет... Как с белых яблонь дым.

Она обернулась и попыталась улыбнуться. Улыбка вышла кривой и жалкой. Наталья вздохнула и кивнула.

– Пойду.

Когда за ней захлопнулась дверь, Аля упала в кресло и наконец разревелась. Слезы были бурные, обильные, злые. Да пошли вы все! Все, слышите! И ты, Герасимов, и ты, Володя, друг милый. И ты, доченька. Все. Не пропаду, слышите! Не нужна? Да пожалуйста! Не про-па-ду! Из такого дерьма вылезала. Вам и не снилось. А что сейчас? Сдохну? Герасимов? Да бога ради, уходи к своей крысе с белой косой. Нянькай своего мальчика, вот он-то не виноват ни в чем, это точно. Лидочка? Да бог с тобой! Живи и будь счастлива! Обходишься без меня? Умница! И я без тебя... Обхожусь. Тяжеловато, конечно. Но... почти привыкла. Знаю, что тебе хорошо. А это главное. Герасимов, хочешь развода? Получишь. И я получу. Свое. Все до копеечки. Дом, например. Квартиру на Чистых. Машину. Акции мне ни к чему. Заводы твои, пароходы. Я не жадная, мне достаточно. На хлеб заработаю, но своего не отдам. Положенного. Не расслабляйся. Строй свое новое счастье и будь доволен. Володя? Да иди с богом. Ты мне НЕ нужен. Прости, но это честно. Нет, ты мне помог. Спасибо огромное. Помог, когда было совсем тухло и горько. Напомнил, что еще женщина и что желанна. Спасибо. А теперь – все. Достаточно. Строй свою молодую и счастливую жизнь. На радость маме. Рожай детей, делай карьеру. Нам с тобою не по пути, извини. А в список побед запиши «престарелую» тетеньку, актриску одну знаменитую. Ну, и вспоминай, так, к случаю. Мужчины гордятся победами, правда?

Да пошли вы все. Вместе взятые. Как же вы мне надоели. Одной будет лучше. Одной будет легче.

Будет? Вопрос...

Бабушка, где ты? Ну почему ты ушла?! Я ведь совсем одна. На всем белом свете!

Аля встала и пошла на кухню сварить крепкого кофе. Смертельно разболелась голова. Понятно – нервы, виски, сигареты. Отчаянье. Такое отчаянье, господи! Просто не хочется жить.

Все как-то... в одну секунду... Стало мелким, глупым и пошлым. Вся ее жизнь. Все эти шизики Аристарховы, латентные гомики Терлецкие, алкоголики Роговые, страстные молодые любовники Володи. И нувориши Герасимовы. Отмороженный Саввушка со своими гаджетами. Суровая, жесткая Лидочка со своей идиотской непримиримостью. Роли дурацкие, «мыльные». След в искусстве, смешно! Все обнулилось, обесценилось, девальвировалось, превратилось в труху, в пыль и в дерьмо. Здорово, да? Понять все это и признаться себе.

Тут она задумалась. Господи! А кто постарался? Кто показал ей все это? Что она брошенная, обманутая, отвергнутая? Что она ноль без палочки? Кусок дерьма в огромной вселенной? Кто? Да дрянь эта телевизионная! Марина Тобольчина! Мерзкая сука, вторгшаяся в ее жизнь. Ложью и подлостью, между прочим. Вот с чем надо разобраться! Она это все так не оставит. Публичное унижение не для нее. А эти Марфушки? Вероника и Женя, писательница и врачиха? Их эта дрянь тоже размазала, да еще как! Ведь им, если вдуматься... Женя с усыновленным ребенком. Кстати, есть ведь тайна усыновления! Значит, эта гадина может ответить по закону! И Вероника... Вытащить такое про мамашу! Господи, какой же позор! И все это спустить? Из-за их поганых рейтингов? Из-за их премиальных? Да счас! Мы вам покажем, где раки зимуют. Думаешь, нет на тебя управы, звезда телевидения? Я не привыкла по-христиански – подставить другую щеку. Со мной этот номер не выйдет!

Она шмякнула об стол чашку с кофе и поискала глазами мобильный. Пролистала записную книжку и нашла нужный номер.

– Вероника? – закричала она. – Ты где, моя прелесть? Да не реви, ничего не пойму. Да ты совсем рядом, господи! Записывай адрес и подгребай, слышишь? И не реви! Не реви слишком громко. Ты за рулем? Нет? Н, и славно! Тогда реви. Меньше пописаешь.

Она нажала отбой и стала искать номер Жени.

Женя трубку по-прежнему не брала. С мамой говорить не хотелось – это понятно. Маруська?

Нет, не она. У Маруськи особый звонок, именной. Значит, кто-то из просто знакомых. Тот, кто посмотрел эту гадость. Телефон надо выключить – будут названивать все кому не лень. Охать, кряхтеть, выражать соболезнования. К черту! Она нагнулась, чтобы нашарить в темноте телефон, лежавший на полу.

На дисплее высветилось: «Ольшанская Александра».

Женя привстала, раздумывая, брать ли трубку, и все же взяла.

– Дрыхнешь? – было слышно, как громко Ольшанская выдохнула сигаретный дым.

– Ага, как же! – печально ответила Женя. – Хотя хорошо бы – задрыхнуть и не проснуться, – вздохнула она, – хреново очень.

– Хреново, – бодро согласилась Ольшанская. – Но будет лучше. Слушай, ты, Шарль Перро! Ты приезжай. Куда? Да ко мне. Я в одиночестве – ну, как все поняли. Мужем брошенная, детьми позабытая, – она усмехнулась. – Короче. Авиценна вот-вот подъедет. И ты подгребай. Ты далеко от Рублевки? Ну и отлично. Будем решать, как кончать эту суку.

Женя вздохнула.

– Смешно. А пока... Пока она кончила нас.

– Не вечер, – жестко отрезала Аля, – давай и по-быстрому. Жду!

* * *

Как там поет певица? Одиночество – мука? Одиночество – гадость? Одиночество – сука! Вот именно, именно так. Сорок лет. Точнее, почти сорок один. Через полтора месяца. Ни мужа, ни ребенка, ни семьи. Ничего. Чего ты так рвалась сюда, Марина? Конечные цели? Карьера? И только? Ну, с этим у тебя все в порядке. В поряде – как принято говорить нынче. Да, карьера... Ты, провинциальная девочка, приехавшая сюда в девятнадцать. В стылую, промозглую декабрьскую Москву. Никого у тебя не было – ну, почти никого. Тетя Света не в счет. А между прочим, мамина двоюродная сестра! Совсем не дальняя родственница! Приняла, да. Но как? Че приперлась? Без тебя скучно не было! Все претесь сюда, а за каким? Москва не резиновая, может, слышала?

Марина молчала. Стояла, опустив глаза, и думала, что надо только выдержать. Потому что идти больше некуда. Совсем. Ну, на вокзал, если только. А там менты. Загребут в пять секунд. И не отвертишься, потому что набрехать про экзамены в институт не получится. В декабре экзаменов не бывает. А злость была на тетку, ох! Так и хотелось ей в морду плюнуть – а ты сама? Давно ли москвичка? Стерпела, смолчала. Та, видно, сжалилась и тяжко вздохнула:

– Ну, раздевайся. На мою голову...

Поставила чайник, сделала два бутерброда с засохшим сыром. А на сковородке штук десять котлет. Марина вытащила гостинцы – мамино клубничное варенье, сливовый мармелад, сушеную тараньку и большой шматок сала.

Тетя хмыкнула.

– Понятно. Что вы оттуда... еще можете!

Слезы брызнули из глаз – так стало обидно! Ладно, проехали. Надо же приспосабливаться, выживать как-то надо. Бог терпел и нам велел, как говорила бабушка.

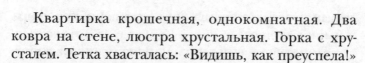

Квартирка крошечная, однокомнатная. Два ковра на стене, люстра хрустальная. Горка с хрусталем. Тетка хвасталась: «Видишь, как преуспела!»

Преуспела, да. В столице всего-то лет десять, а уже и квартира своя, от завода. Горка с посудой, ковры. Только мужа вот нет и ребенка.

Раскладушку разложили на кухне.

– В шесть проснешься и соберешь, – приказала тетка. – Мне на работу.

Потом спросила про планы. Марина поведала, что устроится на работу – куда, все равно.

– С общежитием! – указала тетка. – Я тебя здесь долго терпеть не буду. Мне, моя милая, никто не помогал и перину не стелил. Все сама, все одна. Всю жизнь на заводе спину ломаю. Квартиру вот в прошлом году выбила. Видишь, добра сколько?

Марина кивнула.

– И еще, – тетка слегка смутилась, – у меня, племянница, есть еще личная жизнь. Ты поняла?

Марина снова кивнула.

– Так что в пятницу чтобы тебя здесь не было. Повторять не надо? С семи вечера и до двенадцати. А где пристроишься – не мое дело. В кино иди или в цирк. С конями! – засмеялась она, явно довольная своей остротой.

Марина все поняла – у Светки любовник, и любовник женатый. Ладно, пересижу. А там видно будет.

Но было интересно, поэтому без пяти семь села у соседнего подъезда и стала ждать.

Ровно в семь появился один – низенький, крошечный, как колобок. В фетровой шляпе и сером пальто. Остановился, воровато оглянулся – не видит ли кто. Вытащил из портфеля коробку зефира и нырк в подъезд.

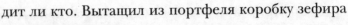

«Понятно, – вздохнула Марина, – герой-любовник. Дура Светка. Это ж Москва! Столько мужчин по улицам ходит. Бери любого. Если мозги имеются. А этот пень замшелый... Кошмар! Хотя... Светке уже за тридцать. А в этом возрасте, как известно, невест давно нет – есть старые девы и брошенки».

Марина бродила по Москве часами – ни снег, ни ветер, ни мороз были ей не помеха. Она вглядывалась в лица прохожих, жадно рассматривала, во что москвичи одеты, принюхивалась к запахам проходящих мимо женщин. Почти все торопились – одна Марина никуда не спешила. И вот тогда она поняла – она тоже хочет спешить. Торопиться, опаздывать, не успевать и вбегать в последнюю минуту. Хочет, нет, страстно мечтает жить так, как ОНИ. Коренные москвичи – хмурые, угрюмые, торопливые и невежливые.

Совсем не такие, как те, кто жил в ее городке. Там все двигались не спеша. На работу – не спешили. На базар – тем более. В кинотеатр знакомые билетерши пускали опоздавших – все были друг с другом знакомы. На базаре соседки продавали творог и свеклу. В магазине торговала соседка тетя Оля. В школе преподавала мамина одноклассница Лариса Сергеевна. В больнице работала мамина золовка Катя.

Все здоровались, знали друг о друге все, вместе провожали в армию парней, вместе хоронили, гуляли свадьбы, выручали друг друга. Ссорились, конечно. Скандалили. Кто-то кого-то не любил, говорил гадости, сплетничал. Но это была совсем другая жизнь. Жизнь у всех НА ВИДУ.

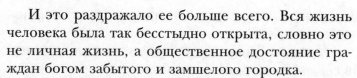

И это раздражало ее больше всего. Вся жизнь человека была так бесстыдно открыта, словно это не личная жизнь, а общественное достояние граждан богом забытого и замшелого городка.

Во дворах на ветру полоскалось белье – ветхое, застиранное и тоже стыдное: простыни, пододеяльники, лифчики и трико.

Женщины бегали в магазин в тапочках и бигуди. Центральная улица, райком, Главный (!) гастроном с пустыми прилавками, кинотеатр «Родина» с порезанными дерматиновыми креслами и запахом прокисшего пива.

В галантерее – лак «Прелесть», от которого волосы встают дыбом, алюминиевые сережки и браслеты и голубые тени для век. Еще вафельные полотенца и хозяйственное мыло, которым и стирали, и мыли детей.

За ВЕЩАМИ ездили в столицу. Везли все, что удавалось достать: туалетную бумагу, польскую помаду, болгарские духи, колбасу, сыр и лимоны.

Тут же сбегались соседи и прямо во дворе все щупали, восхищались и завидовали покупкам.

Как это было противно! «Неандертальцы, – думала Марина. – Просто папуасы какие-то!»

Мужчины крепко пили «с зарплаты» и ежедневно по пиву, как говорили. Женщины некрасиво старели, злобились и проклинали судьбу. Все проживали свою жизнь так уродливо, так пресно, так бедно и стыдно, так бесславно, что почему-то становилось ужасно страшно.

Мама понимала, что Марина уедет. Не возражала – только тихонько плакала. Плакала и переживала – как там, в Москве? Ведь никого! Как пробиваться? На Светку надежды нет – та всегда была стервой.

В общем, провожала дочь со слезами и болью в сердце. А Марина смеялась:

– Мам! Хуже, чем здесь, не будет.

– Где родился, там и сгодился, – причитала и не соглашалась мать.

– Вот уж нет! – жестко сказала Марина. – Здесь я точно не пригожусь.

Было все – и мытье полов в рабочей столовой. И мытье котлов там же – повышение! И фирма «Заря» – уборка квартиры, продукты на дом. И прачечная-химчистка – аппаратчик-пятновыводчик.

Тогда-то и началась страшная экзема – все руки и шея покрылись коростой от химии.

Потом повезло – устроилась в паспортный стол, работа была не бей лежачего, но очень пыльная. Заработав экзему, стала еще и аллергиком – и на пыль тоже. Ушла. Снимала угол у бабушки. Бабушка была невредная и глухая, телевизор включала так, что хоть святых выноси. А Марине все время хотелось спать.

Бабке она и готовила, и стирала, и приносила продукты. И мыла коммунальную квартиру – тоже за бабушку.

Иногда ночью ревела и думала: «Уеду! Все брошу и поеду домой. А что, собственно, бросишь? Что ты нажила, с чем трудно расстаться? Пару сапог? Две кофточки и новые джинсы? Крошечный флакончик французских духов, которые бережешь пуще глаза?»

Дома – мама. Своя кровать, свой стол и свой шкаф. Мамины щи и пирожки с повидлом. Ее причитания и ее любовь. Ее жалость. Которую Марина принимать не готова. Подружки все уже замужем, гуляют с колясками. Мужья пьют пиво, стучат костяшками домино и орут на жен и детей.

А они, жены, выходят во двор с тазами. С тазами мокрого белья. Простыни, наволочки, ползунки. Лифчики и черные «семейники». У всех одинаковые. И снова все это полощется на ветру, и снова стыдно... за всех.

И Марину начинало тошнить. Нет! Никогда! Значит, будем биться дальше! А может быть, повезет?

Да навряд ли... Считается, что повезло Светке. Кино! Да, правда, квартира. Хрусталь, ковры, все такое. И этот, в шляпе, с зефиром. Повезло, ничего не скажешь!

А вот ей, Марине Тобольчиной, повезет. Обязательно, слышите! По-другому не будет!

А спустя три года случайная встреча. Судьба. Судьба в лице девушки Гали. Галя работала в Останкино. Монтажером. Послушав Марину, сказала:

– Дура! Ты совсем не там, где должна быть. Поломойка, подавальщица – смешно! У тебя красота, амбиции и, наконец, мозги. И самое главное – ты так устала от всей этой гадости, что смело пойдешь по трупам. С легкой улыбкой на счастливом лице.

Марина тогда вздрогнула.

– По трупам? Ты что, Галка! По каким еще трупам?

Почти обиделась. А та объяснила – фигура речи. В смысле, ради карьеры ты готова НА ВСЕ. Ну, или на многое. А это уже залог успеха. Ты натерпелась по горло и хочешь НОРМАЛЬНОЙ жизни. И главное тут – желание. Вернее, сила желания.

Почти четыре года Марина была девочкой на побегушках. Потом тихо-тихо, медленно-медленно все стало получаться. С гостевого редактора до редактора настоящего. И наконец, Марина Тобольчина стала ведущей. Это была не просто карьера. Это был ошеломительный, невероятный, почти немыслимый успех.

Правда, было одно «но». Совсем маленькое, не всем заметное «но». Лукьянов. Любовник. Любимый. Гуру. Учитель. Ее всё! Талантливый, умный, отчаянный. Креативный. Жесткий. Муж и отец двух девочек.

Только благодаря ему она стала успешной, известной, небедной. Только благодаря ему у нее появилось имя, деньги и связи. Только благодаря ему ей восхищались, завидовали и ее ненавидели. Боялись. Брали автографы. Открывали все двери. Гордились знакомством.

Маринин босс и любимый. Сволочь, гад, лгун и подлец. Тот, кто «сделал» ее и... сломал как сухую ветку. Царь и бог. Он сделал из нее известную телеведущую. Помог – и как помог! – в карьере. Только... Как женщину он ее уничтожил. Оставив бездетной и одинокой.

Что она обрела и что потеряла? Многое и там и там. Например, себя.

Проклясть или сказать спасибо? Вот с этим загвоздка. Большая проблема с этим.

Их роман начался так давно, что Марине казалось, будто не было и вовсе других мужчин в ее жизни. Он, Лукьянов, затмил всех мужиков вокруг. Немудрено – он был хорош. Хорош во всех смыслах этого слова – умен, образован, смел, остроумен. Красив, строен, высок. Околоостанкинские девицы бегали за ним табуном. Но, казалось, Лукьянов был недоступен. Нет, сплетни, конечно, бродили: то ему приписывали известную дикторшу из новостного отдела – женщину небесной красоты, то молодую монтажершу почти под два метра, то врачиху из медпункта – с лазоревыми глазами и осиной талией. И все-таки это были лишь слухи и домыслы – доказательств не было ни у кого. Его нечеловеческое упорство, амбициозность, тщеславие и честолюбие сделали свое дело: мальчик из нищей семьи, воспитанный одинокой матерью – почтальоном, он поднялся сам, без протекции – с осветителя до продюсера и замдиректора канала.

Он был талантлив. Безусловно. Его авторитет на телевидении был огромен. При одном упоминании его имени все благоговейно замирали. Все знали, что он прочно и долго женат единственным браком. Про его жену информации почти не было – домохозяйка, окончившая Библиотечный институт. Поговаривали, что внешне эта Инна достаточно заурядна. Нет, совсем не плохонькая, но... обычная, что ли. Она никогда не присутствовала на вечеринках, ни разу не появилась при записи программ. Словно тень или мираж. И все-таки правды не знал никто. В семье росли две дочери, Катя и Лора, погодки. Все.

То, что он обратил на нее внимание, было таким чудом и казалось таким невероятным, что, когда у них все закрутилось, никто не поверил. Тобольчина? Марина? Эта приезжая, вполне заурядная и довольно обычная девица? Да ладно, бросьте! Все с удовольствием верили в дикторшу, монтажершу и медичку. Но в эту? Да за какие такие заслуги? И чем она, собственно, лучше всех нас?

Ничем. Это правда. И все же... Она стала ловить на себе его взгляд – чуть задумчивый и внимательный. Убеждала себя, что все это ей только кажется. Этого просто не может быть! Да вокруг десятки прекрасных женщин, моложе, стройнее и красивее ее. Образованнее, в конце концов! А когда он позвал ее в кафе выпить кофе, вот тогда она поняла – не показалось. Ни ей, ни другим.

После того похода в кафе, где она краснела, смущаясь, и сбивалась в ответах, он сказал ей, что ждет ее после работы в машине, внизу, на стоянке. Ждет, чтоб отвезти домой. Сказал так сухо и строго, что возражать ему ей и в голову не пришло. Он ушел из кабинета чуть раньше, она это видела и надеялась, что ей все показалось или привиделось. Что вот сейчас она спустится вниз, выйдет во двор, и никакой бежевой «Волги» на стоянке не будет.

Она еще задержалась, специально. Потом, тяжело вздыхая, накрасила губы и подвела глаза. Сбрызнулась духами, лежавшими в сумочке, и спустилась во двор.

Бежевая «Волга» стояла. На улице было темно, но она увидела, как там, внутри, в чреве машины, вспыхивает красный огонек сигареты.

Она снова растерялась, разнервничалась окончательно, споткнулась на ступеньке, чуть не упала и замерла, не понимая, что делать. Ей захотелось прошмыгнуть мимо, незаметно проскользнуть за «спинами» других машин, выйти на улицу крадучись, почти ползком. Почему она так испугалась? Поняла, что теперь, с этого дня, как только она откроет дверь и сядет в машину, начнется другая жизнь? Которая затянет ее в тоску, страдания, печаль и безысходность? Оборвать которую у нее ни за что не хватит сил? Жизнь, в которой ей вечно будут шушукаться в спину, придумывать небылицы, осуждать, критиковать, завидовать и ненавидеть? А она... Она превратится в любовницу. Правда, есть легкий душок в этом слове? Нет-нет, ничего плохого! Но... все-таки что-то есть. Обидное, что ли? Стыдное. Непривлекательное. Жалкое даже. То, что лишит ее навсегда права на семью и детей. Право на совместный отпуск, Новый год и Восьмое марта. Цветы и конфеты ей сунут впопыхах, торопливо. Смущаясь. И она не станет продумывать блюда праздничного стола – не для кого. ОН будет в семье. В Новый год. Восьмого марта. В день своего рождения. И чемодан в командировки и на моря собирать ему будет совсем не она. Любовницы чемоданов не собирают. Они вообще на краю чужой семейной жизни. Сбоку. Где-то вдали. Маячат. Маячат всю жизнь. Иногда мешают. Иногда в них ОЧЕНЬ нуждаются. Ими, разумеется, восхищаются. Их хотят! С ними сладко и трепетно. У них, по сути, прекрасная роль – им доверяют сомнения и секреты. Им жалуются на несправедливость жизни. По ним скучают. Очень скучают – потому, что они НЕ ЧАСТЫ. Они не брюзжат, не надоедают. Не ходят в бигуди и в сношенных тапках. От них пахнет духами и неизвестностью. Они почти неизвестны. Не познаны до конца. В них все еще живет загадка и есть вечный манок. Они принадлежат мужчине и не принадлежат. Вот в чем секрет! Они – ничья собственность.

Даже любовника. Они почти эфемерны – и это так привлекает!

Она привыкла к такой жизни – привыкла довольно быстро. Хотя продолжала реветь в Новый год. Поливала слезами готовый оливье, укладывая его в салатник. Привыкла к быстрым визитам на пару часов и взглядам на будильник. Привыкла к тому, что его подарки из командировок – крошечные, легче спрятать – одинаковые или похожие сувениры. «Сотрудницам на работу» – вот как это называлось.

Ничего личного, как говорится. Нет, скупердяем он не был – в день ее рождения это были подарки. Как правило, деньги – я же не знаю, что ты хочешь, малыш! Не знает. Что хочет законная – это известно. Так же, как и ее предпочтения – красное, белое, итальянское, пушистое, в орехами или с безе. Золото-серебро не пройдет.

Она же – загадка! Зачем знать, чем пахнет загадка? Зачем знать, что она любит бифштексы или светлое пиво? Некрасиво как-то, слишком обыденно.

Деньги, да. Приличные, кстати! На них она покупала сапоги, шубу, кольцо или серьги. Потом показывала ему.

– Ну? Как тебе? Это – ты!

Он никогда – вот забавно! – не ужинал у нее. Она, конечно, не ас – как почти любая одинокая и бездетная женщина. Кому охота стараться для себя одной? И все-таки она готовила. По первости. Запекала курицу, делала какой-нибудь салат из журнала – что-то несложное. А он не ел. Никогда! Говорил, что привык к домашнему. А у нее что – из столовки? Обижалась, конечно. Он уходил, а она грызла куриные косточки и кропила их слезами. Он пил только кофе – крепкий, без сахара.

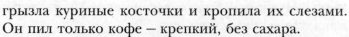

Однажды купила ему роскошный свитер – отстояла в очереди пару часов. А он извинился:

– Зайчонок, ну какой свитер?! Ты ж все понимаешь... Как принести вот это домой?

Свитер остался у нее в шкафу. Навсегда. Лежал на верхней полке и назойливо напоминал о ее месте в его жизни.

Нет, было, конечно, хорошее – особенно летом. Жена с девочками уезжала на дачу. Он, как все мужики, ездил туда по выходным. А по будням оставался у нее, у Марины. Правда, ужинали они всегда в ресторане – вот тебе и «домашнее»... Нет, были цветы – тогда были! Были длинные летние ночи – душные, светлые, почти бессонные. Она привставала на локте и смотрела на него, спящего. И думала в те минуты, что отдала бы все на свете, если бы этот человек принадлежал только ей. Чтобы она не чувствовала себя воровкой, чтобы не боялась поднять глаза на людей.

Чтобы приезжали они на работу вместе, вместе выходили из машины, здоровались с коллегами. Смотрели в глаза окружающим – спокойно, без укоров совести и стеснения. Чтобы про них говорили: «Прекрасная пара!» Чтобы не шушукались вслед, не злословили. Не говорили: «Жену он не бросит. И что эта дура ждет? Никогда не дождется!»

При этом – вот чудеса! – однажды она услышала, что осуждают ее! Она спала с чужим мужем, она отрывала отца от детей! Она, а не он, была виновата. Злодейка – она. А он... Да что ж с него взять? Мужчина! Ему-то все можно! Пусть дети, жена. Он – неподсуден.

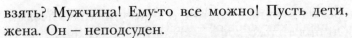

А ведь именно он был должен всем – и ей в том числе. Он всем врал, именно он. Жене, девчонкам, Марине. Впрочем, нет, это неправда – вот как раз ее он не обманывал. Никогда. Никогда ничего не обещал. А она и не просила – унизительно как-то. Как сказать мужчине такие страшные слова: уйди из семьи, оставь девочек. Подели квартиру! Алименты – по исполнительному листу.

Она не могла.

Не потому, что «сильно порядочная» – уж за свое счастье она бы билась. Насмерть, до крови. Просто гордыня не позволяла. Не гордость – гордыня.

Только однажды, где-то на пятом году их романа, она «попалась». Испугалась не беременности – вот не проблема! – испугалась его. Может, вообще не говорить? Сбегать в больницу, и через пару часов она дома. Он и не узнает. Не потому, что его пожалела – не хотелось услышать то, что она знала наверняка: нет, нельзя, никогда. Мы договаривались. На берегу. Я никогда тебя не обманывал и ничего тебе не обещал.

Слушать эту отрывистую, жесткую речь и видеть его стальные глаза... Она-то, как никто, знала, каким он бывает. Видеть, что она его напрягает. Вот этого она, почему-то, боялась больше всего. Дура, конечно, – ругала она себя. Еще какая дуреха. Аборт она сделала, вот только неудачно. С осложнениями. Кровотечение, повторная чистка. Валялась, как собака на подстилке. Никаких сил – ни физических, ни душевных.

Даже слез не было. Одна жалость к себе. И выла как собака – без слез. Подумала тогда: «А может, зря? Может, надо было бросить эту чертову Москву, это чертово Останкино и эту чертову съемную квартиру в далеком и ветреном Ясенево? Бросить и уехать к маме, в родной городок? Там родить ребеночка и просто жить! Трясти во дворе коляску, болтать с соседками, сплетничать. Смотреть бразильские сериалы, а наутро обсуждать это с товарками. Загонять нетрезвого мужа домой. Или так – родить для себя, мать-одиночка, и сейчас никого этим не удивишь...»

Мама бы помогала – еще как помогала! И была бы она как все. Ну, или почти как все. Сколько подружек ее бывших уже развелись и стали мамашами-одиночками! А что ей дала столица? Да ничего. Все это блеф. Москва, телевидение, деньги, шуба, хорошая стрижка и ухоженное лицо. А счастье где? Ау!

Да нет его, счастья! Ты ж умная девочка! Взрослая. Да и потом – дорогу свою мы выбираем сами. Вот и ответ. И вся, как говорится, любовь. Или это все-таки счастье? Ты же в столице! На телевидении! Ты умница и почти красавица. У тебя есть любимый. Прекраснейший из мужчин – умный, успешный. Он любит тебя. Или? Да нет, наверное, любит. Ну, как умеет. Умеет, конечно, не так, как бы тебе хотелось, но... У тебя есть машина. Достойная зарплата. Хорошая, пусть и съемная, квартира. Тебя уважают и кланяются тебе при встрече. На тебя все еще смотрят мужчины. Головы, конечно, не сворачивают, но...

Ты самостоятельна, ты почти на вершине. Разве мало? А где все те, кто жил с тобой по соседству?

Вот именно, в заднице. В твоем родном Мухосранске. То же белье на веревках, тот же запах пыли и щей из распахнутых окон. Крики пьяных соседей. Хочешь так? Так возвращайся. В кассе всегда есть билеты. Пять часов, и ты там, на месте... А-а, не хочешь! Ну, и заткнись, моя милая! И скажи спасибо судьбе. Если не окончательная дура, конечно.

В больницу он не приехал. Приехал позже, домой. Она все валялась в кровати – бледная, страшная, патлатая. К его приходу не причепурилась – неохота. Так и открыла ему дверь. Точнее, открыл он сам, своим ключом. Посмотрел на нее, сел на край кровати и закрыл лицо руками. Так промолчали примерно с час. Потом она встала и пошла на кухню поставить чайник. Он выскочил в магазин – принес апельсинов, манго, дыню и соки. Почистил фрукты и положил на тарелку. Она ела, а он смотрел на нее и молчал. Потом поцеловал ее руку и хрипло сказал:

– Прости.

Она отвернулась к стене. Рыдания подступили к горлу.

Вот тогда, пару месяцев спустя, он помог ей с квартирой – выбил у «самого-самого». Там, наверху. Почти бесплатно – небольшая, смехотворная сумма была внесена тоже им – это называлось «по себестоимости» квадратного метра.

Квартира была, разумеется, счастьем. Пусть небольшая, однокомнатная. Зато кухня огромная, почти двенадцать метров. Комната с эркером. Окна на запад. Из окна виден закат – пятнадцатый этаж, чудо, а не вид! И район вполне себе, вполне – от

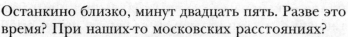

Останкино близко, минут двадцать пять. Разве это время? При наших-то московских расстояниях?

С ремонтом тоже помог – отправил ее на море, а сам пригнал бригаду смуглых, золотозубых говорливых молдаван.

Когда спустя месяц она вернулась, уже доклеивали обои и укладывали напольную плитку. Мебель выбирали вместе, и снова платил он.

Ну? И вот при всем при этом обидеться? На судьбу и него?

Потом, правда, ходила к врачу. Известному-преизвестному. Светиле. Он печально сказал:

– Нет, моя дорогая. Увы! Боюсь, что этого уже не исправить.

И стал извиняться, будто это он был причиной ее несчастья.

Ладно, забыли. Тему закрыли. Точка.

Прошла пара лет. Он снова «двинул» ее. Да как! Теперь она была ведущей его нового «шедевра». Нового шоу, мгновенно обретшего популярность. Этой самой фигни, которая через десять минут продолжится по ящику. Она всегда тщательно, скрупулезно даже, пересматривала свои эфиры. Чтобы подметить ошибки – свои и оператора. Дать по башке гримерам – если что-то не так. Оценить работу стилиста – от прически до костюма. И тоже дать по башке – если опять же была недовольна.

Она подсчитывала свои морщины, корректировала движения рук и бровей.

И надо сказать, что это не проходило зря. В следующий раз она все исправляла. Она нравилась себе на экране – почти всегда нравилась. За редкими исключениями, да. Она была киногеничиа – камера ее любила. Да и стиль, выработанный с годами, долгим и сложным путем проб и ошибок, был только ее. Он был узнаваем. Маленькие фишки, подсказанные одной умной «телевизионной» теткой. Царствие ей небесное.

На экране она была моложе своих сорока двух. Определенно моложе. Тридцать три, не больше!

На ее передачу попасть было удачей – почти никто не отказывался. Почему? Ведь вопросы были почти банальны – ну, если прислушаться. Она старалась, конечно. И все же. Конечно, не Опра – ни-ни! Хотя именно Опра была ее кумиром. Опра, задающая самые неожиданные, трудные, внезапные вопросы. От которых люди терялись, плакали, кричали, возмущались и все же «сдавались» на ее суд.

Она, Марина, тоже кой-чему научилась. Спасибо, Опра Уинфри. Да харизма не та. Сама понимала. И еще – передача шла на федеральном канале, в отличное время – суббота, шестнадцать тридцать вечера. Все «поделали» свои домашние дела, отобедали, помыли посуду, повалялись на диванах и уже «присели» у телевизора. Потому что у Тобольчиной были всегда известные и интересные собеседники. Конечно, «с судьбой». И она, Марина, пыталась вытянуть из них то самое сокровенное, чем обычно делиться не принято. У нее получалось – в основном получалось. Вот и весь «секрет».

Были, конечно, и промахи. Были. Одна художница обиделась и подала на Марину в суд. Не на программу, а именно на ведущую. Она объявила, что Тобольчина была некорректна.

А дело-то было вот в чем – художница эта билась во все двери со своим благотворительным фондом. Что-то типа фонда милосердия, что ли. Помощь неимущим, больным, пожилым. А редакторы откопали, что это художница лет восемь назад сдала в дом престарелых свою родную свекровь.

Суд, понятно, она проиграла, а передача лишь набрала рейтинг. Были, конечно, еще недовольные. Да сколько! Но в суд не подавали – знали, что то, что «откапывают» редакторы, – чистая правда. Почему все-таки ходили к Тобольчиной? Все эти «герои», точнее, героини, хотели славы. Ну, нате вам! Подавитесь! Как же она этих всех... Презирала. И еще, потому что она показывала весь нелегкий путь становления героя. Потому что она, именно ОНА делала из человека героя. Потому что всегда оправдывала его. Оправдывала больше, чем обвиняла. Потому что говорила: все мы – люди. И все имеют право на ошибку. Она жалела их, объясняя их ошибки ОБСТОЯТЕЛЬСТВАМИ. И они же устояли! Выдержали, пережили. И даже поднялись! С колен, со дна, из кошмара. И все они и вправду начинали чувствовать себя героинями. Глупые дуры! Амбициозные, заносчивые дуры! Считалось, что никакие к Тобольчиной не попадали. И потому, разумеется, что это – прайм-тайм.

Жалко ли было ей своих героев? Да нет, пожалуй, что нет. Она понимала, что все эти «жертвы обстоятельств» знают, на что идут. И их больше волнует не то, что узнают их «страшную» тайну, а что они – там, на федеральном. И о них опять заговорят. Их будут обсуждать – пусть недолго, у всех, в конце концов, своя жизнь и свои проблемы. Их будут осуждать, но в конце концов пожалеют и посочувствуют. Русский человек скорее жалостлив, чем жесток. И каждый примерит свои проблемы на их. И вдруг – полегчает? Вдруг выберемся и мы? Он-то выбрался! И мы переживем безденежье, почти нищету, увольнение с работы, измену, развод, болезни и прочие напасти? Конечно, переживем! Рискнем, попробуем – где наша не пропадала?

Нет, было кое-кого и жалко. Было. Например, одну девочку. Хорошая девочка, способная фигуристка. А дело там было вот в чем – ерунда, конечно. Девочка узнала страшную тайну про своего тренера. Тайна-то была с копеечку – он, тренер этот, матерый волчище, обманул ее, обманул гнусно, задумав послать ее конкурентку на очень важные соревнования. Все, оказалось, знали. Все, но не она. И дурочка эта... Обиделась! О господи! Сиганула с третьего этажа. Отсмотрела эфир и – сиганула. Сломала плечо, кисть и лодыжку, и карьера ее сошла на нет. Из-за такого вот пустяка. Жалко было, вот ведь дурочка какая! Казалось, спортсменка. Они-то удар умеют держать. Ан нет. Из спорта ушла, уехала к себе на родину. Была девочка и нету. Бред, конечно. Но... Тогда Марина почему-то пошла в церковь. Сказала об этом Лукьянову. А он посмотрел на нее как на чокнутую:

– Да брось ты! Бред, честное слово. Не хотела она это знать, понимаешь? Не хотела. Все знали вокруг, а она не видела! Так было удобно. К тому же спортсменка, борец! А какой из нее борец, если она сразу и – лапки кверху? Из-за такой вот херни?

Она вступила с ним в спор. Впервые. Почти кричала, что они сломали той девочке жизнь. Что она не спит по ночам и даже пошла в церковь впервые в жизни, надо сказать. Сказала, что мучается.

Он покрутил пальцем у виска.

– Ну и дура. Прими снотворное. Не спит она, видите ли! Ну и не спи. Тряси своей совестью, наша приличная! И беги с телевидения. Из этой программы беги. Потому, что чистоплюям здесь не самое лучшее место.

– Тебе ее совсем не жалко? – тихо спросила она.

– Мне, – он отчеканивал каждое слово, – жалко, если рейтинг упадет. Тебе это ясно?

Она усмехнулась.

– Конечно! Ты же за рейтинг маму родную продашь. Я правильно говорю?

Он кивнул.

– Правильно. Маму – не знаю. А всех остальных... запросто! Семья, как ты понимаешь, не в списке.

Вот именно после этих слов ей стало по-настоящему плохо. Он ведь не зря подчеркнул: всех остальных, кроме...

Она была в числе остальных.

И после этого разговора, именно после него, отношения их резко ухудшились.

А спустя примерно полгода она узнала, что у него новая фаворитка.

Она перенесла это довольно спокойно – ну, как это вообще может перенести брошенная женщина. Странно признаться – она даже почувствовала какое-то облегчение от того, что он больше так не нуждается в ней. Он приходил еще пару месяцев – редко и ненадолго. Прятал глаза. А когда уходил, она облегченно вздыхала и открывала окно – ей всегда, даже в самый лютый мороз, становилось душно в его присутствии.

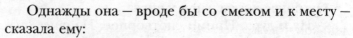

Однажды она – вроде бы со смехом и к месту – сказала ему:

– Ты ж меня бросил!

А он ответил серьезно:

– Бросают жен. А ты кто такая? И потом тебе-то грех жаловаться! По-моему, все, что ты имеешь... – он замолчал.

– Ну-ну, продолжай, – кивнула Марина, – не стесняйся!

– Не без моей, так сказать, помощи. Или?..

Она часто закивала.

– Конечно, конечно, спаситель, благодетель, учитель! И господь бог – и все, заметь, в одном флаконе!

Он внимательно посмотрел на нее.

– А разве нет? – Он сказал это так серьезно, что Марина растерялась и уже не нашлась, что ответить.

А ведь это была чистая правда. Ее карьера, благополучие, известность. Деньги. Все!

Больше она так не шутила. Общались они только по работе. Лишь однажды, когда у нее не удался эфир и она сама это прекрасно поняла, спросила у него:

– Не уволишь? Может, я и в этом амплуа тебя больше не привлекаю?

Спросила, а сердце забилось. А вдруг? Вот сейчас?

Он усмехнулся.

– Пока потерплю. По старой памяти. – Потом поднял указательный палец и добавил: – Пока. Поняла? Спи спокойно!

Она почувствовала, как ее замутило.

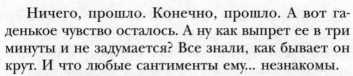

Ничего, прошло. Конечно, прошло. А вот гаденькое чувство осталось. А ну как выпрет ее в три минуты и не задумается? Все знали, как бывает он крут. И что любые сантименты ему... незнакомы.

Девочку эту, кстати, свое новое увлечение, он пока никуда не «пропихивал» – девочка-то была никакая.

Ну совсем никакая девочка. Хорошенькая, конечно, но... Не тянула. Так и сидела в редакторской. Правда, тихо, надо сказать. Умишка хватало.

Только при встрече с Мариной опускала глаза. Значит, не безнадежна. И совесть присутствует.

А если есть совесть, не будет делать Лукьянов из малютки звезду. Не годятся туда совестливые. Не проходят они фейс-контроль.

Она взглянула на экран и прибавила звук. На экране показалось ее лицо, и она, чуть прищурив глаза, подвинула кресло поближе к телевизору. Вглядывалась минут пять, а потом облегченно вздохнула и откинулась в кресле. Ей нравилось, как она выглядит в этот раз. И к гриму никаких претензий, кстати. Что бывает совсем нечасто.

Она отпила соку, расположилась поудобней и чуть расслабилась.

Передача шла по накатанной, и она была вполне довольна. Мастерство не пропьешь, как говорится. А ведь в тот день так болела голова, что даже подташнивало. И тетки эти раздражали больше обычного. И еще... Раздражало, что на носу этот чертов праздник. Это дурацкий день вечных девственниц и поборниц женских прав. Феминисток, чтоб их! Убогие крысы – потрепанные уродины. И что им не жилось? Революцию, видите ли, захотели! Свободы, блин! Уравниловки.

Все пополам с мужиками. Вот кто виновен во всем этом дерьме! Вместо того чтобы осадить своих мужиков, щелкнуть их по носу, призвать к порядку, заставить сеять, пахать, шить и торговать, строить и принимать решения, делать детей, наконец, эти дуры их поддержали. Вот и получили – «с походом», как говорят на рынке. Ушли эти бараны в революцию, бросив жен и детей. Бросив дома, построенные отцами. Бросив земли, скотину. Все побросали. Идиоты! И пошли восстанавливать справедливость. Восстановили? Да какое! «Зато, – говорили с блаженной улыбкой маньяков, – не мы, так наши потомки будут жить счастливо, красиво, богато!»

Вас бы, заядлых, сюда! Особенно этих дурных теток в уродливых и скособоченных шляпках. Вот и полюбовались бы на нас, русских баб. Как сладко нам и как «красиво». Пашем – спасибо, спасибо! – как лошади, а все остальное, что было богом положено, тоже на нас. Все осталось как прежде – дети, хозяйство, огороды, скотина. Но прибавилось то, за что вы радели, – мы стали пахать наравне с мужиками. У нас ведь права! Чертовы куклы. Роза и Клара.

А эти курицы – Ольшанская, Ипполитова и Стрекалова. Почему-то они раздражали ее больше обычного. Из-за головной боли? Или из-за приближения праздника? Когда она снова останется в одиночестве и будет хлебать в одиночку «Божоле» 1982 года?

Или взбесили они ее из-за него, Лукьянова? Потому что они с ним накануне цапанулись, и цапанулись здорово, что называется, от души?

Да черт его знает. А раздражали. Особенно эта актриска и эта врачиха. Актриска была из ушлых, понятно, прошла и Крым и Рим, на ней это написано крупными буквами. Наглая, заносчивая, уверенная в себе. Циничная баба. Понятно – жена олигарха. Правда, олигарх плохонький, совсем мелкий олигарх. Да и не олигарх вовсе – просто богатый мужик. Хорош, правда. А дурак – рвется во власть, не живется ему спокойно. Урвала эта Ольшанская его почти тогда, когда ее время вышло. А урвала! И снимается много – ясно, что не из-за бабок. Бабок у этого Герасимова навалом. Снимается оттого, что хочет потешить свое самолюбие. Показать, что самостоятельная. Все как на просвет. Ну-ну, пусть потешится. И детство сахарное. Бабушка, дедушка, прислуга. Все заранее было расписано – как мило все сложится. Как будет все хорошо. Такая золотая девочка. С золотой ложкой во рту. С четким жизненным планом – и в страстях искупалась, как в темном озере, и на бабьем рубеже, последнем, ого-го как пристроилась!

А Стрекалова эта... Вообще, коза. Сидит, еле блеет. Честная такая, умная. Ломоносов прям! Все сама, без протекции. Умница, наверное. И мужа ухватила – дай бог! И ребеночка родила. А внешне – мышь серая. Тихоня и скромница. И как у такой получилось? Чудно!

Писательница. Московская фифа. Все на подносе, с самого детства. Мама, папа. Интеллигенты. Приличные люди. Квартира, машина, гастроли именитых родителей. Школа элитная. Муж тоже попался... приличный. Сидела, сидела училкой и – высидела! Вдруг «запис́ала». Дар у нее открылся! И – получилось. За пять лет – прямо звезда!

Как же все складно. У всех у них складно. Все по полочкам, семейные, успешные, удачливые. Им не пришлось рыдать по ночам, прислушиваясь к лифту на лестнице: придет – не придет... Они не встречали Новый год вдвоем с телевизором. Не валялись на пляже в гордом одиночестве, игнорируя сочувствующие взгляды замужних баб.

У них, у этих коз, все получилось.

А у нее, у Марины Тобольчиной, ни черта! И что б вы там ни говорили. Она-то сама это отлично знает. Ни черта!

Только мы об этом... никому не скажем!

И еще – за все надо платить, милая. За ворованную любовь, за успешную карьеру. За нечистую совесть. Ценники на все давно отпечатаны. Не забывай!

На экране была Ольшанская. Отвечала через губу, с долей презрения и превосходства. Типа, одолжение. А мне самой этого всего и не надо. Так, снизошла.

А чего приперлась, красавица? Чего прибежала, как только позвали? А? Чего захотелось? Свеженько пропиариться? Напомнить о себе прекрасной? Ну и давай. Чтоб потом – без капризов. И без угроз. Ок? Знаем таких, бо́рзых!

Потом «пошла» писательница. Смущается – разумеется, опыт не так велик. Не Ольшанская. Но держится вполне себе. Вполне уверенно. Видно, что самооценка достойная. Все про себя знает и даже больше. Не с небес спустилась – вроде своей визави, но с достоинством, да.

Остроумничает. Цену себе не сбивает. Из категории «приятная и ненавязчивая» собеседница.

Дальше. Стрекалова. Ну, здесь вообще умора! Робеет, словно невеста в первую брачную ночь. Вздыхает, крутит скромненькое колечко. По виду скромненькое. А там каратика полтора, и очень, надо сказать, достойного. И дизайн не якутский – итальянский такой дизайн. Явно, что не «ноу нейм». Заикается даже, глазки не поднимает. А что ты так, милая? Очи долу? Ты распрямись, плечики отведи. Шейку, головку! Выше! Речь-то должна быть четкая, уверенная должна быть. Ты же начальник. Ру-ко-во-ди-тель! И как ты такая руководишь? Так же по-овечьему блеешь?

Чего уж тебе-то стесняться? Ты ж героиня. Из такой глухомани, господи! И надо же – прорвалась. Пробилась, проскользнулась, просочилась, прошмыгнула. Наверное, так же, по-тихому? Словно мышь через узкую щель?

Ты же громко не можешь. Локтем там, плечами. Ногой. Так ведь? Тихой сапой, бочком? Знаем таких тихонь. В тихом омуте!

Ну и гордись. Смело смотри в глаза. Не теряйся! Пальчики не ломай и очочки свои недешевые не тереби. Не дай бог, сломаются! Такой ведь расход – тысяч сто ведь, не меньше.

Начался рекламный блок, и Марина схватила сигаретную пачку.

Отчего такая муть на душе? Отчего такая злость? И отчего такая... зависть?

Такая, что самой противно.

Завистливой она себя никогда не считала. Выходит, зря?

* * *

Вероника подъехала первой. Выйдя из машины, она растерянно оглянулась и посмотрела на дом, словно раздумывая и сомневаясь: а стоит ли входить в эти ворота? И зачем она вообще – приехала?

Под елками и соснами еще лежали уже потемневшие и осевшие мелкие островки талого снега. А на проталинах, открытых и освещенных солнцем местах, из-под серой клочковатой прошлогодней травы чуть пробивались островки травы свежей – совсем чахлые, несмелые, редкие. А коегде желтыми крошечными звездочками совсем робко торчали низкие стебельки мать-и-мачехи – первый весенний привет. Солнце светило сильно, почти по-апрельски, и даже слегка пригревало. Но в тени было все еще прохладно и сыро.

Дом за красивым деревянным (штакетины поперек, а не вдоль, как у нас принято) забором тоже отличался от домов по соседству. Он был двухэтажный, вытянутый в длину, а не вверх, словно шале где-нибудь в парижском предместье. Он и был стилизован под шале – белые отштукатуренные стены перерезали – поперечные и продольные – массивные темные деревянные балки. Темные рамы, черепичная крыша. Она еще раз оглянулась и наконец нажала звонок.

Дверь калитки автоматически открылась, и она вошла во двор. По периметру участка были рассажены пихты и туи – сплошной естественной изгородью. Уже открылись от снега круглые и пока пустые, пока еще сиротские, но многообещающие цветочные клумбы. Наискосок от дома была видна беседка и стационарный мангал – вертел, решетки, казан. С другой стороны дома притаилась симпатичная рубленая банька, спрятанная за невысокими и густыми елками.

Она перевела взгляд на дом: на пороге, скрестив ноги, стояла Ольшанская, попыхивая сигареткой – высокая, стройная, в коротеньком шелковом кимоно и в уггах на босу ногу.

– Ой, – всполошилась застигнутая врасплох Вероника, – вы же... простудитесь.

– Заходи! – без «здрасти» кивнула хозяйка и первой зашла в дом.

Вероника поднялась по ступенькам, вошла в прихожую. Ольшанская хмуро смотрела на званую гостью.

– Отомри! И раздевайся.

Вероника поспешно кивнула, скинула пальто и сапоги, провела рукой по волосам и выдавила из себя улыбку. Понимая, что улыбка получилась довольно жалкой, спросила:

– Ну, как?

– Что – как? – уточнила Ольшанская и тут же добавила: – Херово, вот как!

Вероника опять смутилась, густо покраснела и неуверенно кивнула, вздохнув:

– Это точно.

Ольшанская пошла в комнату, и Вероника устремилась за ней.

В комнате было сильно накурено, душновато, тяжелые, темные, цвета вишни, шторы были плотно задернуты, и горел только одинокий торшер на массивной бронзовой ноге.

Ольшанская плюхнулась в глубокое, темно-зеленое кожаное кресло и уставилась на Веронику.

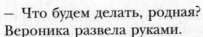

– Что будем делать, родная?

Вероника развела руками.

– А что тут поделаешь? Сами же виноваты – значит, ответим.

– Ви-но-ва-ты? – по складам повторила Ольшанская. – Ну, ты, мать, даешь! – И покачала головой, явно осуждая точку зрения гостьи. – И чем же мы, позволь узнать, виноваты? Тем, что приперлись на это говно? Да, виноваты. Знали ведь, как эта сука может! Но, – она чуть подалась к Веронике и повторила: – но она же нам обещала. Что все вопросы, ну, неприятного толка... она опускает. Праздничная программа. Сплошной позитив. Или меня память подводит? – И она уставилась на Веронику, так, словно перед ней сидела сама Тобольчина, ни больше, ни меньше.

– Все равно виноваты, – упрямо повторила Стрекалова, – потому что врали. Самым близким, заметь... те. А вранье – оно ведь всегда вылезает. Рано или поздно – известная истина! – вздохнула она.

– Ага! – почему-то обрадовалась хозяйка. – В смысле – как веревочке ни виться? Значит, ты считаешь, что виноваты во всем мы?

– Да нет, – махнула рукой Вероника, – конечно, не мы. Она поступила ужасно. Но... мы поступили совсем не лучше. Только она обошлась так с чужими людьми, а мы – с самыми близкими.

– Ага, – повторила Ольшанская, – отлично! Значит, во всем виноваты мы, а она, эта гадина, тут ни при чем. По-твоему, так?

Вероника пожала плечами и снова нерешительно кивнула.

– Выходит.

– Нет, давай разбираться, – оживилась хозяйка, – по пунктам! У тебя – да, самое безвредное. Самое! Да, врала мужу. И правильно делала. Зачем ему знать про всю эту грязь? Про твоих алкашей, про детдом, про мамашу-сиделицу? Убийцу к тому же! Зачем? Чтобы всегда, где-то там подспудно или, как сейчас говорят, подсознательно, он знал, ну, или чувствовал, что ты – не такая. Не такая, как он. Не из того теста слеплена. Да, конечно, хорошая. Умница девочка. Сама, все сама. Но – поверь! В какой-то момент, в секунду, а мыслишка-то промелькнет. Обязательно, слышишь! Он сам не захочет, но – промелькнет! Тоненькой такой змейкой холодной проскочит. Когда что-то ему не понравится или он засомневается в чем-то. Ну, или ситуация будет неоднозначная. С бабками или... Ну, не знаю. Знаю только, что обязательно будет. И вот тогда – тогда это чудище вылезет. Ты мне поверь! Из подсознания, из-под «подспудно» – черт его знает. И вот тогда он подумает: правильно! Правильно все. Она – не такая. Из другого теста она. Гены, матушка! Никуда от генов не деться. Какие претензии? Ты же знал. Знал всю правду о ней. Полюбил – со всем ее темненьким, дремученьким и гаденьким прошлым. Полюбил со всей подноготной. Только вот... Он же не знал! Вот что его оправдает. Всегда. Ан нет! Не получилось. Кровь не водица, как говорится. Вылезут гены в самый неподходящий момент. Обязательно вылезут. Яблоко от яблони, осина не родит апельсины... ну, и так далее. Ты не заметила – пословицы, народная мудрость, веками живут, веками! И ни разу не подвели. Он будет тебя оправдывать, разумеется. Бедная девочка, бедная. Такое детство, такая судьба. Я никогда не напомню – ни-ни! И матушке своей не позволю. Я же люблю ее, милую. Прекрасную и разнесчастную. Разве она виновата? Это – сначала. Именно так все и будет. А вот потом... А потом он будет прислушиваться к тебе. Присматриваться. Иногда. Разглядывать тебя – исподтишка, аккуратненько, так, чтобы ты не заметила. С мамой своей переглядываться – ну, если ты накосячишь. А ты накосячишь, не сомневайся. Все ведь косячат. Только... кому-то простится и спишется. А тебе... А твоим поступкам просто найдется... объяснение. Не оправдание, нет – объяснение. Вот в чем вся разница. И маман его подпоет – она же приличная женщина: «Ну, сынуля, ты ж сам понимаешь – гены. Что с нее требовать? В смысле – с убогой. Ты ведь убогая – по рождению! А все твои заслуги – так они когда-нибудь спишутся, не сомневайся. И, знаешь, как они все подведут? Однажды? Конечно, она всего достигла сама. Ей же надо было пробиться. Прорваться сквозь заросли жизни. Пройти буреломы. Надеяться не на кого. Не растолкаешь – сожрут тебя. Ну, и пробилась. Жалеть будут – да. Они ведь хорошие люди. И все-таки в какой-то момент... И знакомых стесняться начнут. Будут втихаря объяснять: нам стало девочку ЖАЛКО. Разве она виновата? Оправдываться будут, ты поняла? За себя оправдываться. И еще, – Аля подвинулась к Веронике и сделала «страшные» глаза, – самое главное!

Вероника испуганно отпрянула и побледнела.

– Самое страшное, – тихо повторила Ольшанская, – сын. Его тоже начнут разглядывать. Присматриваться, принюхиваться, приглядываться – а вдруг? Это ведь через третье поколение, понимаешь? Тебя пронесло – а его? Алкоголизм ведь страшная штука. Наследственная. Ты, кстати, об этом не думала? Гены, матушка, все эти гены. Кровь! Наука – ничего не попишешь. И еще – пороки-то надо скрывать. Не надо хвалиться пороками. Тетушками из сумасшедшего дома, мамками-убийцами, папашками-алкашами, братьями-уголовниками. Это люди скрывают. Нормальные люди. И ты скрывала. И правильно делала. А теперь – все наружу! Скажи спасибо Тобольчиной. Поклонись ей в ножки и еще раз – спасибо! Кстати, а на работе? Там же тоже не знали? Ну, разумеется! Им тоже будет по кайфу – про свою начальницу. Гениальную. И больным твоим – тоже. Так что, девочка, лучшие – будут жалеть, а все остальные, которых огромное море, будут злорадствовать и насмехаться. Знаешь, как все это называется? Подрыв репутации и честного имени. Ну, усекла? Вот и подумай – кто виноват и что делать? Как говорят: соврала в малом, соврет и в большом.

Вероника молчала, опустив голову.

Аля встала, открыла бутылку виски и плеснула в два стакана.

– Пей, красивая! – усмехнулась она и сурово добавила: – Ничего, разберемся. Она еще не знает меня, эта стерва!

Вероника вздрогнула, посмотрела на Алю и разревелась. Громко. Самозабвенно. Сморкаясь и всхлипывая.

– Поплачь, – равнодушно бросила Аля, – авось полегчает.

– И еще, кстати. Что там было про твоего учителя? Деда этого? Которого ты, типа, бросила на произвол? Который для тебя – все? – она снова уставилась на Веронику. – Подобрал тебя, научил, пожалел?

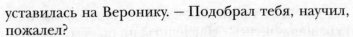

А та зарыдала еще сильней, еще громче, приговаривая:

– Это все – правда. Опять правда, ты понимаешь? Он для меня – все! Все сделал, что мог и не мог. А я улетела. И почти целых пять лет... Ты понимаешь? Ни сном и ни духом... А он... Почти голодал. Замерзал. Не было на дрова, там ведь печка. А я... Могла уже, понимаешь! А ведь не сделала. Ничегошеньки и ни разу!

Аля кивнула.

– Да ясно! Не сделала, – передразнила она Веронику, – не ты не сделала, а государство это гребаное! Дрова, печка, мясо, лекарства и все остальное. Оно, оно отвечает. Должно отвечать! За стариков и больных. Оно, а не ты!

Вероника махнула рукой.

– Какая разница кто! Оно не смогло, и я... не смогла. Или не захотела. А то, что не сделало оно, государство, – не оправдание мне. Разве нет?

И ведь опять все это – правда!

Аля ничего не ответила и вышла из комнаты. По дороге в ванную она приговаривала:

– Я, оно... Все говно. И я, и оно...

– Аль! – позвала ее Вероника. – А я ведь... работы его... Ну, взяла. И защитилась! Понимаешь? Очень быстро и очень успешно. Получается – я воровка?

Аля замерла на пороге.

– Украла?

Вероника отчаянно замотала головой.

– Что ты, как можно! Он сам... мне отдал... Перед отъездом.

Аля облегченно выдохнула.

– Ну! Значит, правильно. Ты же его ученица. Молодец, Айболит! А так бы – все ведь пропало, верно?

Вероника испуганно кивнула.

– И все же...

– Забей, – посоветовала Ольшанская, – ты не украла. Народу с этого польза. Значит, все правильно, Ник!

Вероника вздохнула.

– Все так. Только вот... мне от этого совсем не легче, Алечка!

И опять разревелась.

Женя подъехала к дому Ольшанской. Вышла из машины, вдохнула свежего воздуха, задержала выдох и осмотрелась. Дом хороший, участок огромный. Поселок престижный. Она еще раз вздохнула и подошла к калитке. Короткий звонок, и калитка автоматически открылась. Она вошла на территорию, оглядела участок и направилась к дому. Толкнула входную дверь, и та поддалась.

– Есть кто живой? – крикнула Женя.

В ответ донеслось недовольное и суровое:

– Есть! Если точнее, полуживые.

Женя зашла, сбросила куртку и сапоги и пошла дальше.

На пороге комнаты стояла хозяйка и внимательно оглядывала «свежую» гостью.

– Входи! – вздохнула она и крикнула в комнату: – Нашего полку прибыло! Душевных инвалидов и обиженных жизнью уродов!

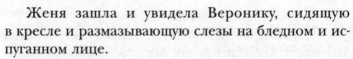

Женя зашла и увидела Веронику, сидящую в кресле и размазывающую слезы на бледном и испуганном лице.

– Присаживайся, – с иронией сказала хозяйка, – и снова – к нашим баранам...

– Продолжим! – объявила Ольшанская и, посмотрев на Женю, спросила: – А у тебя, Бажов? Какие потери?

У Жени дрогнули губы.

– У меня, девочки, все ужасно.

Все помолчали, потом Ольшанская посмотрела на поникшую Веронику.

– Ну, поняла? Порядочная наша?

Женя, сбиваясь, рассказывала Але и Веронике свою историю. Так откровенно, как, наверное, не рассказывала еще никому. Про мать – жестокосердную красавицу, вечно недовольную дочерью. Про отца – тихого, словно бесплотного, никакого. Про свой ранний – слишком ранний – брак. Нет, по любви, по любви! Только... Все, что они сделали не так, – отсутствие элементарного опыта. А советчиков не было. «Мать моя – не советчик, о чем вы?» Про годы бездетности, про ту страшную ночь и крошечную девочку у нее на руках. Про рождение Дашки – такое счастье, сильнее которого не было никогда. Про Никитин взлет, про недолгое благополучие и – яму, страшную яму, из которой, казалось, они никогда не выберутся.

Про то, что удержало ее на этом свете тогда, когда совсем не было сил жить и что-либо чувствовать, – это ее девчонки и ее книжки. Про то, как никто и никогда ни разу не сказал ей, что она огромная умница и он ею гордится, – ни мать, ни муж. Про отношения мужа и старшей дочки Маруськи. Про ее уход из родного дома. Про все!

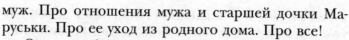

Она захлебывалась словами, захлебывалась слезами и снова торопливо говорила, говорила...

Аля хмурилась, ходила по комнате, снова подливала всем виски и много курила. Вероника вытирала слезы, громко вздыхала и сжимала холодные пальцы рук – они сильно дрожали.

Когда Женя выговорилась и почти выплакалась, минут десять молчали.

Наконец, тишину нарушила Ольшанская:

– Итак, – она упала в кресло, закинула ногу на ногу и сурово сдвинула брови, – что мы имеем, как говорят в Одессе?

А имеем мы первое – Вероника. Обнародовано то, что она вполне имела право утаивать. Абсолютно законное право. Вернее, не распространяться об этом. Что она, собственно, и делала – не врала, а не говорила всей правды. А это разные вещи, заметьте. Теперь она выставлена отчаянной лгуньей, потерявшей доверие в собственном доме. Раз. Два – репутация на работе. И три – как человеку совестливому, ей придется совершить какие-то действия, например поехать к этой мамаше чертовой в эту деревню. Иначе до конца жизни она себе этого не простит. Но если она туда соберется... Это будет еще страшнее! В тысячу раз. Потому что мать – если можно так назвать эту тетку – совсем ей не мать. Совершенно чужое, инородное существо. Опустившееся и жалкое. И абсолютно, заметьте, чужое. По сути, испоганившее Вероникину жизнь – детство и юность. На выходе: они повстречаются – и? Допустим, как человек небедный и приличный, Вероника купит ей дом и домашнюю утварь. Даст денег. Потом даст еще. Дальше – еще, и так бесконечно. Но дело не в деньгах, конечно. А в том, что теперь она, Вероника, ПРИГОВОРЕНА. К общению с этой... Конечно, она вполне имеет право не забирать ее с собой. Еще не хватало! Но – снова но! Теперь она должна будет думать о ней, беспокоиться. Даже переживать. Теперь от нее никуда не деться! Опять же потому, что Стрекалова – человек в высшей степени порядочный. И что это все означает? А то, что теперь эта... баба... испортившая дочери детство и юность, теперь с удовольствием испортит ей и всю оставшуюся жизнь. И жизнь, кстати, ее семьи. Всего-то! Не говоря уже об эмоциях – стыдно быть дочерью этой поганой, прости, Вероника, бабищи. Стыдно было тогда, а сейчас еще стыднее. Потому что раньше ты просто была несчастная, никому не известная девочка, а сейчас – ты большой ученый, руководитель клиники, мать, жена, невестка. И такое прошлое! Баба эта забудет – да уже забыла, ей все до... – через какой ад прошла ее девочка: детский дом, интернат и все прочее. Она беспардонно влезет в ее жизнь и снова испортит ее – по полной программе. И еще – с удовольствием! Ведь как у нас любят посчитать чужое богатство! Дальше. Муж Вероники. Свекровь. Ставшая ей родной матерью. И наконец, сын. Ему-то за что? Весь этот позор? И все ведь узнают – в том числе в школе. А что там с твоим учителем, Вероника? Ну, дед тот столетний, которого ты предала? Ах как некрасиво! Как некрасиво ты поступила! С той рукой, из которой кормили. Какая ж ты дрянь! Лжешь, предаешь! Сволочь какая!

— Это правда, — пискнула Вероника, — тут я... точно — ужасная сволочь. Не приезжала и не писала! Не говоря уже о том, что могла бы помочь...

— Да-а-а? — притворно удивилась Ольшанская. — И чем же помочь? Объясни! От жалкой своей аспирантской стипендии? От трех копеек за подработку в больнице? Койка в общаге и сапоги на три года! Чай с сухарями и хлеб из столовки! Знаю я, как вы в общагах питались. Перловой кашей с таком...

Вероника покачала головой и повторила упрямо:

— Нет. Я могла!

Ольшанская махнула рукой и посмотрела на Женю.

— Теперь про тебя. Вот здесь — еще хуже. Ладно, про твоего мужа — фигня. Всем известно, что его подставили, кинули вкладчиков и слиняли. Да, следствие, да страшный год, и все же — совсем ерунда. Не для вас, разумеется. Понятно, что все это время... Да что говорить! Но — пережили. Правда, тогда ты была никем, и общественное мнение тебя, понятно, не волновало. А потом никто и не сопоставил факты — ну, когда ты стала известной. Сейчас все всплывает. Противно. И все же — фигня. Переживешь пару противных моментов, и всё. Забудут. Ну, может быть, на встречах с читателями — так, пару раз какой-нибудь идиот об этом напомнит. А может, и нет. Но вот про девочку... — Ольшанская помолчала, — тут совсем другая история. Тайна усыновления! Нарушена тайна усыновления! А это — статья. Для этой гадюки. И это вот, девочки, плюс, а не минус. Прости меня, Гофман, за жесткий цинизм. Это рычаг. Рычаг воздействия на этих гадов. Процесс будет громкий, я обещаю. Зелинский мой друг. Точнее, приятель. А Зелинский – большая сила. Он их утопит, не сомневайтесь.

Она схватила телефонную трубку.

– Аркаш, это ты? Зелинский, привет! Скажи-ка мне, друже, есть ведь статья «За разглашение тайны усыновления»? Есть? Ах ты мой милый! Сто пятьдесят пятая? Уголовная ответственность? Умница! Зайка моя! Спасибо! Я тебе перезвоню. Да позже, потом! Поболтаем, конечно. Кого? Герасимова? Я? Усыновила? Ну ты и шутник, Аркашка! До связи, пока! Кретин, – сказала она, – все шутки шуткует. Кретин, а адвокатишка классный.

Потом снова замолчала и заходила по комнате.

– А вот что с твоей девочкой... Все образуется! Прощать ей тебя не за что, это не ложь. А если и ложь – ложь во благо. Она переживет, не сомневайся. В молодости, девочки, не такое переживаешь! В молодости нервы покрепче и шкура потолще. Поревет твоя Маруся, и вы помиритесь. Да и потом – для всех, кстати, ты героиня. А вот Маруське твоей... Придется еще много чего пройти... после такой вот правды.

Женя кивнула.

– Теперь обо мне, – Аля выпрямила затекшую спину. – Теперь – обо мне, – повторила она.

– Дочка – моя боль. Огромная боль. Никто не виноват – ни я, ни она. Так получилось. То, что она... не хочет общаться. Я понимаю. Точней – принимаю. И стараюсь понять. Очень стараюсь, честно. И очень надеюсь, что когда-нибудь, как-нибудь... Мы станем общаться. И она меня простит. Я... в это верю! Только больно не меньше. И противно – что так, на всю страну! А вот про мужа... – Аля опять замолчала.

– Здесь все сложнее. Дело в том, – она чуть откашлялась, – что я... это знала. Да, знала! Про девку эту, мальчишку. Все знала. И молчала. Почему? Да все просто. Мне надоело. Надоело быть неустроенной бабой. Несчастной. Все мои браки... Дерьмо, а не браки. Терлецкий. Баба в шейном платочке. Нет, интеллектуал, умница – тут не поспоришь. И человек приличный. В высшей, надо сказать, степени. Но... Ладно, я не о нем. Я его не любила. Ни разу. Стыдно. Оператор-алкаш. Вот его... любила. Знала, что алкаш и дерьмо, а любила. И снова стыдно. Дальше. Герасимов. Казалось бы... надоели все эти рефлектики, интеллигенты, пьяницы, творческие работники. Надоели! Захотелось плеча – а что, разве стыдно? Плеча, спины. Денег. Так тяжело жилось последние годы. А я ведь привыкла. К хорошей жизни привыкла. У деда и бабки жила как принцесса. А потом – вечная борьба, вечный стресс. А я ведь актриса. Тряпки нужны, цацки, косметика. Нет, все не так! Я... любила. Мне так казалось! Он был чужой. Да, чужой. И мы слишком разные. Слишком. Разная среда, разное все. Но я подумала – а какая разница? Теперь, когда я взрослая баба. Такое прошла! Он – поддержка, опора, стена. Щедр и могуществен – поди не влюбись. А что говорим на разных наречиях – так господи боже мой! Может, даже и лучше? Еще. Разводиться я не хотела. Делить все – опять склоки, проблемы. Думать о деньгах. Сходить с ума, если не звонят со студии. А мне еще поднимать младшего сына. Он тоже... мальчик проблемный. Нет, ничего особенного. Просто чудной. Аутист, что ли. Много таких – вне этого мира. Они – в виртуальном. Спасаются так. С ним сложно. Чужой. Да, снова чужой... И еще. Коллеги. Газеты. Журналы. Все начнут смаковать. Так подробно, что... эта, которая... Брошенная своим олигархом. Противно. А молчать я теперь не смогу! Надо что-то решать. А решать я устала. Вы меня понимаете?

Она по очереди посмотрела на Женю и Веронику. Те молча кивнули.

– И вот что в итоге. – Ольшанская встала, снова прошлась по комнате. – Три очень обиженные женщины. Одна в отчаянье и страхе – это Женя. Вторая в вечном чувстве вины и страданиях по поводу своего вранья – Вероника. И третья – в гневе и ярости. Третья, как вы понимаете, я. По-моему, достаточно! И все они, к тому же, обмануты. Грязно и низко. И посему мы это так не оставим. Верно? Потому что так оставлять нельзя! Ведь отчаянье, вина, обида, гнев и ярость и – отличные приправы для мести. Согласны?

Все одновременно вздохнули и неуверенно кивнули. Особенно Вероника. На Женином лице появилась гримаса боли – и тут же исчезла.

* * *

Марина Тобольчина вдруг ощутила, как страшно она устала. Просто нечеловечески устала за этот год. Почему? Ведь она почти смирилась с разрывом с Лукьяновым. Сильная боль ушла, отошла. Да. Почти не болело. Ушла тревожность перед эфиром. Хорошо это или плохо? Совсем вымерозилась душа или работа уже окончательно стала ремеслом, где она – специалист высшего класса? Может, причиной этой усталости стал тяжелейший двухнедельный грипп, после которого она не могла оклематься еще почти три месяца? Или отсутствие нормального, полноценного отпуска – уже почти лет пять, не меньше? Такого, когда лежишь тюленем на берегу, поднимаясь со вздохом только для того, чтобы добрести до ресторана и – пардон – обожраться? Такого, чтобы выключить мозги – совсем, окончательно, на целых две недели. Ни о чем не думать, не вспоминать. Такое бывает? Или проснуться в выходной, в субботу, на воздухе, за городом. Лениво потянуться, снова поваляться, подняться часам к двенадцати, чтобы неспешно выпить кофе и пролистать пестрый журнал. Потом закрыть глаза и подставить усталое лицо нежному солнышку – на полчаса, не более, вредно. Потом поплавать в бассейне – тоже лениво, словно делая одолжение самой себе. И дальше – снова в кровать, теперь уже с книжкой. Чувствуя, как тяжелеют веки, положить книжечку на живот и закрыть в блаженстве глаза. И слушать, как за окном тихо шелестит листва, щебечут птицы и свежий ветерок колышет полупрозрачные, легкие занавески. Вот! Вот чего ей так не хватало! Почему? Почему она не могла все это себе позволить? Глупость какая-то. Идиотизм. Три года назад поддалась на уговоры Лариски, редакторши, – поперлись в Милан на распродажи. Ей был нужен этот Милан, как собаке пятая нога. В Милане было шумно, как на восточном базаре – толпами слонялись соотечественники, галдя как вороны и боясь «что-нибудь не успеть». Не успеть оторвать! Она всегда уставала от магазинов. Лариска моталась с выпученными глазами, боясь упустить. В каждом русском она видела конкурента и злобно шипела им в спину: «Ишь, корова, а все туда же! Деревня, а прется!»

Марине сначала было смешно, потом утомительно, а потом стало противно.

Еще один отпуск пришлось брать, когда заболела мама. Весь месяц Марина сидела у маминой постели – сначала в больнице, ну а потом дома.

На следующий год просто катастрофически не повезло с погодой – три недели лили такие дожди, что и на улицу было не выйти. Какие уж тут пляж и море! А в закрытом бассейне был народ со всего отеля – не подойдешь. Дети, старики. Валялась в номере и смотрела дурацкие фильмы. Поправилась на четыре кило – настроение тогда совсем испортилось.

Вот такие выдались отпуска. Она вдруг подумала, что надо срочно позвонить Лукьянову и отпроситься в отпуск. Сегодня же! Иначе... «Иначе я возненавижу весь мир, – подумала она. – Так и скажу Лукьянову. Хотя, для него это не аргумент».

Уехать, – она стала кругами ходить по комнате, – уехать! Буквально завтра, ну, или дня через два. Только надо решить, куда? Это главный вопрос! Экзотика? Например, Вьетнам. Говорят, там красоты неписаные и низкие цены. Или, скажем, Европа? Любимая Вена, кафешки со штруделем, Климт, Опера. Или любимая Прага. Она хорошо ее знала, бывала там раза три или больше. А может, все-таки море? В марте в Эйлате прекрасно – жары еще нет, а моря и солнца – навалом.

Или все-таки средняя полоса? Где-нибудь у нас, в новом, недешевом, элитном месте? Спа, процедуры, конные прогулки с инструктором. А может, Алтай? Это сейчас популярно и модно, воздух, природа – все уникально и очень целебно. Надо подумать. Подумать и выбрать. Денег достаточно, надо только договориться с Лукьяновым и – вперед! Отдохнет и снова в бой. Мы еще вам всем покажем!

Кому? Кому всем, Марина?

Может, себе?

Надо отдохнуть. Я так устала, что просто нет сил на жизнь. Все надоело. Как будто кишки из меня вынули. И ничего внутри не осталось. Ничего... да! Просто уехать. Сбежать из этой Москвы, от этой работы. От этих... всех... И от Лукьянова – в первую очередь. От баб этих чокнутых. От героинь. Господи, как я устала!

Она набрала его номер.

– А, это ты, – он был недоволен. – Ну, раз уж так. На ловца и зверь бежит.

– Ты у нас ловец? – уточнила Марина. – А я, значит, зверь? А мне казалось – наоборот.

– В каком это смысле? – не понял начальник.

– Тупишь, – усмехнулась она, – ты же у нас и зверь, и ловец. И еще – швец, жнец и на дуде игрец. Разве не так?

– Острищь, – усмехнулся он, – а вот это зря. У меня к тебе разговор. И очень серьезный, моя дорогая!

Марина молчала.

Он спокойно продолжил:

– Выглядишь... Хреново, Марина, выглядишь. Очень хреново! Сама-то увидела? Углядела? Морщины, морщины... Выражение лица... Как будто дерьма наелась.

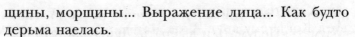

– А разве нет? – уточнила она.

Он сделал вид, что реплики не заметил, и тут же продолжил:

– Морщины, складки у носа. Как это там у вас называется? Носогубки, что ли? Да какая разница, как называется... Выглядишь плохо. Старо, милая, выглядишь. Все твои сорок с гаком – ну, ты поняла. И прическа дурацкая. Мне она давно разонравилась. Колхоз какой-то, а не прическа! Мастером хорошим давно пора было обзавестись. Стрижка твоя еще лет пяток прибавляет. В общем, имидж надо менять. Иди к пластическому, подбери кого-нибудь. Найди приличного куафера. И похудеть не мешает, моя дорогая! Совсем не мешает тебе похудеть. И ведешь как-то... Скучно стала вести! Словно тебя утомили все эти гости. Словно делаешь одолжение. Потухла, Марина. Потухла! Не хочется ни слушать тебя, ни прислушиваться. Нет искры, нет огня. Ничего не осталось, Марина. Кроме усталой и безразличной женщины. Ты же стерва, Марина! И роль свою надо доигрывать до конца. С блеском, куражом, злостью! Ату их, ату! А ты – как тетя Валя Леонтьева. На передаче «От всей души!». Вот бабы эти – твои героини. Ими должны восхищаться, потом на них разозлиться. Потом пожалеть и – снова восхититься. У тебя получилось? Ну, честно скажи. Отвечу – нет! Тебе, Марина, все это было неинтересно. А это знаешь, что означает? Что это неинтересно и мне. И моей теще, и соседу тоже. И тете с дядей. Почему обожают Малахова? Да за искренность, вот почему. Потому что переживает. Потому что слезы в глазах. А зритель ведь – не дурак. Зритель – он чувствует. Когда ему врут. А ты – так, отбывала номер. А так не пройдет! Ты кончилась, Тобольчина, понимаешь? И что мне прикажешь со всем этим делать? Держать тебя из-за... хорошего отношения? Ну, ты поняла! Или?

– Я хочу в отпуск, – перебила его Марина, – желательно прямо сейчас и недели на три. Лучше на четыре. Устала. А критику свою... Оставь для жены. И для молодого редактора Милы. И туда же – советы. Усек?

– Хамишь, милая, – усмехнулся он, – а вот это ты зря. И жену мою зря приплела. А я ведь просил... Не услышала! Слышать надо, родная, то, что я тебе говорю. А не то, что тебе удобно. Ясно тебе? Или я не так объяснил? Отпуска, Марина, не будет! Услышала? Потому... Потому что потому. Не до грибов! А если ты не согласна – тогда заявление. Милости просим! Незаменимых, как всем известно, у нас не бывает. И потом – лица надо менять. Замыливаются лица! А зрителям хочется свеженького. Новизны, смены формата. Помнишь об этом? Новых глаз и новых улыбок. Новых слез, наконец!

– Я... подумаю, – тихо ответила Марина.

– А вот это правильно, – радостно отозвался он, – думать, милая, надо! Не возбраняется думать!

И отключился.

«Сволочь! Какая же ты, Лукьянов, сволочь! – горько и зло сказала Марина. – Шантажируешь. Меня шантажируешь! Меня – с кем съел два пуда соли, с кем все начиналось! Сколько мы с тобой прошли, Лукьянов! Забыл? Память девичья? Может, напомнить? Напомнить, как ночи напролет я сидела с тобой в монтажной. Как писали программу, а у меня была температура под сорок. Как я чуть не сдохла от кровотечения. Как мне вынесли приговор, что я навсегда бездетна. Достаточно? Или, может быть, мало? Ты искорежил всю мою жизнь, Лукьянов! Тебе этого мало? Хочешь еще кайфануть? Под зад коленом – и на сердце радость? Я тебя ненавижу, Лукьянов! Ты все кишки из меня вынул – пусто внутри. Пусто и сыро. Даже слез не осталось – плакать я разучилась. Ты отучил меня плакать. Даже этого лишил! Учил, что надо себя контролировать. Сдерживать эмоции. Владеть собой. Держать себя в руках. Я хорошая ученица, да, мой генерал? Я старалась не беспокоить тебя по пустякам, не грузить своими проблемами. Решать вопросы сама. Я старалась не усложнять твою жизнь – появляться, когда тебе надо, и быть незаметной, когда ты занят или не в духе. Я отлично научилась всем премудростям адюльтера. Была нежной, внимательной, все понимающей, тихой. Пылкой была, помнишь? Даже когда мне совсем не хотелось. Ничего не хотелось – ни страсти, ни нежности. А надо было! Ты же ждал от меня этого, правда? Я ни разу не нарушила твой покой. Ни разу даже не намекнула тебе, что мне чего-то не хватает или я чем-то не очень довольна. Я была идеальной любовницей, верно? Совершенно беспроблемной любовницей, да? И соратницей тоже! Я задерживалась на работе именно столько, сколько тебе было надо. Я забивала на праздники, выходные. Не брала отпуск. Я всегда была рядом – незримо, неслышно, но ты знал, что я тут. А потом... А потом я тебе надоела. Надоело мое, уже не столь юное тело. Моя не такая уже нежная кожа. Мои ласки, ставшие такими привычными, такими знакомыми – словом, интерес пропал. Я все понимаю. Я стала твоей подругой, тенью, надежным товарищем. Единомышленником. Ты был так уверен во мне, так привык к моей преданности, верности. И к собственной вседозволенности! Любовниц бросают, да – ничего в этом такого нет. А вот друзей... Партнеров, соратников, партайгеноссе? Разве кидают? Да, конечно, кидают. Сейчас это запросто. Как нечего делать. В порядке вещей. Никто не стесняется. Норма жизни – чего тут стесняться?

Ты чувствовал себя властелином. Моей жизни и моей судьбы. Я была тебе подвластна вся, до жил и кишок, до последнего нерва и последнего вздоха. Какое доверие! Только вот... Я сама тебя волновать перестала. Как женщина, как человек. Как единица и личность. Ты почти стер меня, как стирают ненужную запись в блокноте. Резиновым ластиком. Ты был уверен, что я все равно никуда от тебя не денусь. Откуда такая уверенность, милый? Что я спокойно буду смотреть на твою молодую девицу, свеженькую любовницу. Буду с ней ласкова и терпелива. Обучу ее профессии, да? А потом – потом она просто заменит меня. Просто заменит! Как все просто, не так ли? Она – на моем месте, а я... Ну, а я – на помойке. Сейчас ведь там мое место, не так ли? Да нет, любимый, не так. Рановато мне на помойку, ты уж прости. Не выйдет – сбой. Сбой программы, любимый! Не подвинется твоя послушная девочка. Не подвинется просто так, не уйдет. Слишком долго молчала и слишком долго терпела. Как говорится – край, конец. Терпение кончилось. Больше топтать ты меня не будешь. Гусеницами по ребрам – закончили! Слышишь, Лукьянов? Трындец».

Марина подошла к окну и открыла его настежь. На улице только-только наступали сумерки. Было довольно прохладно – и она вспомнила, как говорила мама: пришел марток – надевай трое порток.

Мартовское дневное солнце обманчиво – чуть приласкает, а к вечеру напомнит о недалекой зиме. И все же пахло весной. Этот запах влетел, ворвался в квартиру сырым и свежим ветерком. Коварным таким. Она глубоко вдыхала эту приятную прохладу и сырость. Стояла так долго, закрыв глаза. Потом почувствовала, что замерзла, и захлопнула окно. В комнате было темно, но свет она зажигать не стала – легла на диван и укрылась теплым халатом. Хотелось спать, спать и долго не просыпаться. Она почти уснула, как вдруг резко зазвонил телефон. Она увидела – мама. Трубку не брать нельзя – мама начнет волноваться, сходить с ума.

Она чуть привстала, потянулась за телефоном, наконец нашарила его на журнальном столике и сказала:

– Да, мамочка, я тебя слушаю.

Мать тут же уловила что-то в ее голосе, конечно же, растревожилась, закудахтала, запричитала.

Марина повторяла, что она совершенно здорова, просто устала и просто уснула. Но мама не верила и продолжала выспрашивать, что случилось.

Наконец Марина прикрикнула, мама остановилась и выспрашивать теперь начала дочь. Мама, как всегда, ни на что не жаловалась, только сетовала, что очень скучает, уточнила, что не виделись они уже одиннадцать месяцев, и Марина, удивившись, спросила:

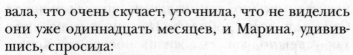

— А ты что, считаешь?

Мать печально усмехнулась.

— Я не месяцы считаю, доченька. Я считаю часы!

Марина начала что-то бормотать, мол, отпуск не дают, хотя она очень просила, но...

— Ты ж понимаешь, мамуль, весна! Вот летом, в июле. Тогда и пойду. Сейчас все так работают, мам. В таком режиме. Не веришь? Да точно, мам. Правда, конечно! Это — Москва. Ну, ты судишь по вашей сонной заводи. А здесь — бешеный ритм, все мчатся, спешат, наступают друг другу на ноги — и не только в переносном смысле, мамуль...

Мать охала, как всегда, спрашивала, зачем ей Москва, снова не понимала, не соглашалась и снова жалела любимую дочь.

— Слушай, Мариша, — вдруг осторожно сказала мама, — я... никогда с тобой об этом не говорила. Ты уж прости, если полезла не в свое дело...

— Ты о чем, мам? — недовольно спросила Марина.

— Прости, если я... неправа, — запинаясь, продолжила мать, — только вот... зря ты их так, доченька! Жалко их очень!

— Кого? — удивленно спросила Марина. — Ты вообще о чем, мам? Кого тебе жалко?

— Да теток этих, актрису, писательницу и докторицу. Зря ты их так. Хорошие тетки. Умненькие. Хлебнули достаточно — а тут еще ты... Размазала ты их, Марина! Просто по столу размазала. А зачем? Разве они кому-то плохое сделали? Сами

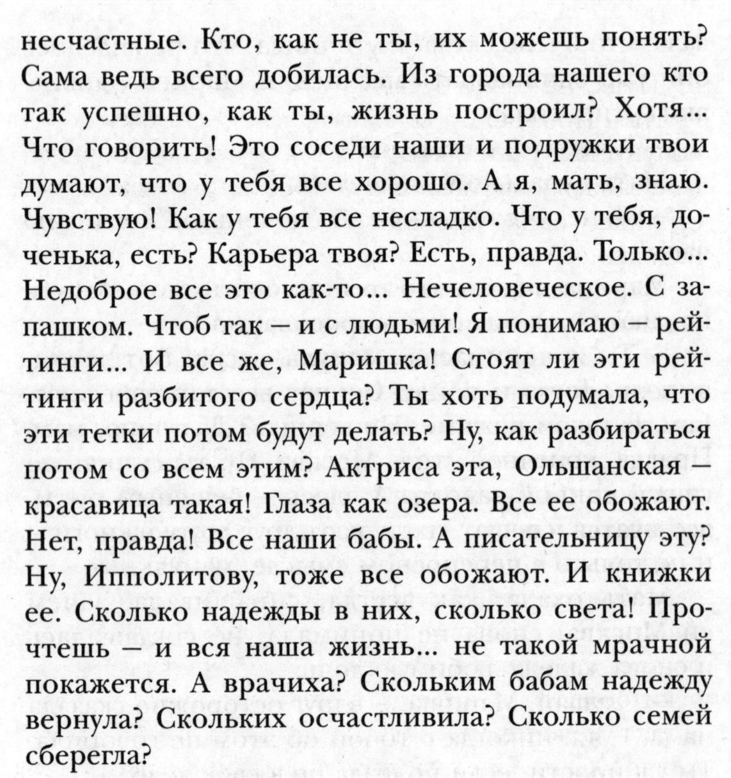

несчастные. Кто, как не ты, их можешь понять? Сама ведь всего добилась. Из города нашего кто так успешно, как ты, жизнь построил? Хотя... Что говорить! Это соседи наши и подружки твои думают, что у тебя все хорошо. А я, мать, знаю. Чувствую! Как у тебя все несладко. Что у тебя, доченька, есть? Карьера твоя? Есть, правда. Только... Недоброе все это как-то... Нечеловеческое. С запашком. Чтоб так – и с людьми! Я понимаю – рейтинги... И все же, Маришка! Стоят ли эти рейтинги разбитого сердца? Ты хоть подумала, что эти тетки потом будут делать? Ну, как разбираться потом со всем этим? Актриса эта, Ольшанская – красавица такая! Глаза как озера. Все ее обожают. Нет, правда! Все наши бабы. А писательницу эту? Ну, Ипполитову, тоже все обожают. И книжки ее. Сколько надежды в них, сколько света! Прочтешь – и вся наша жизнь... не такой мрачной покажется. А врачиха? Скольким бабам надежду вернула? Скольких осчастливила? Сколько семей сберегла?

Марина молчала.

– Дочка! – продолжала мама. – Ну что дал тебе этот город? Счастье? Да нет. Семью, деток? Нет ведь, не дал. Ну, есть у тебя квартира. Машина. Да, есть. А семьи вот нет! И бабьего счастья тоже. Зачем ты уехала? Да, понимаю – столица. Возможности – да. Только вот... цена всего этого? А, Мариш?

– Хватит! – сказала Марина. – Это уж перебор, мам. Остановись!

– Это ты, дочка, остановись! – жестко ответила мать. – А то... как бы не было поздно, Марина!

* * *

Итак, на столе бутылка от виски «Блэк лэйбл». Пустая. Початая бутылка коньяка «Хеннесси 0,7» – полупустая, если быть точным. Ну, и еще порядочные запасы, выставленные на зеленом мраморном столике у окна. Там много всего и разного. Хватит надолго.

За окном сумерки, густые, плотные, не видно ни зги. Впрочем, за окно никто и не смотрит. Зачем? Зачем нужно смотреть в темноту, почти в черноту густого леса, на чернильное небо, усыпанное россыпями мелких, далеких звезд. На дольку лимонной луны. Незачем! Что нового они там увидят? Им хорошо здесь, до́ма. В теплой гостиной с мягким ковром, с потухшим камином, с молочным светом уютного торшера. Тихо играет блюз – Рэй-Чарльз. Совсем тихо. Аля лежит на диване и смотрит в потолок, чуть подпевая. Вероника свернулась калачиком, ноги у подбородка, руки обхватили колени. Она покачивает головой в такт мелодии и слегка улыбается. Почти незаметно. Женя спит на другом диване – ладонь под щекой, вторая рука на груди, словно она вот-вот поклянется и побожится.

Аля морщит лицо и сводит брови. Привстает с дивана на локоть.

– Ник! – зовет она Веронику. – Ты спишь?

– А? – Вероника встряхивает головой и с удивлением смотрит на Алю.

– А ты крепкая! – смеется Аля. – Не то что Братья Гримм. Сказывается деревенское прошлое, а, Ник?

Вероника трет глаза и, зевая, кивает.

– Ага. Наверное.

– А Женька сломалась. Интеллигенция! – хихикает Аля.

– А ты кто? – удивляется Вероника. – Ты уж у нас тоже – ик! – интеллигенция!

– Я – актриса! А это значит... Что не страшны мне ни горе, ни беда! Знаешь такую песню, Гиппократ?

Вероника мотает головой.

– Меня что-то тошнит, Аль! – она вскакивает. – Где у тебя туалет?

– Направо! – кричит Аля и тут видит, что Женя открыла глаза.

– Что? – вскрикивает та и садится на диване.

– В смысле? – переспрашивает Аля. – Все напились, а так ничего. Вон, Авиценна наш – блюет в сортире. Не хочешь присоединиться?

Женя мотает головой.

– Не-а. Чаю хочу. Очень хочу крепкого чаю с лимоном!

– Это запросто, – говорит Аля и встает с дивана. – А выпить не хочешь?

Женя смотрит на нее с ужасом и мотает головой.

– Я столько... отродясь не пила! Я вообще слабая на алкоголь. Типа чукчи. Даже от корвалола пьянею.

– Да ладно! Правда? – удивляется Аля и, качая головой, идет на кухню.

Потом пили очень крепкий чай с сахаром и лимоном. Потом захотели кофе, тоже крепкого и сладкого. Открыли коробку конфет и съели минут за двадцать почти всю – причмокивая и прищелкивая языком.

– А с фундуком я уже ела. Оставь мне миндальную, слышишь! А пралине я ненавижу. Люблю, кстати, с повидлом. Помните, обычные ассорти советские, в прямоугольной коробке с тюльпанами? Так вот, эту коробочку, да с холодной водичкой, я могла уговорить за пару часов – под книжечку...

– А я такое говно ненавидела. У нас стопки лежали, деду и бабуле дарили. Бабуля потом по соседям носила, в поликлинику, в ЖЭК... Я любила булочки с маком. Помните такие, с коричневой глазурью? Она крошилась, обсыпалась, падала. А я эти кусочки со стола подбирала! А потом саму булочку... Влажную, чуть резиновую, а оттуда мокрый мак!

– А я – бублики. Те, настоящие. Плотненькие такие... Ломала кусочками и – лучше пирожного! И еще помните, помните? Калорийки с орешками и изюмом!

– Помню, по десять копеек! Изюм был кисленький, а корочка коричневая, блестящая – помните?

– Не помню, нет. Какие там булочки, какие бублики... помню кольца песочные. С орехами. По пятнадцать копеек. В буфете в кино. Их почему-то не брали. Брали эклеры, картошку. А кольцами брезговали. Только не мы. Мы копили – хватало обычно на два кольца и один стакан лимонада. Ну, мы и делили. Поровну. Коржик песочный крошился и сильно пах содой. А лимонада всегда не хватало. И весь сеанс ужасно хотелось пить. Я тогда мечтала – вот вырасту, и с первой зарплаты куплю себе три, нет, четыре бутылки «Буратино», два эклера и две картошки. И вот тогда оторвусь!

– Купила?

– Конечно, купила! Оторвалась по полной. Странные у нас мечты...

– А я мечтала о лисьей шапке. С ушами и с козырьком. Такая была у мамы, и мне страшно хотелось. Однажды она болела, и я эту шапку... ну, в общем, надела. И что бы вы думали? У меня ее с головы сорвали! Представляете? Прямо на улице, средь бела дня! Какой-то пацан – раз, и его уже нет... А я стою и реву. Да так, что меня окружила толпа. «Что с тобой, девочка? Да ладно, не плачь! Все живы-здоровы». А я... я маму боюсь! Да так, что тошнит. Так тошнит, что я побежала в кусты...

– А потом? Попало тебе?

– Попало. Ох как попало! Да нет, она ведь права – не бери без спросу точно воровка. Так и кричала: «Ты у меня своровала!» Ничего, простила потом. Помирились. Если можно так выразиться.

– Шапку! А у меня украли квартиру! Точнее, деньги с квартиры. Ну, времена те все помнят. Продала, положила на счет. А спустя время банк всех нас кинул. Бабки с собой и – за моря-океаны. Ну, как с твоим Никитосом, да, Жень? Вот думаю – а как там живут эти сволочи? Как им спится в огромных домах с видом на море? На роскошных кроватях? Сладки и крепки ли их сны? Как у них с аппетитом? Вкусно ли им по утрам пить кофе и есть круассаны? Покупать дорогие манто? Ладно я. Это была квартира мамы, а у нас была еще и квартира бабули. А остальные? У которых была одна-единственная? Или сумма, которую они копили всю жизнь? Откладывали, лишали себя удовольствий, носили по сто лет одни сапоги, одну куртку... И остались ни с чем! Рехнуться же можно!

– А я... Я о дубленке мечтала. Тогда мне казалось, что нет ничего прекраснее, чем бежевая дубленка. С опушкой из меха. Обязательно с опушкой! У меня ведь было только пальто. Тяжелое очень. Даже плечи болели. И цвет – грязный такой, серо-синий. Искусственный мех, почти шанхайский барс. Ужас! Пальто нам полагалось на четыре года. Сапоги – на три. Шапка на два. Ну, и так далее.

Долго молчали. Долго.

– А если гулять? Наденем старые куртки, резиновые сапоги и – в лес!

– В лес? Нет, страшно. Не надо в лес!

– Тогда по поселку. Тем более – какой у нас лес? Вы что, обалдели? Где это лес – в двадцати км от Москвы? Ага, в лес захотели! Скажите еще – по грибы. И что волков боитесь. По поселку, милые мои. Гуськом да рядком. Девчонки! А после – в баню? А? Сейчас затоплю – и через час парилка прогреется. Конечно, сауна. Ты еще скажи – почерному! А после парилки захочется жрать. Вот точно вам говорю – голодные будем как черти. В морозилке есть курица – точно. Вытащим сейчас и кинем потом в духовку. Курочка, картошечку туда на противинек, рядышком, бочком, чтобы жирок от курочки картошечку пропитал... Откроем огурчики, помидорчики... Кстати! Есть дивное сало – с Полтавщины. Я там на съемках была. И, конечно, бутылочку... Что, что? Испугались? Что вы орете? Ну, ладно. Не хотите – не надо. Кто вас заставляет? А я – я-то выпью. Не виски и не «Хеннесси» этот – водочки выпью! С огурчиком

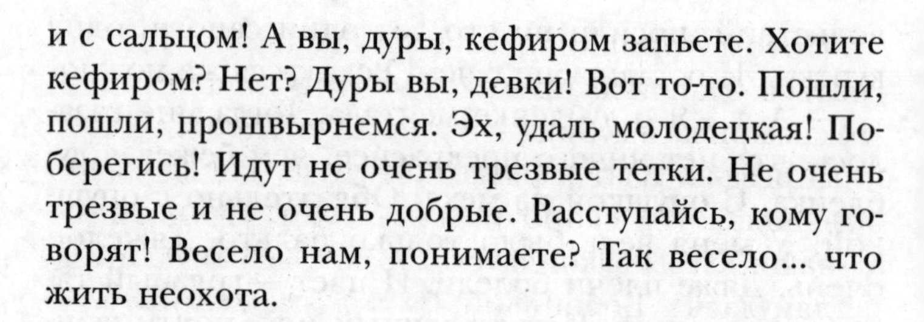

и с сальцом! А вы, дуры, кефиром запьете. Хотите кефиром? Нет? Дуры вы, девки! Вот то-то. Пошли, пошли, прошвырнемся. Эх, удаль молодецкая! Поберегись! Идут не очень трезвые тетки. Не очень трезвые и не очень добрые. Расступайсь, кому говорят! Весело нам, понимаете? Так весело... что жить неохота.

Шли и пели – и сами ржали как лошади.

– Дуры! Какие же мы, девки, дуры, ей-богу!

Песни пели веселые и разные: «Ой, цветет калина», «Зачем вы, девочки...», «У любви глаза зеленые», «Там, где клен шумит...». Орали как резаные: «Прощай! Со всех вокзалов поезда...»

Наорались так, что охрипли.

– Смотрите, – сказала Аля, – вот мы орем как подорванные, а никто не вышел. Охранники и те боятся. А жители что? Тоже боятся или пофиг всем? Думаю, второе.

Наконец вернулись домой. Пошли в баню – баня уже разогрелась. Сидели в парилке и снова трепались за жизнь. Аля рассказывала «охотничьи» байки про актерское «братство». Сплетен она не любила, а тут развезло. Веронику понесло про женские проблемы. Узнали столько нового, что признали себя дикарями в женской интимной сфере. Сетовали, что совсем темные. Женя делилась сокровенным – новыми задумками и сюжетами. Слушали ее открыв рот. Даже Ольшанская не называла ее сказочницей – тоже заслушалась.

Потом ныряли в бассейн, громко, по-девчоночьи, вскрикивали – вода была очень холодной: «Так надо», – объясняла хозяйка.

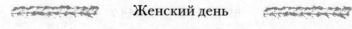

Потом торопливо забегали в парилку – погреться. Наконец проголодались и пошли в дом. Пока жарилась курица – готовила ее Женя, – Вероника резала салат и рыдала от лука. Аля злорадно объявила, что скоро рыдать будет Тобольчина, а «наши слезы закончатся». Женя вздохнула и переглянулась с Вероникой. Та тоже вздохнула – не верилось как-то. Даже задумываться не хотелось, что их ждет впереди.

Уселись за красиво накрытый стол, горели серебристые свечки.

– Поехали! – объявила Ольшанская, и все выпили водки.

Когда первый голод был утолен и все окончательно расслабились и откинулись в глубоких креслах, Ольшанская вдруг сказала:

– Девчонки! А хорошо сидим, правда?

– Давно так душевно не было, – поддакнула Вероника.

– Знаете что, девочки, – задумчиво сказала Женя, – а надо спасибо сказать этой стерве Марине. За то, что она нас... вот так, вместе. Ну, в общем, соединила...

И все почему-то смутились.

– Телефон никто не включил? – строго спросила хозяйка, оглядев новых подруг.

– Никто? Как договаривались? – уточнила она.

Вероника и Женя замотали головами.

– Смотрите! Знаю я вас, слабонервных. Дадите слабину – выпорю. Слышите? Пусть поволнуются. Им только на пользу.

Ника и Женя вздохнули – да, пусть. Неуверенно как-то вздохнули.

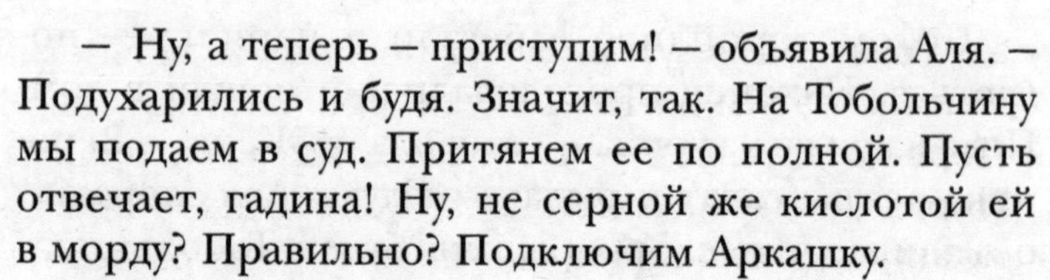

— Ну, а теперь – приступим! – объявила Аля. – Подухарились и будя. Значит, так. На Тобольчину мы подаем в суд. Притянем ее по полной. Пусть отвечает, гадина! Ну, не серной же кислотой ей в морду? Правильно? Подключим Аркашку.

Вероника кивнула.

— Выходит, что так. Я лично никаких претензий ей предъявить не могу. Потому что все – правда. Какие претензии? Что моя мать – алкашка, и я с ней не общаюсь? Что я не помогала своему учителю и не навещала его? Все правда, – повторила она. И с тяжелым вздохом добавила: – И за все это... Особенно за второе... Я рассчитаюсь... сама.

— Ну, и со мной не просто, – кивнула Аля.

— Что ей я скажу? О Лидочке? Тут ведь тоже все правда. О клевете на супруга дрожайшего? Нет, снова правда. Никакой клеветы – они докажут это в момент. Что остается? Правильно, Женя! Только она может предъявить претензии. Только за разглашение тайны усыновления ее можно привлечь, правильно? Это ж статья!

И все посмотрели на Женю.

Женя ничего не отвечала, сидела молча и смотрела в пол. Потом тихо и твердо, с расстановкой сказала:

— Нет, девочки. Я. Этого. Делать. Не буду.

— Почему? – изумилась Ольшанская. – Ведь это единственный шанс!

Женя подняла глаза, обвела взглядом подруг и решительно покачала головой.

— Нет, – повторила она, – не буду! Потому что все это... Ну, не просто так! Не пройдет бесследно. Я не про себя – я про Маруську. Про Дашку. Всю эту грязь. Развезут, разведут пожиже. А девчонкам моим... с этим жить. Я и так виновата, наверное. Перед Маруськой – что не сказала всей правды. Перед Дашкой. А сейчас... Тащить их в эту помойку судебную... Нет уж, увольте! Сама разберусь.

Женя замолчала, встала с кресла и подошла к окну. Вдруг она обернулась.

– Девочки! А если моя Маруська с собой что-нибудь сделает? Я ведь не переживу этого, девочки!

И Женя тихонько завыла.

Молчали долго. Или так показалось. Первая тишину нарушила Вероника:

– А ведь ты, Женечка, права. Совершенно права. Тебе надо самой – ну, с девочками... Без шума и пыли. Без посторонних. Безо всякой огласки.

Женя кивнула.

– Без шума и пыли, – вздохнула Аля, – да, ты права. Но как же быть с этой? Как быть с возмездием и справедливостью? Как? Что вы молчите? Киллера нанимать? Или колеса ее машины раз в день прокалывать? Может, собачье дерьмо к двери подбрасывать? Тоже раз в день?

– Я... не хочу, – еще раз твердо повторила Женя, – я не хочу, чтобы трепали мое имя. Чтобы дергали девчонок – Маруську и Дашку – не хочу! И по-моему, право имею, – тихо закончила она.

– Ну уж нет! – воскликнула Аля, вскочила с места и быстро зашагала по комнате. – Ты хочешь сказать, мол, пусть все так и останется? Ну, чтобы она не ответила? За все эти подлости? Нет! Так не бывает. За все надо платить. Мы с вами платим? А эта не будет? И будет продолжать свои мерзости, а ее рейтинг будет расти? Она будет получать премии и прочие преференции? Она, значит, вся в шоколаде, а мы с вами в дерьме? Вероника будет разбираться со своим враньем, стыдиться поднять глаза на коллег? Мучиться, что там, в «непрекрасном далёке», живет и почти голодает ее несчастная, покинутая мать? Ты, Женька, будешь разбираться с девчонками, объясняя попутно на встречах и в интервью, что мужик твой был осужден несправедливо? И вообще... Думаешь, тиражи твои вырастут? На фоне такой популярности?

– Господи, Аля! Какие тиражи? Ты о чем? – всплеснула руками Вероника. И, чуть подумав, добавила: – А знаете, девочки... Я ей... даже благодарна. Нет, честно! Не смотрите на меня так! Сейчас объясню. У меня... Была всего одна подруга. Давно. Еще в институте. Одна. Но самая близкая. Ближе не бывает. Она... Погибла моя Вика. Моя любимая Вика. Единственный близкий мне человек. И больше подруг я не хотела. Ну, или не получилось... А тут – вы. Такие родные! Такие свои! Я ведь... Такой интроверт. Никого мне не надо, честно. Но сейчас я думаю – нет, не так. Мне надо. Оказывается. И еще как надо! Знаете что... – она посмотрела на Женю и Алю. – Я. Сейчас. Счастлива! Несмотря ни на что. Потому... Ну, вы сами все понимаете! И это вранье мое... тоже открылось. И мне стало легче. Вы не поверите. Такая я дура...

Снова молчали. Потом вступила Аля:

– Нет, Ника. Я вот не соглашусь. Я не такая... святая. Ничего не подумайте – я тоже рада, честное слово! Но это – про нас. А гадить на голову я не позволю! Значит, расправлюсь сама. Способ найду, не сомневайтесь. Такое устрою – запомнит навек. Только вот с муженьком разберусь, – добавила она и вздохнула. – Теперь-то... деваться некуда, блин!

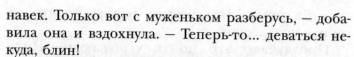

– Знаете, девочки, – начала Женя, – я тоже совсем не святая, как Ника. И больше того – эта дрянь мне здорово жизнь усложнила. Точнее, подпортила. И все-таки... – она помолчала, – и все-таки месть как-то мне не по нраву. Все это означает только одно – опуститься до ее уровня. Встать с ней на одну доску. Ну, что там еще?

– Значит, – задумчиво проговорила Ольшанская, – я снова одна. Ну, что же, мне не привыкать...

И в эту минуту раздался звонок. Аля взяла телефон и нахмурилась.

– Кто, не пойму. Номер совсем незнакомый.

– Алло! – сказала она и удивленно переспросила: – Кто-кто?

Все видели, как Алины соболиные брови изумленно взлетели вверх.

– Ну ничего себе, – медленно проговорила она и, тяжело вздохнув, добавила: – Ну заходи. Коли так. Если такая смелая. Сейчас открою. Ружьишко заряжено. Вот только с предохранителя снять. Готова, сука?

Она нажала отбой, обвела взглядом подруг и объявила:

– Тобольчина. Собственной персоной, – выдохнула она. – Готовы к разборкам?

Подруги растерянно переглянулись и неуверенно кивнули. И Аля нажала на пульт.

– А... телефон? – тихо спросила Ника. – Мы ж... договаривались!

Аля махнула рукой.

– Да забыла! Нет, честно, забыла. Вы что, не верите мне, девки?

Прозвучало это почти угрожающе. Ника и Женя отчаянно замотали головами – конечно, верим, Алечка! Конечно, забыла!

В распахнутую дверь, около которой стояла Аля – в воинственной позе, руки в боки и со вскинутой головой, – вошла Марина Тобольчина. В нерешительности остановилась на пороге, густо покраснела, тщательно, больше, чем нужно, вытерла ноги о колючий коврик и, откашлявшись, хрипло спросила:

– Можно? Зайти?

– Смелая! – недобро усмехнулась хозяйка. – Ну, заходи. В смысле – попробуй.

И отошла назад.

Тобольчина скинула куртку, нервно поправила у зеркала волосы, громко вздохнула и прошла в комнату. На лице ее было написано примерно такое – была не была, двум смертям не бывать, а одной не миновать. Революционный матрос перед расстрелом.

В комнате повисла тяжелая тишина.

– Здравствуйте, девочки! – наконец выдавила из себя непрошеная гостья и с испугом оглядела сидящих.

– Какие мы тебе девочки? – грозно спросила Ольшанская. – Мы твои кровники! Поняла?

Тобольчина устало опустилась на край стула.

– Да какие там кровники... Оставь, пожалуйста. Я... сама себе... первый враг и предатель.

– Раскаялась, значит? – притворно удивилась Ольшанская. – И с чего это вдруг? Решила стать травоядной? Не верю я, что человек может так легко изменить своим принципам. Хотя какие у тебя принципы? У гадов принципов не бывает!

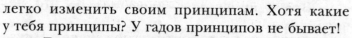

– Да что ты про меня знаешь? – устало сказала Тобольчина. – Про мою жизнь?

– Да брось! Знаешь, у всех жизнь – не мед. Только сволочами не все становятся. Не заметила? Вроде и время было заметить – не восемнадцать, чай, годков-то!

Тобольчина молчала, опустив голову.

– Повинную голову, – тихо пискнула Вероника, – а, Алечка?

– Ну ты и дура, Стрекалова! – взвилась Ольшанская. – Неужели ты поверила ей? Да таким, как она, вообще веры нет. Им в глаза – все божья роса. Наивная Ника! От таких – ни плохого, ни хорошего не надо, поняла? Раскаялась она, как же! Наверное, что-то случилось? Умные люди шепнули, что последствия могут быть... разные? А, госпожа ведущая? Я права?

Тобольчина подняла на Алю глаза.

– Да перестань. Я испугалась? Да я на эти суды с высокой башни плевала. Да и потом – я-то тут при чем? Отвечать будет продюсер, выпускающий редактор, директор программы. А на суде будет отвечать адвокат. Да не один! Я тут вообще не при делах! Чего мне бояться? Я говорящая голова, больше ничего. Тоже мне, напугала! – Она усмехнулась и посмотрела в окно: – Красиво тут у вас. Птички поют...

– Ага, – злорадно усмехнулась Аля, – птички! И ты... Складно поешь. Не хуже пернатых.

– Так мы... вам и поверили! – вступила Женя. – Когда человек столько врет... Как тот пастушонок с волками!

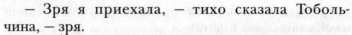

– Зря я приехала, – тихо сказала Тобольчина, – зря.

– Это верно! – бодро подтвердила Аля. – Следующая встреча в суде. И ты там обязательно будешь. Говорящая голова!.. Да если бы ты... отказалась... Не было бы всей этой дряни и гадости!

– Были бы, – покачала головой Тобольчина, – только это все сделала бы другая. Не я, так другая, вы уж поверьте!

– Верим, – кивнула Женя, – тогда б и претензии были к другой. А вам бы проще было бы дальше жить! Не так ли?

Марина кивнула.

– Да. Проще. Только жить... вообще непросто! Так?

– А ты еще поплачь, – вступила Ольшанская, – поскули! Расскажи про судьбу свою горькую. Чтобы мы тебя пожалели. У нас же все просто было, да, девочки? Легко и просто. У меня, например, – с жаром продолжала Аля, – брат малолетний умер. А вслед за ним – мама. Сама, руки на себя наложила. Потому, что жить не могла! Была семья из четырех человек, а стала из двух. У Женьки – мамаша-тиран. Муж – сбитый летчик. И с девочкой старшей... Ну, это ты хорошо озвучила. А Ника – вообще. С такого дна выбралась, из такой помойки... И ничего, не сдохли! И подлостей никому не делали. В таком вот масштабе... Слушай! А ты не думала про последствия? Ну, например, про Женькину дочку? А вдруг девчонка с собой что-нибудь сделает? И как ты потом?

– А потом, – вдруг тихим и очень страшным голосом сказала Женя, – ее не будет потом. Потом я ее... растерзаю!

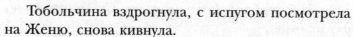

Тобольчина вздрогнула, с испугом посмотрела на Женю, снова кивнула.

– Правильно все... Зря я приехала. Ну, я пошла? – неуверенно спросила она.

– Зря! – подтвердила Аля. – Молодец, что дошло. И – иди. Иди себе... с богом. Если ты про такого вообще слышала.

Тобольчина встала и пошла в прихожую.

Она уже надела кроссовки и стала натягивать куртку.

– Подожди... те! – вскрикнула Ника. – Девочки! Ну, пусть она... останется здесь! Она ведь... сама! Покаяться ведь! Надо же выслушать человека. Дать ему шанс.

Аля посмотрела на Нику и покрутила пальцем у виска. Потом посмотрела на Женю. Та пожала плечами и развела руками.

– Да пусть! Мы ж не звери. Мы люди.

Аля с осуждением покачала головой.

– Мы-то – да, люди. А вот она... Ладно, благородные вы наши, пусть остается. Послушаем! Может, развеселит? А? Ну, а морду набить всегда успеем, да, Никуша? Как там у вас, в приюте? Темную подонкам устраивали?

– Эй! Опра Уинфри! Останься! Послушаем тебя. Может, амнистия выйдет. Ну, или срок скостим. К празднику. Так полагается вроде...

Марина села в кресло и жалобно спросила:

– А можно чаю? Замерзла страшно!

– Водки? – сурово предложила Аля.

Марина кивнула.

— И бутерброд. Если не жалко. Сутки ничего во рту не было.

— Что, с аппетитом неважно? — удивилась Женя. — Человечинкой обожралась?

Ника встала, положила на тарелку оставшуюся куриную ножку, помидор, соленый огурец и кусок черного хлеба. Аля открыла бутылку и оглядела сидящих.

— Ну, кто на новенького? Точнее, на старенького?

Женя кивнула и протянула стакан с остатками апельсинового сока.

Ника на секунду задумалась, потом вздохнула и махнула рукой.

— А, наливай. Хуже не будет. Уже.

Аля достала из шкафа чистый стакан и налила в него водки — до середины. Протянула Тобольчиной.

— Достаточно? Или?

Та кивнула.

— Пока да.

Жадно откусила большой кусок курицы, отпила из стакана и крепко зажмурилась.

— Ой, хорошо!

Ольшанская усмехнулась.

— А как же! У нас тут вообще хорошо. Праздник справляем. Женский день. Заметила?

Тобольчина испуганно посмотрела на нее и кивнула.

— Угу... — и сунула в рот дольку соленого огурца. — Боже, как вкусно!

— Последнее желание перед смертью, — сказала Аля. — Видишь, какие мы гуманисты!

– Хватит, Аль, – остановила Ольшанскую Женя, – подавится ведь. И смерть эта будет на нашей совести.

– Невелика потеря, – бодро возразила Аля и добавила: – Ну, что? Заморила? А теперь давай, собирайся. В смысле – с духом. А ты, Астрид Линдгрен, записывай. Может, потом сварганишь чего-нибудь. Типа «Исповедь гнусной мерзавки».

Тобольчина поперхнулась, отставила тарелку, вытерла салфеткой руки и губы и сказала:

– Ну, я... в смысле – могу?

Кивнули – давай, мол, поехали.

Тобольчина себя не оправдывала – просто рассказывала, как было на самом деле. Про свой городок, про школу, про маму. Про соседское белье во дворе на веревке. Про пьяные песни соседей. Про нищету и убогость. Потом про Москву. Бросила мимоходом: «Без подробностей, ладно? А то подумаете еще...» Дальше про то, как попала в Останкино. Потом про роман с Лукьяновым. Потом про аборт. Про врачебный вердикт. Про то, как стало тошно, почти невыносимо жить, когда любовь закончилась и Лукьянов ее «отставил». Про их последний разговор – ужасный, унизительный, гнусный.

Про мамин звонок не утаила. Сказала, что после этого просто стало легче принять решение. Решение приняла – завтра отправит по электронке заявление об уходе и эту страницу закроет. Что будет делать? Да наплевать. Что-нибудь подвернется. А может, уехать домой? Глупость, конечно. Здесь квартира. Возможности. Совсем другие возможности. Устроится, например, на какое-нибудь радио. Или на «тарелку» – в смысле, на платный канал. Все-таки личность она известная, маленькому каналу будет лестно взять ее на работу. А может быть, с телевидением закончит вообще. Куда пойдет – да бог его знает! Еще не думала. Потому... Потому что просто хочется ничего не делать. Отдохнуть от всего. Прийти в себя. Отоспаться, отлежаться. Почитать. Женины, кстати, книги – мама их просто обожает. Говорит, что дают надежду и вытягивают из депрессухи.

Потом она снова опустила глаза и заговорила тихо, торопливо и горячо:

– Простите меня, простите! Ради бога, простите! Я, разумеется, сволочь и гадина. Как нескладно я прожила! Как глупо всем распорядилась! Как долго не видела, в каком я болоте. Вернее, все понимала, а вот остановиться... Нет, не могла. Страшно было остановиться. Потерять все, что имею. А сейчас... Вот вы про совесть. А я не знаю, она это или нет, не она. Просто раньше могла, а сейчас... неохота. Неохота больше, вы понимаете? Может, в Лукьянове дело. Это я честно, как на духу. А может, в мамином звонке. А может... я просто устала. Так устала, что... Только вы мне поверьте. И, если можно, простите...

Все долго молчали. Первой заговорила Женя:

– Ладно, хватит, Марин! Все понятно. Главное, ты поняла. А значит, все как-то наладится. И у нас наладится. Я... тоже надеюсь. Все, успокойся. Забыли. Ну, или почти забыли.

Тобольчина заплакала – горько, громко, безутешно. Что-то бормотала, не все понятно, но ясно было – никого! Ни семьи, ни детей. Город огромный, чужой. Все еще чужой, да! А туда, домой... тоже нельзя. Там совсем пропаду. Пить начну... может. Папаша мой выпивал. Вдруг гены? Я же думала, что я такой трудоголик. Мне б только работать. День, ночь... Карьера? Да, карьеристка. Зато какая успешная! Сама, все сама. А оказалось – пустое все, ничтожное. И жизнь моя... тоже ничтожная. А работала так – ну, чтобы поменьше быть дома. Потому что одна.

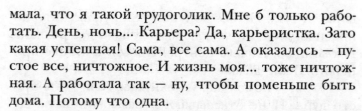

– Ладно, хорош, – оборвала ее Аля, – понятно все. Дом ведь затопишь. А мне его... делить еще. С бывшим супругом. Да и вообще... Не верю я както. В раскаяние твое не верю. В искренность твою. Как получается? Жил человек, делал гадости. Знал ведь, что гадости, понимал. А потом раз – и прозрел! Так что ль выходит? Просто в один момент раз – и готово! В одну минуту поняла, что это все – бяка. А так хочется быть приличной, правда? А как ты до этого, до катарсиса своего, спала? Крепко? Кошмары не мучили?

Тобольчина утерла ладонью слезу и усмехнулась.

– Да, мучили. Не волнуйся ты так. И спала фигово. Ну, сейчас тебе легче?

Тут опять подала голос Женя:

– Да ладно, Аль! Сколько можно? Да и потом... Нас на аркане туда не тянули – сами пришли. Знали ведь все, что там бывает. Про провокации знали. А ведь поперлись! И к тому же они ничего не наврали. Ничего не придумали. Все чистая правда. Только кому эта правда... нужна?

– Знаете что, девочки, – тихо сказала Ника, – я вам признаюсь. Я не хотела идти, честно. Не для меня это все. И не потому, что чего-то боялась, нет. Просто публичности не люблю. Мне даже конференции проводить тяжело – все вроде знаю, а страшно робею. Про остальное и не говорю. А тут... Не бес попутал, нет. Руководство попросило. Мол, это ж в любом случае будет реклама. Реклама для нашего центра. Просто к стенке приперли! Такие дела.

— А я, — помолчав, усмехнулась Аля, — а я просто дура. И не отказываюсь. Сама виновата. Думала... Вот муж мой увидит. Подумает, а какая она у меня, моя Алька. Умная, красивая, талантливая. Востребованная. А я — идиот! Короче, посмотрит другими глазами... Про дочку подумала, Лиду. Посмотрит на мать и... Правда, вряд ли, но... Может, растопится ее обиженное сердечко? Может, простит? Сын, Саввка. У меня же с ним отношения... ну, никакие! Странный он парень, замкнутый, молчаливый. Все на замках, а ключей у меня нет. Ни к кому... А после смерти бабули — ну, он совсем замкнулся. Такие дела. Глупо, конечно. Просто идиотизм какой-то! Ну, и про продюсеров тоже подумала — что уж скрывать...

— А я, — сказала Женя, — я тоже дура. Мотивы почти те же, что и у Али, — муж, например. У нас с ним не очень... И давно. Мама еще. Всю жизнь ей доказывала, что я не верблюд. А она все равно меня опускала. Всегда я была некрасивой, неумелой, нескладной, неловкой. Всегда делала совсем не то, что надо. Всегда! А я, дура, всю жизнь ей пыталась... А сейчас думаю вот — а зачем? Она все равно не услышит, а я — все знаю и так. И мужу ничего не докажешь — пыталась. Ну, нет пророка в своем отечестве, нет! Это давно всем известно, — грустно улыбнулась она.

И еще, — Женя совсем смутилась, — хотела еще, чтобы девки с работы... ну, с бывшей работы, со школы, вы понимаете? А то директриса ведь школьная... все время меня шпыняла, на всех педсоветах... Какая я дура, господи!

– Вот и получается – сами приперлись, по доброй воле и тут же нашли виноватых, – кивнула Ника.

– И все-таки, – задумчиво покачала головой Аля, – грубо. Грубо и некрасиво. Особенно, Женька, с тобой. А со мной? Вот если бы я не знала, не ведала, что у Герасимова там баба? И баба с ребенком? Тогда в петлю. Прямая дорога. Спасло только то, что я знала. Хотя... Знать не хотела. И дальше бы делала вид. Так что, сказать тебе спасибо, дорогая Марина, я не могу. Извини.

– Я все понимаю, – кивнула Марина, – я виновата. И я пришла к вам... Не оправдаться, нет! Я пришла... повиниться.

– Ну и что в итоге? – улыбнулась Женя. – Все виноваты и все окончательно влипли. Так получается?

– Мы-то – определенно! – хмыкнула Аля. – А эта... – кивнула она на Марину, – такие всегда выплывают.

Ника укоризненно посмотрела на Алю, подошла к Марине и села с ней рядом.

– Не гоните меня, девчонки, – жалобно всхлипнула Тобольчина, – пожалуйста, не гоните! У вас тут... так хорошо!

– Ладно, живи! – хмуро сказала Аля. – А там посмотрим. На твое поведение!

Марина поспешно кивнула.

– А этого твоего, – добавила Аля, – Лукьянова, в смысле, порвем! Да, девчонки?

Все дружно и громко вздохнули.

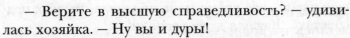

– Верите в высшую справедливость? – удивилась хозяйка. – Ну вы и дуры!

– Бог всем судья, – запинаясь, ответила Ника, – я... в это верю!

– И я, – неуверенно поддержала ее Женя, – я тоже... верю. Да и какие из нас народные мстители? Смешно, право слово! Ни сил, ни запала. У меня, например. Мне бы со всеми своими... разобраться. Особенно с Маруськой. Вот что главное.

Женя снова расстроилась, махнула рукой, отвернулась и отошла к окну. И все окончательно разнюнились. Каждая думала о своем. Точнее, о себе. И о том, что будет дальше.

А с этим было совсем не понятно. И от этого еще страшней и тревожней. Всем четверым, кстати. Без исключения!

– Девочки, – решительно сказала Ольшанская, – а ведь праздник еще не кончился! Давайте расслабимся. И по чуть-чуть! И, кстати, телефон никто не включил?

– И опять есть охота! – подхватила Женя. – У меня так всегда – в смысле, на стрессе. Просто метать начинаю как... как свин, ну, ей-богу!

Аля распахнула холодильник.

– Пусто, девчонки. В смысле, что ничего быстрого и ничего готового. Курицу мы смолотили. Мяса полно, но все заморожено. А может, пиццу закажем? Ну, как тины?

Пиццу привезли через сорок минут. Дружно уселись прямо на ковер, затопили камин, и начался пир. Ели руками, запивая пивом, перемазались как малые дети. Что-то рассказывали смешное, и все

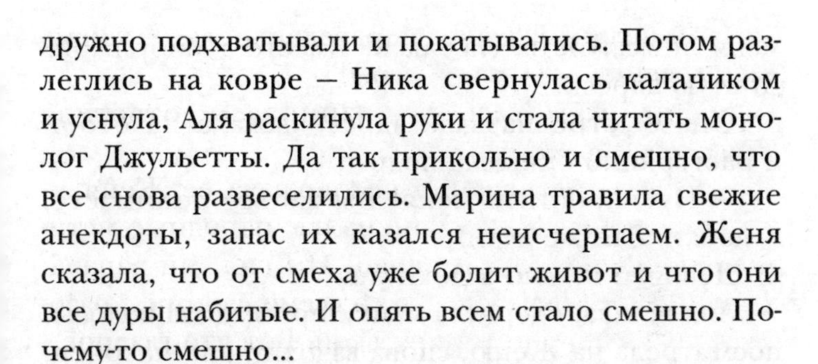

дружно подхватывали и покатывались. Потом разлеглись на ковре – Ника свернулась калачиком и уснула, Аля раскинула руки и стала читать монолог Джульетты. Да так прикольно и смешно, что все снова развеселились. Марина травила свежие анекдоты, запас их казался неисчерпаем. Женя сказала, что от смеха уже болит живот и что они все дуры набитые. И опять всем стало смешно. Почему-то смешно...

– Смех истеричек, – заключила Аля, громко зевнула, послала всех к черту и тут же уснула.

Женя стянула с дивана плед, укуталась, пробормотала: «Спокойной всем ночи» и тоже уснула.

Марина оглядела честную компанию, подвинулась ближе к камину, протянула руки к огню и подумала, что так спокойна и счастлива давно не была. Очень давно. Целую вечность.

И вскоре тоже уснула.

«Праздник закончился, – подумала она перед тем, как заснуть, – а что будет завтра?»

* * *

Проснулись от разрывающегося мобильного.

– Чей? – недовольно спросила Аля, поднимаясь с ковра.

Все переглянулись, и Женя смущенно сказала:

– Это мой, девочки!

Она схватила трубку и закричала:

– Да, Дашенька! Да не кричи, все нормально. Я... тут... в гостях. Да, потом объясню. Недалеко, нет. Рядом. Почти... За городом. Да близко, не кричи! Я знаю, что волновались. Ну, простите меня, пожалуйста. На такси? Вместе с Маруськой? Диктую адрес...

Она быстро назвала адрес, нажала на отбой и растерянно оглядела подруг.

– Ну... простите меня! Вы же все понимаете, девочки. Это же дети!

Девочки шумно вздохнули.

Аля встала, одернула майку, пригладила волосы, посмотрела на Женю, снова вздохнула и, наконец, сказала:

– Подъем, Братья Гримм. Собирайся. Беги, умывайся.

Женя нервно прошлась по комнате и тихо и растерянно спросила:

– Что же теперь будет? А, девочки?

«Девочки» хлопали глазами и так же дружно молчали.

Женя наспех умылась, расчесала волосы, мельком посмотрела на себя в зеркало, недовольно и разочарованно скривилась и бросилась на крыльцо.

Калитка была открыта, и во двор, уже минут через сорок, входили непрошеные гости.

Дашка, дочь. И Маруська. Тоже дочь. Старшая.

Они остановились и уставились на Женю.

Первая к ней шагнула Маруська.

– Мам! Ну ты, мам, даешь! Мы же все... чуть не рехнулись!

– И правда, мам! – обиженно подхватила Дашка. – Ну ты, мама... совсем!

Женя кивнула. На крыльцо вышла Аля и протянула ей куртку и сумку.

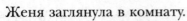

Женя заглянула в комнату.

– Ну, я.. пошла, девочки?

Все закивали. Женя махнула рукой и вышла в прихожую.

– До встречи! – крикнула она. – Надеюсь, до скорой!

– Так, одну сбыли, – сказала Аля, – пристроили, значит. Кто следующий?

Она посмотрела на Нику.

– Мужу звони. Рехнулся, наверное.

Ника закивала, схватила выключенный телефон и набрала номер.

– Вадик! Я? Здесь. Да у подруги. Нет, ты не знаешь. Потом объясню. А ты? Где?

Она растерянно посмотрела на подруг.

– Он тоже... хочет приехать. Аль, подскажи, пожалуйста, адрес. А то я забыла.

– Разумеется, – кивнула Аля, – и двигай вперед. Жди на въезде. А то... я не любитель кровавых разборок.

Ника послушно вскочила и побежала в прихожую.

Оттуда крикнула:

– Ну, я пошла?

– С богом! – отозвались хором Марина и Аля.

Хлопнула дверь.

– Ну, – сказала Марина, – я тоже... Поеду.

– Валяй! – откликнулась Аля, выгребая золу из камина.

Марина кивнула и вышла из комнаты.

Аля села в кресло, вытянув ноги, и прикрыла глаза. «Устала, – подумала она, – я очень устала. Праздник был прекрасен, и все же... Я очень устала. Хочется в душ и в кровать. Укрыться одеялом, с головой укрыться и ни о чем не думать. Совсем ни о чем? Такое возможно?»

Она слышала, как хлопнула сначала входная дверь, а потом и калитка. Все! Все ушли, все уехали. Она одна. Снова одна. Совсем...

Кончился праздник.

* * *

В машине ехали молча. Женя сзади, с девчонками. Обе положили ей головы на плечи, взяли ее за руки и счастливо вздохнули.

Женя закрыла глаза и подумала, что давно – очень давно! – ей не было так хорошо и так восхитительно, просто сказочно спокойно. Отступила давнишняя, давящая, свербящая, словно зубная, нудная душевная боль, когда она чувствовала себя совсем одинокой. Совсем никому не нужной. Дети выросли, у Никиты свой мир. Мир, куда ей ходу нет. А у мамы своя жизнь, где ей тоже нет места. Она всегда удивлялась – как человек может себя ощущать совсем, просто тотально одиноким, имея такую большую семью? Оказалось, что может. И еще как может! Вот тогда-то все и обесценивается, девальвируется – вся твоя жизнь, все жалкие потуги и невообразимые усилия. Что-нибудь изменить. Что-нибудь переделать – решительно, кардинально, резко.

Она почти задремала, чувствуя горячее дыхание дочек и тепло их ладоней.

– Мам! – сказала вдруг Дашка. – А давайте зарулим в «Макдоналдс»? Так есть охота! Просто кошмар. Я два дня не ела, – обиженно добавила она. – Ты же нам ничего не оставила!

Маруська ехидно хмыкнула:

– Ясное дело, ты же у нас безрукая. Вместе с папашей!

Остановились у «Макдоналдса» – совсем рядом с домом. Дашка влетела первая. Женя взяла Марусю за руку и задержалась у входа.

– Доченька, – тихо сказала она, – нам... надо поговорить. Когда ты... готова?

Маруська подняла на нее глаза.

– О чем говорить, мам? Да и смысл?

Женя нервно повела плечом.

– Все нормально, мам. Все хорошо. И я тебя... очень люблю!

В окне показалась «зверская» физиономия Дашки. Дашка махала руками и корчила рожи – типа, где вы там, клуши? Ждете моей голодной смерти?

Маруська взяла Женю за руку, и они вместе вошли в кафе.

* * *

Ника дремала на пассажирском сиденье. Вадим выключил радио. На очередном светофоре она открыла глаза и посмотрела в окно.

– Далеко еще? Совсем не пойму, где мы есть...

– Ильинское, – ответил Вадим и посмотрел на навигатор, – пишет, что тридцать минут. До дома. Устала?

Он посмотрел на жену.

Ника кивнула.

– Домой очень хочется! – жалобно сказала она и виновато посмотрела на мужа.

– Ну, скоро будем, – почему-то обрадовался он. – Мама что-то колдует на кухне, а Данька рисует подарок. Знаешь, совсем ему не дается это чертово рисование! Даже солнышко получается какое-то кривое, словно подбитое, раненое, – засмеялся он.

– Весь в меня, – кивнула Вероника, – для меня рисование... в детском доме... всегда было пыткой. Просто ужас какой-то. Боялась его как огня!

Вадим улыбнулся.

– Да бог с ним, с рисованием. Не у всех же к нему способности. Ты и без рисования... умница, каких мало!

Он смущенно кашлянул. А Ника погладила его по руке.

В ту ночь... ну, после веселого «праздника», впервые все было *не так*. Она так растерялась от этих «открытий», что не смогла заснуть до рассвета. А наутро ей – вот ведь дурочка! – было неловко смотреть мужу в глаза.

Смотреть неловко, а вот дотронуться до него очень хотелось. Просто прижаться к плечу и вдохнуть его запах. Чудно! «Значит, не истукан», – смущенно подумала Ника.

И совсем даже не каменная баба. Снова все вспомнила и снова застеснялась – самой себя. Такая чудачка...

Да, кстати. После всего *этого* у нее – совсем непроизвольно, честное слово, – впервые выскочило слово, которого не было в ее лексиконе тысячу лет.

Обращаясь к свекрови, она назвала ее «мама».

* * *

Марина Тобольчина написала заявление об уходе. Зашла в кабинет к Лукьянову и молча положила его на стол.

Он также молча прочел его и поднял глаза на Марину.

– Обиделась, значит, – ухмыльнулся он, – не терпишь критики, душа моя! Совсем не терпишь. Бросаешь друзей в тяжелый момент? Или я тебе уже совсем никто? Даже – не старый друг?

– Я тебе не душа и тем более не твоя! – внятно произнесла Марина. – Я тебе никто. Так же, как, впрочем, и ты мне. И, конечно, не старый друг! Я понятно излагаю?

– Чего ж не понять, – кивнул Лукьянов, и она увидела, какие злые и холодные у него глаза.

– Хорошо подумала? – Он занес ручку над заявлением и с усмешкой посмотрел на нее.

Она кивнула.

– Не сомневайся. Ты же знаешь, я с кондачка решений не принимаю.

– Переманили? – удивился он. – Ловкая ты!

– Не твое дело! – резко ответила Марина. – Подписывай!

Он еще раз недобро усмехнулся.

– Незаменимых у нас нет, дорогая! – И черкнул свою подпись. – Как говорится, была без радости любовь, разлука будет без печали...

– Сволочь, – спокойно сказала Марина и вышла из кабинета, с удовольствием хлопнув тяжелой, массивной дверью.

Она зашла в свой кабинет, собрала вещи и, попрощавшись с коллегами, пошла к выходу.

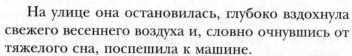

На улице она остановилась, глубоко вздохнула свежего весеннего воздуха и, словно очнувшись от тяжелого сна, поспешила к машине.

Резко нажала на газ, вырулила с останкинской парковки и, не обернувшись на здание телецентра, поехала на вокзал. Билет она взяла на завтра. Из дома позвонила маме и сообщила о своем приезде.

Вечером она тщательно вымыла холодильник, выбросила ненужные продукты, полила цветы и стала собирать дорожную сумку.

Потом она открыла бутылку красного вина, порезала сыр и с удовольствием плюхнулась в кресло.

И в это мгновение почувствовала такую необычайную легкость, такой подъем, такое блаженство, что замурлыкала какую-то старую песенку, зажмурила, точно кошка, глаза и сладко потянулась.

«Свободна!» – подумала она.

А это, оказывается, огромное счастье!

* * *

Аля крепко уснула. Так крепко, как не спала очень давно. Ей даже приснился сон – цветной, что совсем странно. Цветные сны снились ей только в далекой юности.

Разбудил ее звонок. Она открыла глаза, недовольно поморщилась и подняла трубку. На дисплее высветилось: «Лидочка».

Она моментально села на кровати, нажала... и хрипло сказала:

– Да, Лидочка, слушаю!

– Я... – раздался Лидочкин голос, – я... хочу тебе сказать...

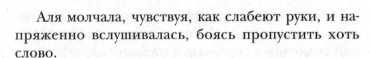

Аля молчала, чувствуя, как слабеют руки, и напряженно вслушивалась, боясь пропустить хоть слово.

– Я хочу тебе сказать, чтобы ты не расстраивалась, – закончила фразу Лидочка. – В жизни... всякое бывает. Не стоит обращать внимания!

– Ты... у меня... большая умница, доченька, – дрожащим голосом медленно проговорила Аля. – Я... постараюсь, честное слово!

– Ну и правильно! – оживленно выдохнула та. – Подумаешь, ерунда... Стоит ли на них обращать внимание?

Обе замолчали.

– А как у тебя дела? – осторожно спросила Аля.

– Да все нормально, – бодро ответила Лидочка, – едем с папой в Париж.

Снова молчание.

– Да ты... не беспокойся, – заговорила Лидочка, – всего-то на пять дней.

– Когда вернешься... – Аля с трудом закончила фразу, – ты мне... позвони, ладно?

– Да не вопрос! – быстро ответила дочь. – Позвоню, разумеется.

– Папе привет, – сказала Аля, – и счастливой вам поездки!

Она положила трубку. Руки дрожали. Она смотрела на свои руки и... И ни о чем не думала. Просто ни одной мысли в голове. Совсем ни одной. Только... ощущение радости, что ли...

Или, может быть, счастья?

Без разницы, как называется состояние, когда человеку просто легко и хорошо. Правда, без разницы!

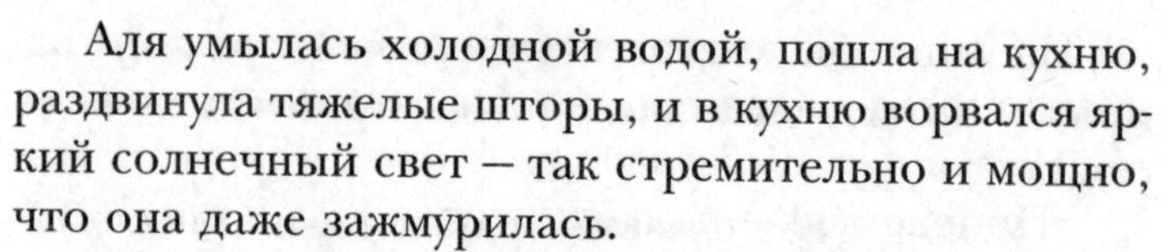

Аля умылась холодной водой, пошла на кухню, раздвинула тяжелые шторы, и в кухню ворвался яркий солнечный свет – так стремительно и мощно, что она даже зажмурилась.

Она включила музыку и кофемашину.

Потом подошла к окну, оперлась руками о подоконник, посмотрела на солнце и улыбнулась.

Жить, оказывается, не всегда тоскливо и тяжко.

Жить, оказывается, бывает еще и очень даже хорошо!

Снова послышался звонок мобильного. Аля посмотрела на дисплей. Там высветилось: «Герасимов».

Аля секунду подумала и выключила звонок телефона.

– Кофе не дадут попить, – проворчала она, – покайфовать не дадут.

Снова ожил мобильный – теперь уже виброзвонок. Она тяжело вздохнула и увидела надпись: «Володя».

Господи боже мой, как же достали! Она сунула телефон за диванный валик и наконец села завтракать.

Не от кого ждать звонка. Точнее, тот единственный, которого она ждала всю жизнь, наконец случился. А все остальные... Это уже не так интересно. Кандидаты на ее руку, блин. Опять придется разбираться со своей жизнью. Как же надоело...

После завтрака она посмотрела на градусник за окном, присвистнула:

– Ого, почти пятнадцать! Весна!

Надела кроссовки и куртку, взяла темные очки и пошла «пройтиться».

На улице было тепло. Солнце припекало отчаянно и смело. Она шла по аккуратным дорожкам поселка и негромко напевала знакомую мелодию.

«Прорвемся! – подумала она. – Нам что, впервой, что ли? Не из таких передряг выходили!»

Аля вдруг вспомнила о бабушке. После ее смерти она чуствовала себя совсем одинокой. Никого у нее нет на свете. Никого, кто может пожалеть ее, бестолковую. Пожалеть, поругать и снова пожалеть. «Где ты, бабуля? Как же мне плохо без тебя!»

Через час она вернулась домой и вытащила из-под подушки мобильный. Четыре пропущенных звонка от Герасимова. Три от Володи. Увидела свежую эсэмэс от Володи и, вздохнув, открыла.

«Алечка, милая! Человеческой подлости нет предела! Все вроде знаешь, а все равно удивляешься. Только ты от этого страдать не должна. Ты относишься к клубу лучших женщин планеты! Я все понимаю, трубку ты не берешь. Названивать тебе не буду – захочешь, сама позвонишь. Знай одно – я очень жду твоего звонка! Очень!!!!! И я очень люблю тебя, Аля! Может, поженимся? А? Это, кстати, вполне серьезно!»

Аля перечитала эсэмэску и рассмеялась – смешной ты и милый, мой мальчик! Очень смешной и очень милый. Только я... Только я отнюдь не девочка и совсем, к сожалению, не милая. Уже очень давно – и то и другое! Увы!

Потом она пошла в кабинет и открыла ноутбук. Ну, глянем, какие мнения в Сети по поводу всего этого бреда.

Но сначала открыла почту – любопытство, как известно, сгубило не только кошку.

Так, много спама и всякого дерьма. Два письма от продюсеров. Это занятно. Она бегло пробежала глазами – отлично, два предложения. Ну, разумеется, в сериалы, но все не так плохо. Режиссеры приличные и сценаристы вполне. Нормалек!

Далее – письмо от Терлецкого – приглашение присоединиться к их парижскому турне с Лидочкой. «Какой же он славный и добрый, мой милый Терлик! – с теплотой подумала Аля. – Про таких говорят – ну просто душка!»

Нет, без иронии – Терлецкий очень хороший и приличный человек. И это не надо даже доказывать. И сейчас он ее – в который раз! – пожалел. Но она не поедет. Сейчас – нет. Потому что того, что случилось, уже много. Лидочка позвонила! Пусть она привыкнет, что у нее все же есть мать. Куда сейчас сваливаться им на голову. Они так привыкли вдвоем! А Париж от нас никуда не уйдет...

Она написала короткое письмо бывшему мужу – благодарность и все прочее, ну, понятно. Пожелания удачной поездки.

И тут же пришло свежее письмо. «Герасимов, – чуть поморщилась она, – не мытьем, так катаньем». Этот человек не привык сдаваться и уступать. Привык, что последнее слово всегда за ним.

Она задумалась – не отправить ли письмишко в корзину? Но вспомним про кошку! Она на секунду задумалась и... открыла письмо.

«Аля! Все правильно – трубку ты не берешь. Никаких претензий. Да и какие претензии могут быть У МЕНЯ? И все-таки право высказаться у меня есть. Извини. Отрицать что-либо глупо и смешно. Все это – реальные факты. Но им есть, как ни странно, вполне логичное объяснение. Хотя вряд ли это тебя утешит. Я мало говорил тебе о своем детстве. Неловко было. Ты и я – два полюса. Все разное – от и до. И сомневаюсь, что тебе было бы приятно все это слышать. Мое детство это – пьяный папаша, сварливая бабка, его мать, попивающая с сынком. И мама... Мама была чудесная. Тихая, молчаливая, добрая. Пуганая была моя мама. Отец ее поколачивал – иногда так, влегкую. Иногда жестоко и страшно. В зависимости от количества выпитого. Раз в доме пьющий мужик, жили мы бедно. Иногда даже впроголодь. Мама работала на ферме, а это: встать в четыре утра и на своих двоих, через деревню, поле и по грунтовой дороге (зима, весна, осень) идти на работу. Бабка доставала ее до слез. На маме были и огород, и скотина. Мы с младшей сестрой отца ненавидели. И бабку, понятно, тоже. А маму очень любили и очень жалели. Очень. Когда мне было одиннадцать, я впервые вступился за маму. Схватил топор и замахнулся на этого гада.

И мама поняла, что однажды я его просто убью. Убью и сяду. И там, в тюрьме, пропаду. Тогда она, подхватив меня и сестру, просто сбежала. Мы торопились добраться до города и хоть как-то устроиться. Но нас никто не догонял и не искал. Ни разу! Когда мы поняли это, наконец облегченно вздохнули. Мама устроилась на бетонный завод – от него было положено общежитие. Вкалывала она так, что... вспоминать не хочу, какой она приходила... Комнатуха была у нас маленькая, метров восемь, наверное. Но это было счастье! Потому что мы ничего не боялись. Тогда – впервые – я стал спать по ночам. Спать, а не прислушиваться! Понимаешь? А денег все равно не хватало. Летом мы с сестрой ездили в лес и собирали ягоды: землянику, голубику, потом морошку и клюкву. Конечно, грибы. Ну, и потом все это продавали на рынке. Это было подспорье. Надеть было почти нечего – ботинки я носил по три года. А нога-то росла! Сестре Аньке хотелось и платьев, и кофточек, и сережек с колечками. В школе ее дразнили нищенкой. А я – я дрался. За нее, за себя. Знаешь, о чем я мечтал? Чтобы пожрать от пуза и накупить Аньке и мамке всего: тряпок, сумочек, обуви разной. Завалить их всем этим добром. Всю комнату завалить, до потолка!

Двор у нас был... Ну, ты понимаешь. Рабочий поселок, шпана. По малолетке тогда загремели почти все – ну, или процентов на восемьдесят. Мама очень боялась за нас с сестрой: Анька – красивая, не дай бог, принесет в подоле! Я – бедовый. Куда вляпаюсь, во что? Тревожилась очень. А я понимал – если пойду по кривой дорожке, мама погибнет. Она говорила: «Лучше бедно, но честно». И умоляла: «Сынок, будь осторожней!»

Я понимал – надо нам отсюда выбраться. Из этого барака, от этих дружков и соседей. Но как?

Учиться. Или много работать. Хотя... Мама много работала. Вкалывала всю жизнь. И что? Что у нас было? Коврик с лебедями с базара? Плюшевая скатерть с кисточками? Мать ее берегла. И ваза хрустальная – завод подарил на сорокалетие. Все! А она говорила: «Как ХОРОШО мы живем! Как хорошо, да, Сережа?»

А я молчал. И молча глотал слезы. Нет, думал. Не буду жить как скотина! Ни я, ни моя семья.

Потом нам дали комнату – ну, это было вообще за пределами. В нормальном доме, с нормальными людьми. Мама была счастлива. Все украшала ее, тащила какие-то вазочки из магазина, коврики, покрывала. Тогда я пошел разгружать вагоны и купил ей первый сервиз. Стоил он тринадцать рублей. Она все любовалась и боялась с него пить и есть. Потом купил ей пальто – тяжелое, драповое, с песцом. Как же она им хвалилась! Господи... Анька поступила в торговый техникум, я заканчивал восьмилетку и думал, куда мне пойти. Сосед – хороший мужик – посоветовал на автослесаря. Ну, я и пошел. Тогда и стал зарабатывать. А мама уже сильно хворала. Мы с Анькой заставили ее уйти с завода. Она все не соглашалась, причитала: «Как же я уйду? Они ж нам комнату дали!» Всю жизнь она думала, что кому-то должна. Но уговорили, ушла. Плакала очень. Но дома сидеть не стала – пошла в булочную продавцом, возле дома. Анька рано выскочила замуж. Парень был неплохой, но такой же нищий. Жили они у свекрови, в одной комнате. Какая это жизнь? Развелись через три года. И Анька вернулась к нам. Не одна, с сыном Ванькой. Ну, и весело стало. Совсем весело! Тогда я и устроился на прииски. Просто чтобы сбежать. Ну, и денег срубил – будь здоров!

Как там было – писать не хочу. Подумаешь, что бью на жалость. Скажу только, что было так тяжко... даже мне, ко всему привычному. Приехал через два года и купил квартиру. В две комнаты. Маму забрал с собой. А она все переживала за Аньку и бегала помогать с внуком.

Потом много чего было, разного. И магазин открывал, и на рынке лавку. И автосервис, и даже кафе. Ну, а потом, много позже, стал подниматься. Тоже было всяко и разно. Но это уже ерунда. Все через это прошли. Наезжали, отбирали, делили. Угрожали. Зря – я был уже волчара стреляный. Мне было все нипочем. Только мама вот заболела... От всех этих переживаний за меня и за Аньку. Эта дура связалась тогда с бандитом. Влюбилась как кошка. А его потом... Ну, понятно. Всех их тогда клали – штабелями и ежедневно. Я Аньку тянул, как мог. И маму тоже. Возил ее в Москву к врачам. Сказали – поздно. Поздно приехали. Я хотел повезти ее в Германию – сказали не надо мучить, ей уже мало осталось.

Оказалось, что они были правы. Через полгода мамы не стало. Денег было навалом, а маме уже ничего было не нужно. Ничего! Даже памятника этого, огромного, дорогого – не нужно...

Я так хотел отвезти ее на море – она там никогда не была. Свозить в Питер, в Москву. Мир показать. А она в столице видела только больницы...

И вообще она в жизни ничего не видела. Ни покоя, ни счастья, ни хрена! Ничего моя мама не видела. И я ей дать все это так и не успел...

Дальше пропускаем. Многое. Неинтересно. И ни к чему. Не в тему. Про первый брак, например. Грязи там было столько... что даже я стеснялся. А потом я встретил тебя.

Я таких, как ты, вблизи не видел. Разные бабы были, но... Им до тебя, как мне до луны!

Ты из другого мира. Ты образованная, умная, остроумная. Ты прекрасная! Ты талантливая. Необыкновенная. К такой, как ты, мне и подойти было страшно. Кто я? Да, небедный мужик. Но шваль подзаборная, шпана, гопота. Нувориш. Денег срубил, а все остальное... Книги, конечно, почитал – кое-что. В театрах бывал – так, для общего развития. Но я понимал, кто твой первый муж и кто второй. Кто были твои дед и бабуля. И кто я!

Такие, как я, научились есть лобстеров, фуагра, отличать белужью икру от осетровой и запивать все это хорошим «Шабли». Этому мы научились. Но, Алька! Все эти машины класса «люкс», костюмы от Бриони, сорочки, ботинки ручной работы – все это, Аленька, только компенсация. Компенсация за голодное и убогое детство, не более! Такие, как я, пыжимся, дуем щеки, корчим «мордашки», а по сути остаемся все той же шпаной. Гопотой. Только теперь с деньгами.

А потом я понял, что ты – не просто картинка. Не просто красивая и успешная баба. Не просто визитная карточка новорусского мужа. Ты настоящая, не суррогат. Не фейк. Не капризная, не нахальная, без понтов. Обычная баба, съевшая свое ведро дерьма. И оттого все понимающая. И тогда я тебя полюбил. Полюбил, наверное, в первый раз в жизни. Полюбил, оценив. Всю тебя. Поняв всю тебя.

А эта история... Дерьмо, конечно. Что говорить. Да, было. Да, правда. Девочка эта была. Ничего серьезного, так, провести время. Я там так подолгу торчал – ну, реализация моих непомерных (как ты говорила) амбиций. Ну, и «поспали», как говорится. Прости. А она оказалась шустрая – я, как никто, ее понимаю. Выжить-то надо. Вылезти из выгребной ямы. Ну, а какой способ проще? Правильно, залететь. Ну, и она залетела. А потом родила. Я ни проверять, ни отказываться не стал.

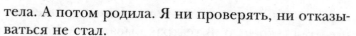

Мой ребенок, не мой. Зачем мне вся эта шумиха? Дом ей купил, бабки на парня даю. Ей большего не надо, я точки расставил сразу. Она в шоколаде, пацан растет. Все есть.

В мою жизнь она не лезет – такая договоренность. Только деньги давай. Все. Я там не бываю – отношений у нас давно нет, да и не было, собственно.

Все, Аль. Я все сказал. Все, что хотел. Дальше – ты. Как решишь, так и будет. Я все приму. Найду в себе силы.

Прости меня. Теперь выбираешь ты. Да. Двадцать второго я буду в Москве. Если не трудно, черкни, куда приезжать. В дом или в квартиру. Если не туда и не сюда, не обижусь. Отелей полно! Перекантуюсь.

Сергей»

Аля закрыла почту и откинулась в кресле.

«Теперь выбираешь ты!» – красиво. Хотя, если задуматься... Всегда выбирала она. Потому что всегда выбирает *женщина*.

Другое дело, *кого* она выбирает! Это мы про процент ошибок. Ну, и про нашу дурную бабью голову. И еще про судьбу. Кому-то везет – необоснованно, просто так. А кому-то не очень. Или совсем не везет.

Что ж, совсем неплохо! – усмехнулась она.

Когда есть выбор, это совсем неплохо. Особенно из двух мужчин. И оба, прямо скажем...

А уж в ее-то годы... Совсем хо-ро-шо!

Только... Не пошли бы вы все, а?

*Год спустя. Восьмое марта*

Женя сидела у окна, чтобы лучше была видна парковка у ресторана. Шел проливной дождь, и застенчиво «плакали» стекла.

Что за погода? Вчера валил снег, сегодня льет дождь. А до тепла еще далеко. Тепло, наверняка, придет только в мае.

Она глотнула кофе и провела рукой по запотевшему стеклу. На парковку въехала Никина машина.

Ника выскочила из нее, пытаясь раскрыть зонт, и рванула к двери ресторана. Войдя, она трясла головой как мокрая кошка и протирала очки, пытаясь хоть что-нибудь разглядеть. Увидев Женю, она радостно разулыбалась, замахала рукой, сбросила пальто на руки швейцару и заторопилась к подруге.

В этот момент к ресторану подъехала оранжевая, как апельсин, Алина «Ауди». Сначала из салона высунулся ярко-малиновый зонт, потом Алина нога, а затем и вся Аля. Она щелкнула автомобильным пультом, на всякий случай дернула ручку двери и только потом, неспешно обходя пузырящиеся, словно летом, лужи, с достоинством, присущим именно ей, как королева, медленно пошла к дверям ресторана.

Из окна ей радостно замахали Ника и Женя.

Аля вошла в зал, одернула узкую юбку, с поднятой головой, чуть прищурясь, огляделась, увидела подруг и так же неспешно, вальяжно даже, пошла к заказанному столику.

Ника и Женя вскочили со своих мест и бросились обниматься.

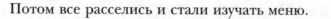

Потом все расселись и стали изучать меню.

– Девочки, – жалобно пролепетала Ника, – я все время голодная. Неприлично просто. Стесняюсь даже.

– Тебе положено! – почти хором откликнулись подруги. – И стесняться не привыкать!

Сделали заказ, расслабились и стали болтать. Перебивали друг друга, рассказывая последние новости.

Женя поделилась, что Маруська таки собирается замуж, и скорчила трагическую гримасу. Жених? Конечно не нравится. Нет, подождите! Не придираюсь. Честное слово! А что в нем хорошего? Студент, да еще и приезжий. И несолидный какой-то, пацан, одним словом.

Потом рассказала, что Дашка едет на год в Германию, по учебе. Ужасно, конечно! И как она будет там одна? Матушка Елена Ивановна совсем помешалась на своем драгоценном здоровье. Отец через день носит в лабораторию пробирки с анализами. Носит исправно, но маман все равно недовольна.

Еще он заваривает всякие травки, отсчитывает гомеопатические шарики, капает какие-то вонючие капли через пипетку – в общем, служит Ленусе верой и правдой. А Ленуся по-прежнему орет и беднягу шпыняет.

Я? Да все так же, что переменится? Звоню ей два раза в неделю, выслушиваю претензии. Любимая тема – что я идиотка, потому что так поступила. Замуж я больше не выйду, один раз свезло, второго не будет. А вообще-то, жалко ее. Всю жизнь прожить с человеком, которого не переносишь! Она ведь морщится, когда муженек к ней подходит. Несчастная баба, только пожалеть. А не развелась, потому что статус. Статус замужней женщины. С ума сойти можно!

Женя махнула рукой. Ника и Аля только вздохнули. Да и что тут сказать...

Ника похвалилась успехами сына, открыла айпад с фотографиями – горнолыжный курорт, Данька на лыжах. Здорово, да? Только очень страшно. Боюсь за него, трясусь прямо!

– Ничего! – отмахнулась Аля. – Второго родишь и будешь вменяемой матерью.

Женя ее поддержала. Потом она вспомнила важную новость – две книжки купила телекомпания. Представляете, девочки! Будут снимать сериалы!

– Местечко подруге забила? – поинтересовалась Аля, намазывая на горячую булочку масло с пряными травами.

Женя растерялась и беспомощно развела руками.

– Похлопочи, – посоветовала ей Аля, – хотя гонорары у меня... Ну ты же знаешь!

И снова все рассмеялись.

Ника уплетала за обе щеки, и подруги все пододвигали ей закуски и хлеб.

– Вадик, – тараторила она, – совсем рехнулся. Как услышал, что будет девочка! Просто сходит с ума. Говорит, что рожать поедем в Америку. Нет, как вам это? Я – директор перинатального центра, а рожать поеду в другую страну!

– Чокнулся, – кивнула головой Аля, – мужики, они все, знаешь ли!

Все дружно закивали.

– Ну, а *там* ты была? – осторожно спросила Аля.

Все сразу поняли, о чем речь.

Повисла смущенная пауза.

— Была, — тихо ответила Вероника, — ничего, собственно, страшного. Ну, почти... — Она тяжело вздохнула.

— Дали денег, наняли работяг и поправили крышу. Купили ей холодильник. Привезли кучу продуктов. В общем, все ничего. Ну, и деньги раз в месяц. Это понятно.

— Это понятно, — повторила Аля, — конечно, понятно. Ну, а тебе стало легче?

Ника чуть сморщилась и кивнула.

— Наверное, да... Да нет, даже скорее всего. И в Р. Я была, — добавила она, — сходила на кладбище. Попросила у него прощения. Поплакала, в церковь зашла. Вот тут, девочки, точно меня отпустило!

— А у тебя? — осторожно спросила Женя. — Что новенького?

— Отчитываюсь, — серьезно сказала Аля, — читаю сценарии. Завалили. Выбираю. Есть из чего.

Далее — Лида пишет сценарий. Говорит, под тебя, мама. Ничего себе, а? Терлецкий, думаю, ей поможет. Он все-таки дока. И она девочка не без таланта. Ну, а если удастся все это пробить — я с радостью, вы ж понимаете! Саввка сидит у любимого компа, пишет программы. Вроде есть девочка. Не говорит — догадываюсь. Стал чаще мыться и поливается одеколоном. Уже прогресс! Ну, а внешний вид... — Аля вздохнула, — хвостик, бородка, балахон с капюшоном. Типичный айтишник, что тут поделать!

— А как, госпожа Ольшанская, ваш новый директор? — осведомилась Женя. — Вы им довольны?

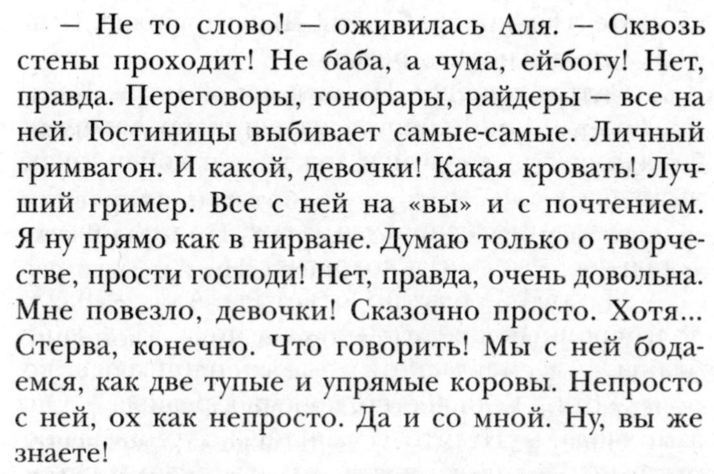

– Не то слово! – оживилась Аля. – Сквозь стены проходит! Не баба, а чума, ей-богу! Нет, правда. Переговоры, гонорары, райдеры – все на ней. Гостиницы выбивает самые-самые. Личный гримвагон. И какой, девочки! Какая кровать! Лучший гример. Все с ней на «вы» и с почтением. Я ну прямо как в нирване. Думаю только о творчестве, прости господи! Нет, правда, очень довольна. Мне повезло, девочки! Сказочно просто. Хотя... Стерва, конечно. Что говорить! Мы с ней бодаемся, как две тупые и упрямые коровы. Непросто с ней, ох как непросто. Да и со мной. Ну, вы же знаете!

– В общем, тандемчик у вас! – рассмеялась Женя. – Красавица и Чудовище. Красавица, Алька, ты!

– Ха! – хмыкнула Аля. – Ты думаешь, я на секунду задумалась, кто из нас кто?

– А вообще... Две змеищи на нагретом пригорке. Шипим, скалимся, яд капает, а мы – кто кого!

– Она не придет? – спросила Ника. – А то у меня, – она чуть запнулась, – к ней разговор.

– В командировке, – ответила Аля, – погода нелетная, застряла, бедняга, надолго. А что у тебя? Хочешь переманить? – Аля сузила глаза. – Смотри у меня!

Ника махнула рукой.

– Зачем мне Марина? Я не звезда. Нет, конечно, такой коммерческий директор и нам бы не помешал, но я же девушка приличная и сотрудников у подруг не переманиваю. Просто, – она запнулась, – есть разговор. Ну, по поводу... вы понимаете. Надо попробовать! Шансы вполне. И не с такими диагнозами рожают.

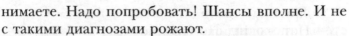

– Завтра приедет. Ну, или послезавтра. Когда эта срань, – она кивнула на окно, по которому бежали шустрые струйки дождя, – наконец закончится.

– Аль, – тихо спросила Женя, – а как... ну, все остальное? – и слегка покраснела.

– Да гуд! – быстро ответила Аля. – Взяла долгосрочный кредит – думаю пока. Или картбланш, – засмеялась она, – выпендриваюсь, короче. Хотя... Если честно, конечно, решила. – Она замолчала. – Ну что уставились, курицы любопытные? Молодежь, пусть она идет своим путем. И коней, – она громко вздохнула, – на переправе не меняют. Верно? Хотя... Вот я часто думаю – а нужно ли мне все это? Замужество, черт его подери? Если по правде – так мне и неплохо одной. Нет, честное слово. Устала я от мужского племени, понимаете? Сама себе режиссер, сама себе цензор. И очень неплохо!

Подруги молчали.

– А простить, девочки, – она замолчала, задумавшись, – простить можно все. Или почти все. Если захочется. Правильно?

Ника и Женя кивнули.

– Ну, а ты сама, Бажов? Колись! Как тебе... в новом, так сказать, качестве? А то все отмалчиваешься, тихушница!

Женя вздохнула и улыбнулась.

– Да все хорошо. Нет, честно, девочки. Я както... вздохнула даже. Почти пережила и – вздохнула. И много есть положительного в статусе свободной женщины, это точно, Алечка!

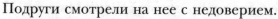

Подруги смотрели на нее с недоверием.

– Нет, выглядишь ты замечательно, правда, – с сомнением проговорила Аля, – но что-то не верится, что все так прекрасно.

– Бывает, болит, – чуть поморщилась Женя, – ведь столько лет! Куда выкинуть? Но... Все же так правильно. Ну, сколько же можно? Это его жизнь и его выбор. А одиночество... Так я и так давно была одинока. Только теперь одинока физически. А это, надо сказать, от многого освобождает. Я, девчонки, тут в Питер съездила. Такое блаженство! А через пару недель поеду в Вену и в Зальцбург! И никто мне не скажет – никто! – «Не ешь, Женя, так много пирожных!», «Далась тебе эта опера!», «И сапоги эти, Женя, для молодых! Не для тебя, дорогая!»

– Каждый решает сам, – кивнула Ника. – Раз... вы так решили...

Аля придвинулась к Жене.

– Слушай, Женька! Есть жених, слышишь? Мужик неплохой. Старый знакомый, из нашего мира. Сценарист, между прочим. Только развелся и хочет обратно. В смысле – в семью. Домашний такой, тихонький. Все жалуется, что супчика хочется горячего и еще – понимания!

Женя махнула рукой и засмеялась.

– А вот я, Алечка, в семью не хочу. Может, пока. Рано еще! Еще поболтаюсь на воле. И супчик сама умею сварить. Не нужен нам тихонький. Да и столько лет в няньках! Устала. Зачем мне обратно в хомут? Шея больная! Остеохондрозная шея. А сколько лет на ней все сидели? Пусть отдохнет!

— Вот именно! — сурово сказала Ника. — Не нужен. Пока. А потом... пусть Женька побудет в невестах! А, девочки, — мечтательно добавила она, — нет, правда?

— Вот это мудро! — кивнула Аля. — А давайте сварганим клуб одиноких баб? Помните, даже киношка такая была. Или там про разведенных? Народу припрется! Уйма! В смысле, желающих. Я, беллетрист и Маринка будем в правлении. А ты, Никуш, как приглашенная звезда. Лекции будешь читать — как сохранить женское здоровье в отсутствие мужского пола.

— Вот это даже я знаю! — обрадовалась Женя. — И еще могу подтвердить справедливость формулировки!

— Девчонки! — раздался вдруг громкий крик. — А вот и я!

Они обернулись и увидели Марину.

— Ну ничего себе! — пробормотала Ольшанская. — Ты как, на метле?

Марина плюхнулась на стул и, отдышавшись, махнула рукой.

— Почти! Повезло. Взяли... на один важный борт. Прихватили. Связи, мои дорогие! Работают связи!

Она быстро пролистала меню.

— Нет, есть не хочу, там, на борту, накормили. Да как! А выпить вот — выпью! Коньячку, кстати, выпью. И с большим удовольствием. Замерзла как цуцик. Ну и погодка, а, девочки?

— А мы за рулем, — грустно сказала Женя, — и пьем лимонад.

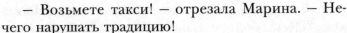

— Возьмете такси! — отрезала Марина. — Нечего нарушать традицию!

— Да, правильно! — Аля подозвала официанта. — Все-таки праздник. Женский, блин, день! А мы тут как козы!

— Коза — это я! — пискнула Ника. — Непьющая, в смысле.

— Ты по-любому коза, — согласилась Аля, — но Коза — золотые копытца!

— Хорошо, что не рожки! — пробурчала Ника.

И все рассмеялись. Потом выпили коньяку, дальше — кофе, не отказали себе и в десерте. Попереживали, но этим и ограничились. Прошло на «ура».

Снова болтали, перебивали друг друга, смеялись, вспоминали смешное и грустное, делились сокровенным — куда деваться, подруги!

Тихо и ненавязчиво играла приятная музыка. Был слегка притушен свет.

Они радовались друг другу. Тому, что обрели верных подруг. Тому, что в их жизни произошли перемены. Радовались этому празднику, который всегда считали дурацким. Потому что все равно праздник! Радовались жизни. Которая иногда бывает очень жестока и сурова, а иногда — сказочно добра и прекрасна.

Они наслаждались обществом близких людей. Вкусной едой, отличным кофе и прекрасным старым коньяком. Просто... Просто радовались, и все! Разве этого мало?

— Да, девочки, — встрепенулась Аля, — анекдот! Мой любимый. Итак. Старый еврей, нищий и многодетный, вконец отчаявшийся, приходит к раввину. «Не могу больше! — говорит он, чуть не плача. – Все плохо. Да так, что не может быть хуже! Жена болеет, сын выпивает. Дочка погуливает. Денег нет, как жить?»

Раввин посмотрел на него внимательно: «Дать совет?» Старик кивнул.

«Ну, слушай. Придешь домой и напиши на бумаге: «Так будет не всегда!» Большими буквами, слышишь? И повесь эту табличку над дверью. Понял?»

Еврей растерянно кивнул. «И это все?»

«Ну, да, – ответил раввин, – напишешь и повесишь. Чтобы тебе всегда было ее видно. Понял?»

Старик кивнул и пошел домой. Сделал все, как велел раввин. Проходит время, и – чудеса! – жена поправляется и хлопочет по дому. Сын взялся за ум, бросил пить и стал зарабатывать. Дочка одумалась и вышла замуж. И еще как удачно! У старика появилась работа. Он, не веря до конца своему счастью, пошел к раввину благодарить. Вошел в синагогу, поклонился раввину и все ему рассказал. Как все наладилось, как все хорошо. Как они с женой счастливы и покойны. Тот спокойно выслушал, кивнул и сказал: «Ты только табличку ту никогда не снимай!»

«Почему?» – удивился старик.

«Так будет не всегда! – улыбнулся раввин. – Разве ты этого еще не понял?»

Все засмеялись, и Женя сказала:

– Ну, ты у нас оптимист, Аленька! Послушать тебя... – Женя покачала головой.

– Зато правда жизни, – заключила Марина, – и это не лесть работодателю! Слышишь, Алюнь? Просто про зебру, да!

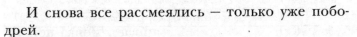

И снова все рассмеялись – только уже пободрей.

Про зебру в полосках – черных и белых – им было известно. Всем четверым. С большими подробностями.

Но это никак не отменяло их праздника. И их желания жить, любить, страдать, восхищаться, умиляться, разочаровываться, снова верить, надеяться, спотыкаться, обдирать в кровь колени, да что там колени... Душу и сердце! Падать и снова вставать!

И снова поверить в то, что жизнь, в сущности, не так плоха, как мы часто про нее думаем. В который раз, господи!

А она и вправду прекрасна, как ни крути, эта самая жизнь!

Возражений, кажется, нет?

Литературно-художественное издание

ЗА ЧУЖИМИ ОКНАМИ
Проза М. Метлицкой и А. Борисовой

**Метлицкая Мария**

**ЖЕНСКИЙ ДЕНЬ**

Ответственный редактор *Ю. Раутборт*
Младший редактор *А. Семенова*
Художественный редактор *П. Петров*
Технический редактор *Г. Романова*
Компьютерная верстка *З. Полосухиной*
Корректор *Г. Москаленко*

ООО «Издательство «Э»
123308, Москва, ул. Зорге, д. 1. Тел. 8 (495) 411-66-86; 8 (495) 956-39-21.

Өндіруші: «Э» АҚБ Баспасы, 123308, Мәскеу, Ресей, Зорге көшесі, 1 үй.
Тел. 8 (495) 411-68-86; 8 (495) 956-39-21.
Тауар белгісі: «Э»
Қазақстан Республикасында дистрибьютор және өнім бойынша арыз-талаптарды қабылдаушының өкілі «РДЦ-Алматы» ЖШС, Алматы қ., Домбровский көш., 3«а», литер Б, офис 1.
Тел.: 8 (727) 251-59-89/90/91/92, факс: 8 (727) 251 58 12 вн. 107.
Өнімнің жарамдылық мерзімі шектелмеген.
Сертификация туралы ақпарат сайтта Өндіруші «Э»

Сведения о подтверждении соответствия издания согласно законодательству РФ о техническом регулировании можно получить на сайте Издательства «Э»

Өндірген мемлекет: Ресей
Сертификация қарастырылмаған

Подписано в печать 21.07.2015.
Формат 84x108 1/32. Гарнитура «NewBaskerville».
Печать офсетная. Усл. печ. л. 18,48.
Тираж 30 000 экз. Заказ 5249.

Отпечатано с готовых файлов заказчика
в АО «Первая Образцовая типография»,
филиал «УЛЬЯНОВСКИЙ ДОМ ПЕЧАТИ»
432980, г. Ульяновск, ул. Гончарова, 14

ISBN 978-5-699-82755-8

**Оптовая торговля книгами Издательства «Э»:**
142700, Московская обл., Ленинский р-н, г. Видное,
Белокаменное ш., д. 1, многоканальный тел.: 411-50-74.

**По вопросам приобретения Издательства «Э» зарубежными оптовыми покупателями обращаться в отдел зарубежных продаж**
*International Sales: International wholesale customers should contact Foreign Sales Department for their orders.*

**По вопросам заказа книг корпоративным клиентам, в том числе в специальном оформлении**, *обращаться по тел.: +7 (495) 411-68-59, доб. 2115/2117/2118; 411-68-99, доб. 2762/1234.*

**Оптовая торговля бумажно-беловыми и канцелярскими товарами для школы и офиса**:
142702, Московская обл., Ленинский р-н, г. Видное-2,
Белокаменное ш., д. 1, а/я 5. Тел./факс: +7 (495) 745-28-87 (многоканальный).

**Полный ассортимент книг издательства для оптовых покупателей:**
**В Санкт-Петербурге:** ООО СЗКО, пр-т Обуховской Обороны, д. 84Е.
Тел.: (812) 365-46-03/04.
**В Нижнем Новгороде:** 603094, г. Нижний Новгород, ул. Карпинского, д. 29,
бизнес-парк «Грин Плаза». Тел.: (831) 216-15-91 (92/93/94).
**В Ростове-на-Дону:** ООО «РДЦ-Ростов», пр. Стачки, 243А.
Тел.: (863) 220-19-34.
**В Самаре:** ООО «РДЦ-Самара», пр-т Кирова, д. 75/1, литера «Е».
Тел.: (846) 269-66-70.
**В Екатеринбурге:** ООО«РДЦ-Екатеринбург», ул. Прибалтийская, д. 24а.
Тел.: +7 (343) 272-72-01/02/03/04/05/06/07/08.
**В Новосибирске:** ООО «РДЦ-Новосибирск», Комбинатский пер., д. 3.
Тел.: +7 (383) 289-91-42.
**В Киеве:** ООО «Форс Украина», г. Киев,пр. Московский, 9 БЦ «Форум».
Тел.: +38-044-2909944.

**Полный ассортимент продукции Издательства «Э» можно приобрести в магазинах «Новый книжный» и «Читай-город».**
Телефон единой справочной: 8 (800) 444-8-444.
Звонок по России бесплатный.

**В Санкт-Петербурге:** в магазине «Парк Культуры и Чтения БУКВОЕД»,
Невский пр-т, д.46. Тел.: +7(812)601-0-601, www.bookvoed.ru/

**Розничная продажа книг с доставкой по всему миру.**
Тел.: +7 (495) 745-89-14.

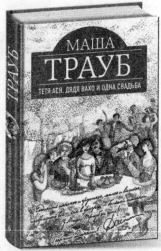

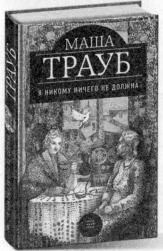

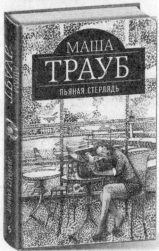